一笑

古龍 著

盛期之風貌

臥龍生作品 帶動武俠風潮

《飛燕驚龍》開一代武俠新風

《飛燕驚龍》(1958)爲臥龍生成名作，共48回，約120萬言。此書承《風塵俠隱》之餘烈，首倡「武林九大門派」及「江湖大一統」之說，更早於香港武俠巨匠金庸撰《笑傲江湖》(1967)所稱「千秋萬世，一統」達九年以上。流風所及，臺、港武俠作家無不效尤；而所謂「武林盟主」、「江湖霸業」等新提法，竟成爲社會大眾耳熟能詳的流行術語了。

《飛燕》一書可讀性高，格局甚大。主要是寫江湖群雄爲覬覦傳說中的武林奇書《歸元秘笈》而引起一連串的明爭暗鬥；再以一部假秘笈和萬年火龜爲餌，交插敘述武林九大門派（代表正派）彼此之間的爾虞我詐，以及天龍幫（代表反方）網羅天下奇人異士而與九大門派的對立衝突。其中崑崙派弟子楊夢寰偕師妹沈霞琳行道江湖，卻如夢似幻地成爲巾幗奇人朱若蘭、趙小蝶之絕世武功技驚天龍幫，而海天一叟李滄瀾復接連敗於沈霞琳、楊夢寰之手；致令其爭霸江湖之雄心盡泯，始化解了一場武林浩劫云。

在故事佈局上，本書以「懷璧其罪」（與真、假《歸元秘笈》有關）的楊夢寰屢遭險難，卻每獲武林紅妝垂青爲書膽(明)，又以金環二郎陶玉之嫉才害能，專與楊夢寰作對(暗)爲反派人物總代表。由是一明一暗交織成章，一波未平，一波又起，極盡波譎雲詭之能事。最後天龍幫冰消瓦解，陶玉帶著偷搶來的《歸元秘笈》跳下萬丈懸崖，生死不明，卻予人留下無窮想像空間。三年後，作者再續寫《風雨燕歸來》以交代陶玉重出江湖，爲惡世間，則力不從心，當屬狗尾續貂之作。

在人物塑造方面，臥龍生寫男主角楊夢寰中看不中用，固然乏善可陳，徹底失敗；但寫其他三名女主角如「天使的化身」沈霞琳聖潔無瑕，至情至性，處處惹人憐愛；「正義的女神」朱若蘭氣質高華，冷若冰霜，凜然不可犯；「無影女」李瑤紅則刁蠻任性，甘爲情死等等，均各擅勝場。乃至寫次要人物如「賓中之主」海天一叟李滄瀾之雄才大略，豪邁氣派；玉簫仙子之放蕩不羈，爲愛痴狂；以及八臂神翁聞公泰之老奸巨猾，天龍幫軍師王寒湘之冷傲自負等，亦多有可觀。

摘自 葉洪生、林保淳著
《台灣武俠小說發展史》

與

武俠小說

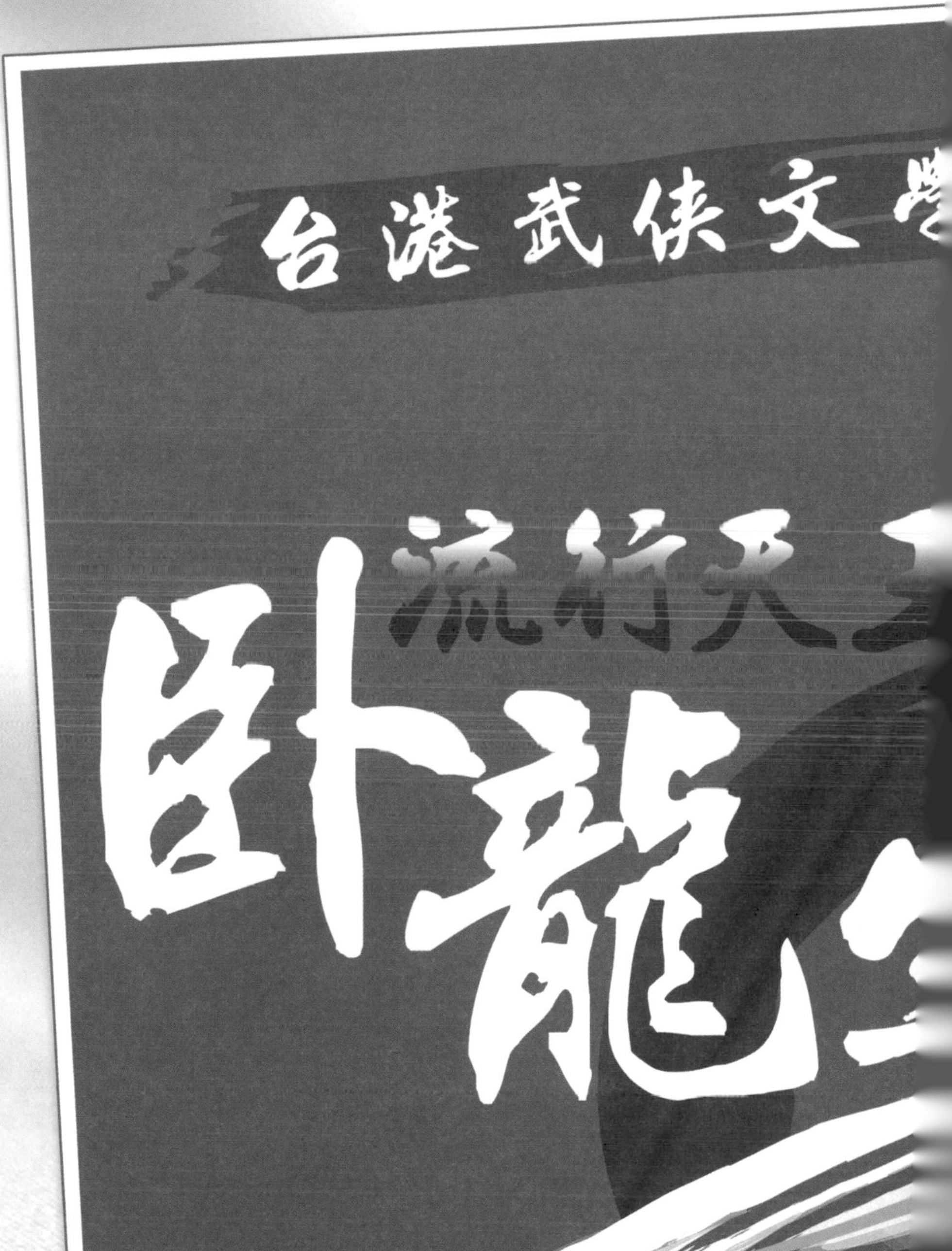

台港武俠文
流行天
臥龍

臥龍生是台灣最著名的武俠小說作家之一，自然也是海外新派武俠小說家中的重要一員。

在台灣武俠小說界，臥龍生曾獨領風騷被稱為「台灣武俠泰斗」。後來司馬翎、諸葛青雲脫穎而出，才與臥龍生並稱台灣俠壇的「三劍客」。那時候古龍還默默無聞。後來古龍名氣漸大，躋身高手之林，與「三劍客」合稱「台灣武俠小說四大家」，但臥龍生仍是深受讀者歡迎的武俠小說作家。

陳墨

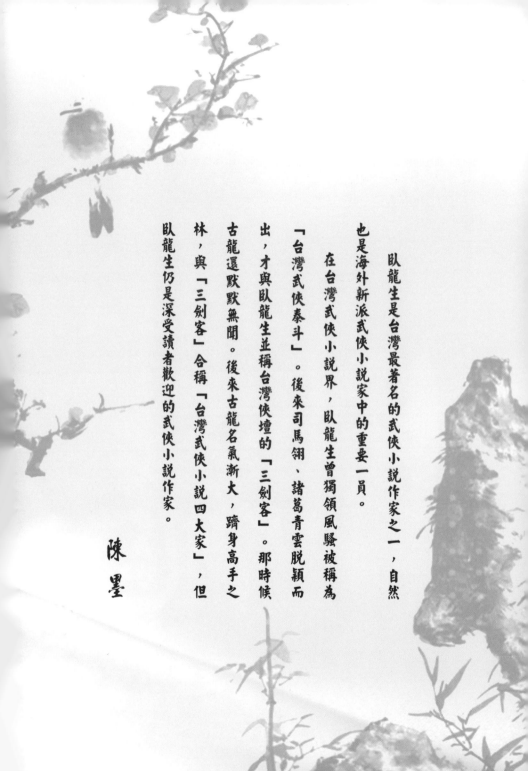

翠袖玉環（四）

大結局

臥龍生

武俠經典珍藏版 40

臥龍生精品集40

翠袖玉環(四)

目錄

卅九　寶室藏金釵……005
四十　玉手搏龍虎……023
四一　山窮水盡……050
四二　無所遁形……075
四三　捨己救世……105
四四　任重道遠……131

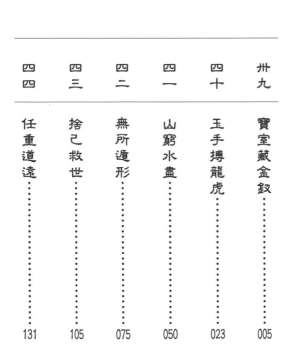

四五　金頂丹書……159
四六　勢難兩全……188
四七　移花接木……217
四八　劍拔弩張……251
四九　翠綠玉環……288
五十　互結同心……344

卅九　寶室藏金釵

江曉峰凝目望去，發覺那黑衣人掀去的黑色被單，又換了一張床位，但那躺在床上的綠衣女子，穿著、裝束，卻和適才所見一般模樣，縱然是形貌上稍有不同，也是不易分辨得出來。

但見她緊閉雙目，臉色豔紅，睡得十分香甜。

黑衣人兩道銳利的目光，轉注在江曉峰的臉上，道：「你怎麼還不出手？」

江曉峰道：「她沉睡不醒，我如一劍把她殺死，豈不是一椿大恨大憾的事情？」

黑衣人怒道：「你如再不出手，那就沒有出手的機會了。」

江曉峰回顧了一眼，見王修微微頷首，分明同意自己出手一試，當下舉步行了過去，一提真氣，長劍疾落，劈在那綠衣女子的前胸之上。

想到自己這一劍，使一個玉容如花的少女，血濺當場，玉殞香消，心中十分不忍，長劍下落時，不禁轉過頭去。

只聽波的一聲，那手中長劍，有如砍在一團棉花之上。

轉目望去，只見那綠衣少女身上的衣服，已被利刃劈裂，露出了雪白的肌膚，但那綠衣少女，卻是完整無傷。

只見她伸動一下雙臂，緩緩坐了起來。

江曉峰怔了一怔，心中大感不服，長劍一探，又刺向那少女的前胸，這一劍，江曉峰增加了不少的力量。

只見那綠衣少女，嬌軀一側，長劍掠著那綠衣少女身側而過。

江曉峰一挫腕，收回長劍。

但那綠衣少女的動作更快，身子一側，避過了一劍，右手疾如星火般拍出一掌。

江曉峰感覺到有一股勁力，直逼胸前，急急橫躍三尺。

那綠衣少女一躍而起，直衝過來，同時雙腳連環踢出。

江曉峰吃了一驚，暗道：「好快速的身法。」

長劍一起，幻起了一片護身的劍光。

綠衣少女柳腰一伸，呼的一聲，掠著那幻起的劍光，一閃而過，姿態美妙，快速絕倫。

江曉峰感覺到一股強大的潛力，隨那綠衣少女的身軀移動，湧了過來，逼住劍勢，不禁心頭大爲震駭，暗道：「這綠衣女子，全身都似帶有著強大的暗勁，實是罕聞罕見的武功。」

心念轉動之間，突覺後肩之上一疼，身不由主地打了一個前栽，衝出去兩、三步遠，才停穩了身子。回目望去，只見那綠衣少女，站在室門口處，臉上帶著微微的笑意。

江曉峰抬頭打量一下屋頂，並不太高，這密室的空間，亦不太大，就算是輕功絕佳的人，也不易避過自己的劍勢，但綠衣少女，卻似是輕而易舉地穿過劍幕，自然，這不能全憑輕功身法。

只聽那黑衣人冷冷說道：「你這小子服了沒有？」

江曉峰輕輕咳了一聲，道：「她練有金鐘罩、鐵布衫的功夫，刀劍無法傷她。」

黑衣人冷冷說道：「我說你井底之蛙，沒有多大的見識。你大概還是有些不信，金鐘罩、鐵布衫，都是外門氣功，如何算得上乘武學？」

王修生恐江曉峰和那黑衣人鬧成僵持之局，急急接道：「不錯，這不似金鐘罩的功夫，這位姑娘的身法、功力，以及那巧妙旋轉，似乎是都含有玄機。」

黑衣人道：「閣下還算有點見識，她適才所用，是武林中絕傳的『浮光掠影』上乘身法。」

王修道：「不錯，此技絕傳甚久，今日在下等總算開了一次眼界……」語聲微頓，接道：「在下有一事想請教閣下，不知當是不當？」

黑衣人道：「你最好想想再說，如是你言語不當，說不定會招來殺身之禍。」

王修輕輕咳了一聲，笑道：「在下心中之疑，亦即是藍夫人這番安排的用心。」

黑衣人道：「好！那你就說說看。」

王修道：「這秘室之中，十二張木榻上，可都是睡的女子麼？」

黑衣人點點頭，道：「不錯，她們被稱做為十二金釵，也可以稱之為十二女煞神，不管怎麼說都可以。」

王修道：「閣下是統率這十二金釵的首腦了？」

黑衣人道：「應該是藍夫人，如今藍夫人既已過世，自然是區區在下了。」

王修陪笑道：「藍夫人千辛萬苦，用盡心機，安排這十二金釵，必然有作用了？」

黑衣人冷笑一聲，道：「這似乎和閣下無關吧！」

王修輕輕歎息一聲，道：「藍夫人命你統率十二金釵，足見對閣下的信任，如今藍夫人既已死去，閣下應當體念她的用心才是。」
黑衣人道：「嗯！藍夫人給你提過？」
王修心中一動，暗道：「此刻處境，鬥智不鬥力，不得不用些心機，說幾句謊言了。」
心中念轉，點點頭，答道：「不錯，藍夫人給在下提過，而且……」
黑衣人厲聲說道：「而且什麼，快接下去！」
王修笑一笑，道：「她告訴在下，她已爲武林中安排下消除大劫的實力，而且還告訴我那實力，在一種極爲玄奇、嚴密的方法控制之下。」
黑衣人沉默了良久，道：「只說了這些麼？」
王修試探著說道：「她還說過，江湖中人一旦有了絕高的武功，那就不可信任，很容易妄生狂念，動了謀霸武林之心，藍天義就是一面鏡子……」見那黑衣人並無接言之意，才接了下去，道：「所以，她不再全心全意的相信一個人了。」
黑衣人道：「很可惜，藍夫人竟然死去。」
王修淡淡一笑，道：「在下等告辭了。」
他突然出言告別，而且要轉身就走，不但使那黑衣人大感意外，就是江曉峰和巢南子等，也是茫然不知所措，呆了一呆，才舉步隨在王修身後行去。
但聞那黑衣人冷厲地喝道：「站住！」
王修人已快近洞門口處，但那綠衣少女，當門而立，似是毫無讓路之意，正感爲難，那黑衣人卻及時喝止，立時停下腳步，緩緩轉過身子，道：「閣下還有何見教？」
黑衣人道：「你們既然瞧到了這裏的隱密，還想生離此地麼？」

王修笑一笑，道：「那藍夫人說的不錯，閣下極可能在她死去之後，自立門戶，而不去完成她的遺志。」

黑衣人道：「是又怎麼？」

經過這一番交談之後，王修心中已有了七成把握，臉色一正，肅然說道：「藍夫人算無遺策，豈能智不及此？」

黑衣人道：「你是說藍夫人在死去之前，已安排下了對付我的辦法了？」

王修點點頭，道：「正是如此，不過，她對你仍極信任，遺謀對付你，只不過未雨綢繆，防而不用罷了。」

黑衣人聲音轉變得十分冷漠，接道：「縱然藍夫人確然遺留下對付我的策略，我想不出天下有什麼人，能夠執行她遺留的策略，對付區區。」

他臉上蒙著黑紗，叫人無法瞧出他的神情，但他的口氣夠狂，想他說話時的神態，亦必是十分的托大，大有目空四海、眼中無人之概。

王修心中暗暗吃了一驚，忖道：「糟了，這一下也許弄巧反拙了。」

但表面上，王修卻保持了原有的鎮靜，淡淡一笑，道：「那位受藍夫人遺命對付的人，就是區區在下。」

黑衣人似是受了很大的震動，沉吟了一陣，道：「我早該想到的，如若不是藍夫人告訴你們，你們也無法找到這個地方……」

語聲一頓，口氣突然變得十分冷漠，接道：「閣下既已承受了藍夫人的遺命，不知要準備如何對付在下？」

王修道：「藍夫人雖然給了在下對付這十二金釵的方法，但在下覺著不大適用。」

他的話，每一句都含有極大的作用，若有所指，但卻又言不盡意，使人不覺間，動了追問底細的用心。

黑衣人道：「那是什麼方法？」

王修目光轉動，四顧了一眼，心中卻盤算著如何才能一句話折服黑衣人。

從多次對話中，王修已發覺這神秘的黑衣人，是一個有著甚多江湖經驗的人，如是言語中露出馬腳，被他聽出破綻，就再難有挽回之法。所以，他必須慎重的思索，使每一句話都能夠打入那黑衣人的心坎，而且又能鎮得住他，不致讓他泛生殺機。

黑衣人看王修雙目不停地在四下打量，卻不肯回答自己的問話，忍不住說道：「閣下可是在想一句動人的話麼？」

王修心中微微一震，緩緩說道：「在下在想藍夫人的遺謀，似乎是對你無關，至少傷害不到你……」

黑衣人喘了一大口氣，道：「那是說藍夫人的遺策，是在對付十二金釵？」

神算子是何等精明的人物，聽那黑衣人急喘之聲，已知這一次正擊中了他的要害，當下微一頷首，道：「不錯，藍夫人的方法，是要在下對付十二金釵。」

黑衣人冷冷說道：「你準備如何對付她們？」

王修笑道：「這個麼，恕難奉告。」

黑衣人突然發出一陣陰森的冷笑，道：「藍夫人死去之後，這十二金釵，由我統率，放眼天下，已無制服我的人了。但我想不到藍夫人在死去之前，竟然會替我留下一個禍害，江湖上傳說你博學多才，看來，傳言未必是真，假如是，你就不會口吐真言，招來殺身之禍了。」

王修心頭一震，他心中明白，那黑衣人並非恐嚇之言，只要他一聲令下，片刻之間，幾人都要死於這秘室之中。

但他胸藏有無限的才慧，愈是處於險惡之境，愈能鎮靜，當下冷然一笑，道：「朋友，這等想法，未免太過低估我神算子了。」

黑衣人正待下令那綠衣女子出手，先行搏殺王修，但聽得王修之言，立時停了下來，緩緩說道：「閣下還有什麼詭計，不妨施展出來。」

王修冷冷說道：「這十二金釵，借那『換心香』的力量，都練成了一身很特殊的武功，刀槍不入，武功詭奇，她們具有常人沒有的鎮靜和冷酷，這是她們厲害之處，也是她們致命的缺憾。因為她們究竟非平常人，所以，有一種特殊的方法，可以使她們瞬息之間，發生大變。」

他思索了很久，實在想不出如何對付這十二金釵，只有含含糊糊的支吾過去。

黑衣人道：「什麼大變？」

王修道：「你朋友心中明白，在下倒不能說得很清楚了。」

黑衣人道：「就算那藍夫人確然告訴了你，對付十二金釵的辦法，但我若是殺了你，豈不是永絕後患麼？」

王修道：「在下未死之前，世間只有我一人知曉對付十二金釵的辦法，如是在下死去之後，至少有七人知曉，對付十二金釵的辦法。」

黑衣人道：「何以如此？」

王修道：「因為在下來此之前，已把那對付十二金釵的方法，存放在一處很隱密的地方，如是今夜子時之前，我還不能回去，他們就要拆開我留下的錦囊，那時，對付十二金釵的辦法，七個人同時過目，自然，當今之世，就有七個人知曉這秘法了。」

黑衣人道：「原來如此……」

沉吟了一陣，接道：「你不是用詐麼？」

王修笑道：「你暗中監視我們的舉動，我們一行幾人，大概你心中早已有數了。」

黑衣人思索了一陣，道：「你們有多少人？」

王修道：「十一個人。我們四人在此，十一減四，還有七人，一個不少。」

他神態鎮定，若有所恃，那黑衣人雖然全神觀察，仍是瞧不出一點破綻來，只好長長吁一口氣，道：「神算子，咱們談談條件如何？」

王修道：「那藍夫人生前告訴過在下，她並無除你之心，她留下的謀略對付十二金釵，只不過以防不時之需罷了。」

黑衣人道：「在下追隨藍夫人多年，她竟對我不肯信任，把對付十二金釵的方法告訴了你。」

王修道：「藍夫人是大仁大智的人，救世人之心，大於私情。」

黑衣人冷哼了一聲，道：「你提個條件吧！」

王修搖搖頭，道：「沒有條件……」

黑衣人怒道：「這麼說來，你是一定要和我作對了？」

王修又搖搖頭，道：「更不是，在下要和你朋友合作……」

黑衣人道：「合作什麼？」

王修道：「這件事也是藍夫人的遺志，咱們合作，挽救一次武林大劫。」

黑衣人道：「對付藍天義？」

王修道：「不錯，你如是那藍夫人心腹，想必早知曉藍夫人安排這十二金釵的用心了。」

黑衣人沉吟了一陣，道：「咱們合作，對付過藍天義之後，閣下再對付我麼？」

王修道：「在下雖然善謀，但卻是一個極重信諾的人。」

黑衣人道：「這個也許不錯，如若你是個反覆無常的人，那藍夫人也不會告訴你對付我的方法。」

王修道：「閣下如能信任王某，咱們就好談了。」

黑衣人道：「十二金釵，武功都已入登峰造極之境，她們的成就，已經突破了一般人體能極限，放眼江湖，能夠和她們動手一搏的，實難找得出幾個，這是一股強大無比的力量……」

王修接道：「而且也對你十分忠實。」

黑衣人輕輕咳了一聲，道：「對！她們比一般人可靠一些。」

語聲一頓，接道：「現在，咱們可談談條件了。」

王修道：「閣下準備如何，不妨提出來。」

黑衣人道：「事情很簡單，我幫你對付藍天義，你把那藍夫人傳授對付十二金釵的方法，告訴我，最好是把它毀去。對付過藍天義之後，咱們就一清二楚，彼此互不相欠。」

王修道：「好！咱們一言為定，在下到時間交出藍夫人的遺策。」

黑衣人沉吟了一陣，道：「好！你們想法子把那藍天義誘到此地，在下負責對付他們。不過，我事先要把話說明，我只替你打一仗，所以，你要設法把藍天義和他最厲害的屬下一齊誘入此地。」

王修道：「把他們誘至此處？」

黑衣人道：「設法使他們進入巫山下院，進入了此地之後，那就不用你管了。」

王修道：「好！在下就此別過。」

黑衣人一揮手，那綠衣麗人，應手讓開了去路。

王修當先帶路，舉步向外行去，走到門口時，突聞那黑衣人高聲說道：「站住！」

王修心中一驚，停下了腳步，回頭說道：「閣下可是要改變主意？」

黑衣人搖搖頭，道：「那倒不是。不過，在下覺著，咱們應該訂下一個時限。」

王修沉吟道：「你可是準備要離開此地？」

黑衣人道：「今日不算，我們還準備在此停留半個月。」

王修啊了一聲，道：「半月之後呢？」

黑衣人道：「居無定所，天涯飄泊。」

王修道：「那豈不耽誤了十二金釵的武功進境？」

黑衣人道：「她們都已到了一定的成功限度，不用再練下去了。」

王修道：「半月時限，太過急促，恐怕難以佈置妥當。」

黑衣人道：「你覺著要多少時間呢？」

王修道：「一個月限期如何。」

黑衣人搖搖頭，道：「太長了，我延長五天，等你們二十天吧！」

王修道：「這樣吧！咱們也減少五天，二十五天如何？」

黑衣人冷笑一聲，道：「這不是做生意，難道還要討價還價？」

王修也冷冷說道：「如若在下無法把藍天義和他的屬下高手，誘入此地，咱們談好的條件，又有何用？」

黑衣人看王修理直氣壯，大有不惜立刻翻臉之勢，立時放緩和了語氣，說道：「好吧！二十五天就二十五天，但我不能多等一日。」

王修道：「就此一言爲定，在下等告辭了。」大步向外行去。

江曉峰、青萍子、巢南子，魚貫相隨，行出密室。王修當先帶路，直出巫山下院。

王修一口氣行出數里，頭也未回過一次，直待行入草叢之中，坐下了身子，才長長吁一口氣，道：「好險啊！好險。」

江曉峰道：「老前輩應付得宜，使一場凶險化於無形之中。」

王修苦笑一下，道：「我一生經歷過許多凶險，但卻從未有過像今日經歷的事故凶險。我心中全無把握，也無法預想到有什麼變化，這是一場全無準備、莫可捉摸的冒險，他臉上又戴著黑紗，無法從他的神情之間，瞧出他的反應。這是盲人騎瞎馬，全憑臨時機智和運氣……」

青萍子接道：「但王兄卻在機智上征服了他。」

王修輕輕歎息一聲，道：「這完全是一件僥倖的事，而且，他本人也確有殺死藍天義的用心，所以才一拍即合。」

青萍子道：「原來如此。」

王修道：「他和咱們合作，消滅了藍天義之後，也不會放過咱們。」

江曉峰道：「這麼說來，咱們是引虎逐狼，狼去虎居了？」

王修沉吟了一陣，道：「目下之法，也只有以毒攻毒一途，咱們引藍天義到此之後，利用那黑衣人率領的十二金釵之力，一舉間把藍天義和他屬下高手搏殺，然後，咱們再行設法對付十二金釵。」

江曉峰道：「這麼說起來，那黑衣人並未被『換心香』迷失心智。」

王修道：「不錯，他很清醒，他雖然蒙著面紗，但從他口中所聞所得，在下可以斷言，他是一個很陰沉的人，所以，極難對付。」

青萍子道：「有一件事，貧道一直想不明白，請教王兄。」

王修道：「什麼事？」

青萍子道：「那十二金釵算不算是人？」

王修道：「問得好。十二金釵的特殊成就，似乎不能全然是人，因爲她們已經超過了一個人的體能極限。但也不能說她們不是人，因爲她們有血有肉，如一般的人要進用食物。」

青萍子道：「武功至高的境界，有半人半仙之說，能夠禪坐七日，不進飲食，所謂金剛不壞之身，延年到百歲之上。」

王修搖搖頭，道：「單以武功成就而論，十二金釵的成就，確已到了至極的境界。但她們和道長說的不同，她們不是憑藉修爲而登至高至善之境，而是借重藥力。十二金釵是武學和醫道孕育而成的一種特殊功力，藥物使她們忘去自己，變成了一具行屍走肉，偏又使她們駐顏益壽，變得美豔非凡，雖然違背了自然，但畢竟是走到了成功之境。一個人如有煩惱，日夕之間的情愁、焦慮、回憶，不知道傷了多少心神，所以黑髮易斑，紅顏易老，但她們沒有這些。」

青萍子歎息一聲，道：「貧道一生中，從來沒有見過一個人的武功，有著綠衣女人的成就，那已進入了不可思議之境。不是貧道多慮，咱們必得先有一些安排，早日籌思出一個對付她們的方法才好。」

王修道：「純以武功對付十二金釵，大約在世間很難找出她們的敵手，唯一的辦法，就是借用大自然的力量了。」

青萍子奇道：「大自然的力量？」

王修微微一笑，道：「是的，大自然的力量，最簡明的是用水、用火，那十二金釵，仍然是血肉之軀，她們武功超絕，但仍然無法和大自然的力量比擬。」

王修笑一笑，道：「施用火攻，必須有一番精密的設計，巫山下院周圍林木不少，頗可借用，問題是，那黑衣蒙面人必有預防，得小心從事。再說，目下還未到時機，也許，到時用不著咱們出手對付十二金釵。」

江曉峰道：「爲什麼？」

王修笑道：「諸位別忘了，這中間，還有一個藍家鳳，藍夫人已爲藍家鳳安排，逐漸接掌巫山門的權勢之路，而巫山門中，最強的一股力量，就是十二金釵，黑衣人敢於背叛藍夫人，憑仗的就是十二金釵。看目下藍夫人安排的時機而論，她是位思慮很周密的人，豈能想不到黑衣人掌握了十二金釵之後，會背叛於她。如是我的推斷不錯，藍夫人應該早已爲藍家鳳定好制服那黑衣人的方法……」

江曉峰接道：「縱然藍夫人確是替藍家鳳，安排了接掌巫山門權勢之路，但那藍家鳳閱歷、經驗不足，做起來就未必那麼順當。」

王修道：「所以，咱們要幫助她……」
目光盯注在江曉峰的臉上，接道：「這就要憑仗你江少俠了。」
略一沉吟，接道：「目下咱們分頭辦事，江少俠去找藍家鳳。」
江曉峰道：「天涯茫茫，在下到何處找她？」
王修道：「三十里外，有一條東上、南下的必經之路，你到那裏等她。」
江曉峰道：「老前輩怎知她一定會來？」
王修道：「她率人匆匆而去，我雖有些懷疑，但還認爲她是故布疑陣。如今想來，亦是因爲發覺了那十二金釵之秘，她不會放棄奪回領導十二金釵的權利，必然去而復返，問題是，她如何一個回來法，也許是前呼後擁的大隊而歸，也許是輕車簡從的悄然回來，也可能易容改裝獨自潛歸，那要看藍夫人如何爲她安排了。」
江曉峰道：「在下見到她後，說些什麼，才能使她深信不疑，帶我同行？」
王修沉吟了一陣，道：「這個麼？我也無法告訴你一個可行的方法，要看你隨機應變，不過，以十二金釵做爲交談之始，必可引起藍家鳳的注意。」
江曉峰略一沉吟，道：「在下明白了，就此別過。」抱拳一揖，轉身而去。
王修輕輕咳了一聲，道：「江少俠，慢走一步，請再稍候片刻。」
江曉峰停下腳步，道：「什麼事？」
王修笑道：「你等我一下。」舉步自去。
青萍子、巢南子、江曉峰都無法猜出他的用心何在，六隻眼睛盯注著王修的背影出神。
王修去約一刻工夫，手捧一個錦囊，神情肅然地道：「世有錦囊妙計之謂，在下今日亦要從俗一番。我料藍家鳳快則今夜，遲在明日，定然要重返巫山下院，你必須日夜守在那岔道之處……」

江曉峰接道：「我要守候幾日？」

王修道：「最多三天，如是超過了三日，未見動靜，江少俠，就可以拆閱這個錦囊了。」

江曉峰又接道：「如若在下碰上了藍家鳳，那又將如何處置這個錦囊？」

王修道：「更要小心收存，貼肉而放，萬一遇上了什麼爲難之事，而你又覺著到山窮水盡之境，那時，也可打開這個錦囊。」

江曉峰心中大感懷疑，忖道：「這錦囊明明示明，我遇不到藍家鳳後，改變會晤之地，但竟然還有別的作用，果真如此，神算子確是超越我們一等的才人了。」

心裏暗自盤算，人卻抱拳說道：「在下遵命行事。」接過錦囊，藏入懷中。

王修沉聲說道：「公私要兼顧，私情能誤公。」

江曉峰淡然一笑，未作回答，轉身而去。

依照王修指示的方向而行，果然在數十里外，找到了一處岔道口。

江曉峰打量了一下四面形勢，發覺這處岔道，是在一所較高的土崗之上。岔道旁側生有一棵枝葉密茂的大槐樹，如能藏身在那大槐樹上，不但居高臨下，可見岔道上過往之人，而且目力所及，可見百丈以外。

這時，已是太陽快要下山的時刻，西方天際，浮起了一片絢爛的晚霞，江曉峰四顧無人，急急奔到那老槐樹下，一提氣，飛上樹身，流目四顧，只見崗上小道蜿蜒，清晰可見。

心中暗道：「藍家鳳等，如是白晝從此經過，固可一目了然，如是她趁晚而行，那就要大費周折了。」

夕陽無限好，只是近黃昏，不大工夫，日沉西山，夜幕低垂，天色逐漸暗了下來。

江曉峰凝聚了目力，盯注在岔道上過往行人。

這一帶，前不靠村，後不鄰店，方圓六、七里沒有人家，是以天色入夜之後，即不見一個行人，這省去了江曉峰不少精力。天約二更時分，四周更顯寂靜，自從垂下夜幕之後，再未見一個人過崗，江曉峰集中的心神，也逐漸地鬆懈了下來。

突然間，一陣得得的蹄聲，劃破了深夜的靜寂。

江曉峰精神一振，凝目望去。

只見兩匹快馬，由正東方疾馳而來，片刻間，已登上土崗。

只見當先一人，身著勁裝，黑帕包頭，背插長劍，身材似是很瘦小。

第二匹馬上是一個身軀魁梧的大漢，衣著長衫，在風中飄拂。

馬行迅快，再加上夜色幽暗，江曉鋒目力雖強，也無法分辨那人衣著的顏色，只見當先一人，很像是一個女的，後面一人，似是巫山門中那些身著灰衣的大漢。

就在他心中念頭一轉，兩匹馬、兩個人已然快過土崗。

江曉峰心中一急，大聲道：「來的是玉燕子麼？」

那奔行在前面的一匹快馬，突然打了一個急旋，轉了過來。

後面一匹馬上的長衫人，連馬也不帶，雙足一加力，馬仍然向前奔行，人卻從馬上飛身而起，半空一個大轉身，腳落實地，人已變成面對槐樹而立。

江曉峰看他騰身飛轉的幾個動作，乾淨俐落，不禁暗暗地讚道：「這人好俐落的輕功。」

心中念頭剛轉，那灰衣人已二度飛身而起，捷逾飛鳥一般，直向老槐樹上撲來。

江曉峰吃了一驚，暗中提聚真氣，力貫右掌，腳一蹬樹身，箭一般地直射出來。

黑衣人向樹上撲，江曉峰往下迎，兩條人影，懸空交接，對了一掌。

但聞蓬然一聲，如擊敗革。

江曉峰懸空打了一個跟頭，飄落在一丈開外。

那長衫人也被震得由空中直落而下，雙足著地，蓬然有聲。

兩人接了一掌，那第一匹馬上的黑衣人，已然及時趕到，喝道：「住手！」

江曉峰聽來人喝叫，聲音清脆，正是藍家鳳的聲音。

這時，黑衣人已收住馬韁，道：「什麼人？」

江曉峰道：「在下江曉峰。」

果然，一切都在王修的預料之中，黑衣人正是藍家鳳，她冷笑一聲，道：「是你！」

江曉峰道：「是我，姑娘可是覺著很意外？」

藍家鳳道：「就算意外，也不足使我驚奇，你來得正好，我也想找你。」

江曉峰向藍家鳳一抱拳，道：「姑娘有何見教？」

藍家鳳道：「殺你！」

江曉峰怔了一怔，道：「姑娘爲什麼要殺我？」

藍家鳳道：「很簡單，我不願在武林中留下一個未來的勁敵，因此，我要先殺你。」

江曉峰道：「姑娘這般看重在下，江某人雖死猶榮了，不過此刻時機不當。」

藍家鳳冷哼一聲，道：「為什麼？」

江曉峰道：「姑娘目下的敵人太多，等你擊敗了眾多強敵之後，再殺我還不遲，反正，在下一、兩年內，也無法成為可和姑娘匹敵的高手。」

藍家鳳道：「你故意在此等我，不知找我有何見教？」

江曉峰道：「十二金釵，姑娘可曾聽人說過？」

藍家鳳呆了一呆，翻身下馬，緩緩向前逼近了兩步，道：「什麼十二金釵？」

江曉峰道：「十二個女人，號稱十二金釵，哪裏不對了？」

藍家鳳道：「我說你知曉有限，果然是不錯。十二金釵，代表十二個女人，此事誰人不知，還用得著你說麼。」

江曉峰道：「那十二金釵，都藏身在巫山下院之中。」

藍家鳳道：「你胡說什麼？」

江曉峰道：「在下親眼看到，怎能算是胡說？」

藍家鳳怔了一怔，道：「你親眼看到？」

江曉峰道：「不錯，在下不但親跟看到，還和十二金釵中的一位，動手搏鬥了數招。」

藍家鳳冷冷說道：「你這話是真是假？」

江曉峰怒道：「你變得如此猜忌，不肯信人之言，難道句句話都要我對你起誓不成？我瞧咱們不用談了。」他心中怒火高燒，連此來的用心，也不再顧及，轉身大步而去。

四十　玉手搏龍虎

但聞衣袂飄風，人影一閃，藍家鳳已攔在身前，嫣然一笑，道：「怎麼樣，生氣了？」

江曉峰餘怒未息，冷冷說道：「我跑來此地等你，就是要告訴你所見之密，你竟冷言相諷，不留餘地，當真是太傷人之心了。」

藍家鳳嗯了一聲，笑道：「看你怒火高燒的樣子，倒不似說的謊言……」

臉色一變，笑容收斂，冷冷說道：「不過，我要告訴你，此刻的藍家鳳，已經不是過去的藍家鳳，我不會對人感恩、承情，也不會再講什麼人情、道義，你對我別再存動之以情的想法……」格格一笑，又道：「現在，你可以再講那十二金釵的事了。」

江曉峰皺皺眉頭，正待發作，忽然想到了此來的用心，忍了怒火，道：「姑娘既已說明了，你爲人已到了無情無義之境，在下似是也應該談談條件了。」

藍家鳳道：「好吧！你說說看什麼條件？」

江曉峰心中暗道：「這藍家鳳已變得無情無義，和她相處，倒得用些心機了。」

心中念轉，口中卻冷冷道：「我說出在巫山下院的見聞，和那綠衣女人動手情形，姑娘如何酬報於我？」

藍家鳳道：「條件歸你開，你想要些什麼？」

江曉峰道：「我想要丹書、魔令，只怕你藍姑娘不肯答應。」

藍家鳳道：「丹書、魔令，現在藍天義的手中，就算我想答應也難辦到。」

江曉峰道：「丹書總綱、魔令精粹，都存在那指塵上人的腹中，已落姑娘之手，這等重要之物，在下想來，定然帶在姑娘的身上了。」

藍家鳳道：「你當真的想要那丹書總綱？」

江曉峰道：「姑娘既然不願講武林道義，咱們是在作一筆交易，在下可以開價，答不答應，那是你姑娘的事了。」

藍家鳳笑笑，從身上取出一個白絹小包，道：「丹書總綱在此，你拿去吧！」

江曉峰原本用心，只想難她一下，卻料不到她竟然是大大方方地拿了出來，不禁爲之一呆，道：「姑娘真肯割愛？」

藍家鳳道：「我不願再欠你任何情意，只要你敢要，儘管收下。」

江曉峰暗中提聚真氣，暗作戒備，道：「在下爲何不敢？」伸手横過。

藍家鳳淡然一笑，說道：「要不要瞧瞧看，證實一下？」

江曉峰道：「姑娘確然有此心願？」

藍家鳳探手取出火摺子，迎風晃燃，道：「你看看吧！」

她的聲音十分平靜，全無激動之意，反使得江曉峰生出了莫測高深的感覺，不由向後退了兩步，解開白絹小包。

凝目望去，果然是兩頁薄絹，上面寫著「金頂丹書總綱」。

藍家鳳呼的一口氣，吹熄了火摺子，道：「瞧清楚了？」

江曉峰道：「瞧到了。」

藍家鳳笑道：「只要你能活著離開我，來日方長，你慢慢再看內容不晚。現在，可以談談那十二金釵的事了。」

江曉峰道：「她們藏身在那荒涼後院中，一座地下密室之內。」

藍家鳳道：「你進去過麼？」

江曉峰道：「在下如未進入地下密室，豈不是應了姑娘的推斷，變成信口開河了。」

藍家鳳冷笑一聲，道：「你如真的去過，怎的還能活著出來？」

江曉峰道：「那十二金釵確有著神鬼莫測的武功，她們之中，任何一人，都可取我之命，但她們卻被另一個人控制著，一切舉動，都聽命於那人。」

藍家鳳道：「那人是誰？」

江曉峰道：「一個身穿黑衣，頭戴面紗的人，是誰，我就不清楚了。」

藍家鳳道：「神算子王修是否也在場中呢？」

江曉峰道：「也在場中，如非他古燦蓮花，說服了那黑衣人，我們就很難安全的退出秘室。」

藍家鳳嗯了一聲，道：「你來此地等我，也是王修要你來的了？」

江曉峰不善謊言，輕輕咳了一聲，道：「不錯。」

藍家鳳道：「王修是一位很可怕的人物，早晚我要殺了他。」

江曉峰怔了一怔，道：「王修看來雖然狡猾，但他胸懷正義，你爲什麼要殺他？」

藍家鳳冷笑一聲，道：「他具有的才智，可以救人，但也可以爲惡。」

語聲一頓，接道：「那黑衣人，是如何控制十二金釵的？」

江曉峰道：「恕在下無法奉告。」

藍家鳳道：「你在旁站著，就沒有瞧出一點名堂麼？」

江曉峰道：「如是在下能夠瞧出來，只怕也不會告訴你。」

藍家鳳道：「你攔住我，浪費了我很多口舌，只有這幾句話說？」

江曉峰道：「酒逢知己千杯少，話不投機半句多，在下覺著要講的話，都已經講完了。」

藍家鳳格格一笑，道：「你準備走了？」

江曉峰雖然覺著這藍家鳳已非數月之前的玉燕子，但想到此來的用心，並無離去之意，藍家鳳這一提，只好硬著頭皮，道：「怎麼，難道姑娘還要把我留下不成？」

藍家鳳冷冷笑道：「不錯，你帶著丹書武學總綱，人人都要追殺你而後甘心，你一人行走，豈不是危險得很？」

江曉峰道：「姑娘也是要追殺在下的武林高手之一？」

藍家鳳臉色一寒，道：「江曉峰，你仔細地想一想，念你對我有救命之恩，我答允給你一個選擇的機會。」

江曉峰道：「要我選擇什麼？」

藍家鳳道：「你如自信能夠勝得我，你就不妨闖一下試試看，你如能夠離開，那丹書總綱，也任你帶走。你如是自知無此能耐，那就乖乖的留在這裏。」

江曉峰道：「留在這裏？」

藍家鳳道：「留我身側，做一名僕從。」

江曉峰心頭火起，仰天打個哈哈，道：「就算在下答應了，你能夠放下心麼？」

藍家鳳搖搖頭，道：「不放心，但我有辦法不為你的背叛擔憂。」

江曉峰道：「願聆高論。」

藍家鳳道：「我有一粒丹丸，你服用之後，就不再會有叛離之心了。」

江曉峰道：「你要使在下變成了一個神智不明的人，終日裏渾渾噩噩，了此一生？」

藍家鳳笑道：「那有什麼不好？你變得無憂無慮，無嗔無恨，只有一件事：聽我之命行事，我的僕從雖眾，但我會對你另眼看待。」

江曉峰冷冷說道：「姑娘的好意，在下心領了。」

藍家鳳淡淡一笑，道：「你如不願服用下藥物，還有一個法子。」

江曉峰道：「那又是什麼古怪的法子？」

藍家鳳道：「你可以自絕於此，選擇一種最安適的死法，落下一個全屍。」

江曉峰怔了一怔，道：「這法子倒是不錯，姑娘當真寬宏大量，竟然要在下自絕死去，落下一個全屍。」

藍家鳳道：「你再想一想，這是最後的一個法子，你如是不識抬舉，還不答應，一旦被我生擒，那就夠你受的了。」

江曉峰道：「我想不出有什麼好受的，在下自絕也是一死，姑娘殺了我也是一死，反正，一個人，只能死一次，姑娘如是威脅在下屈服，那是白費心機了。」

藍家鳳道：「你對我有過很多相救恩情，我雖然不能對你例外施仁，但事先把話說清楚，也好讓你心中有個抉擇，願死願活，悉聽尊便……」

語聲微微一頓，接道：「你如是不想活下去，又不甘束手就縛，動手之時，就盡量想法子，別讓我生擒了你。」

江曉峰好奇之心大動，忍不住問道：「生擒了我，不過死得慘一些而已，難道還能要我多死幾次不成？」

藍家鳳道：「不會讓你死，而是求死不能。」

江曉峰道：「唉！藍天義的天道教，已集殘忍的大成，想不到他的女兒，竟有著青出於藍而勝於藍之勢。」

藍家鳳道：「藍天義不是我的父親。」

江曉峰笑一笑，道：「如我從你們兩人的作爲上看，倒是有些像是父女呢！」

藍家鳳微微一笑，道：「你既然無意再聽下去，我也不想多作說明，反正，大概情形，你已了解，別讓我生擒了你。」

江曉峰彈劍長嘯一聲，道：「既然是非要有個生死之拚，姑娘儘管出手吧。」

藍家鳳冷然一笑，道：「你小心了。」

突然欺身而進，右手直向江曉峰那執劍的右腕上抓去。

江曉峰也想到藍家鳳可能已由藍夫人遺留的手示中，盡窺堂奧，學得甚多精奇的武功，但卻料不到她一出手，膽大地硬扣拿自己的手腕，心中暗暗罵道：「好狂的打法。」

長劍一轉，反向藍家鳳右腕之上削去。

這等隨時變招，劍勢快速至極。

只見藍家鳳屈指一彈，正中劍身，一股強大的潛力，迫得長劍，直蕩開去。

長劍被指力迫開，使得江曉峰的門戶大敞。

藍家鳳嬌軀一轉，整個人欺入了江曉峰的懷中。

這變故，大出了江曉峰的意料之外，匆急應變，急急一提真氣，向後躍退五尺。

藍家鳳一招奇攻，已然掌握了全局，左手一抬，喝道：「撒劍！」

一股凌厲的指風，破空而至。

江曉峰覺出一股暗勁，擊中了右肘「曲池穴」，五指一鬆，右手長劍應聲落地。

藍家鳳奇招突襲，連番得手，右手反轉，五指已然扣到了江曉峰的左腕脈穴。

江曉峰右肘「曲池穴」被人點中，已無反擊之能，左手又被人扣住了脈穴，兩隻手全都失去了反擊之勢，只有聽人擺佈的份了。

藍家鳳笑一笑，道：「我再三的警告你，別要叫我生擒了，但你卻偏偏被我生擒……」

江曉峰冷冷接道：「姑娘練得了兩種奇功，交互爲用，使在下驟不及防，致遭暗算。」

藍家鳳道：「我事先再三的警告於你，如何能算得暗算？不過，我用的兩種指力，卻是世間絕技，就算你知道了，你也躲避不過。」

江曉峰道：「大丈夫生而何歡，死而何懼，殺剮任憑處置，江某人不會皺皺眉頭。」

藍家鳳道：「我知道你不怕死，但我不會叫你死，再過片刻，你要到另一種境界裏去，無憂無慮，無愛無憎……」

江曉峰心中震動，怒聲大喝道：「你爲什麼不殺了我？」

藍家鳳淡淡一笑，道：「你如是很怕死，我自然會殺了你，但你不怕死，殺了你又有何用？所以，我要你求死不能，求生不得。」

江曉峰苦笑一下，道：「你要怎樣處置我？」

藍家鳳道：「你怕了是麼？」

江曉峰黯然一歎，道：「我不明白，你爲甚麼要這麼對付我？你如是把我視爲勁敵，殺了我永絕後患，有何不好？」

藍家鳳嫣然一笑，道：「聽話些，吃下這顆藥丸，我會待你比別人好些。」左手從袋中取出了一粒白色的藥丸，纖纖玉指，將藥丸送到江曉峰的口邊。

江曉峰心中明白，此刻已經完全受人所制，如是多一分反抗，就可能多吃一分苦頭。目下處境恰似五毒躲端陽，拖過一刻是一刻，希望能夠在拖延的時間中，找出生機。心裏念轉，口中說道：「在下有一件事，請教姑娘，不知可否見告？」

藍家鳳道：「什麼事，你說吧！」

江曉峰道：「你的武功，原本非我之敵，如何能在極短的時日之中，有了如此成就？」

藍家鳳道：「如是咱們各憑真功實學，動手相搏，我決然非你之敵，不過，我學會了幾種武學上的奇技，你自然非我敵手了。」

江曉峰問道：「你一指彈開我手中的長劍，是何武功？」

藍家鳳道：「那是彈指神通。」

江曉峰道：「果然是絕世奇技！那點中我肘間的一指呢？」

藍家鳳道：「那是一元指功。」

江曉峰對兩種武功的奧秘，並不很懂，但卻隨口說道：「據在下所知，這兩種武功，都是極爲深奧的精奇之學，姑娘如何能在極短的時間中，把兩種武功，全都學會？」

藍家鳳笑一笑，道：「我母親是世間第一等才慧人物，就算是神算子王修，也和她有著一段很大的距離。她在我幼年之時，已替我打下了很多種奇異武功的基礎，只不過我不知道罷了。我差的，就是那些武功的訣竅，一旦我知曉了那些訣竅，就很快地登堂入室。」

江曉峰點點頭，道：「原來如此，令堂當真是一位舉世無匹的才人。」

藍家鳳聽得江曉峰稱讚她的母親，心中大爲高興，啓唇一笑，道：「先母替我安排的前程，有如階梯一般，一級一級的登上去，每登上一級，就使人有著無比的驚奇，這短短數月之中，在我感覺之中，有如經歷了數十年一般。」

江曉峰道：「唉！令堂的遺略，把你送上了武林第一流高手的境界，但也使你人性大變。」

藍家鳳突然改變了口氣，柔聲說道：「江兄，我也是人，人非草木，孰能無情，況且，江兄還對我有過救命之恩……」

江曉峰接道：「你還能想到這些？」

藍家鳳道：「我爲什麼想不到？只不過，我不能再對人用情罷了。」

江曉峰奇道：「爲什麼？」

藍家鳳道：「我娘在她遺書上說過幾句話，她一生之中，所以有著很多的悲慘遭遇，完全是害在一個情字上，她如能冷靜一些，也不會死於自己丈夫的手中。她還在遺書上指明我兩條路，一條是逃塵避世，找一個平凡農夫、樵人，寄託終身，洗衣煮飯，做一個平常的婦人。如是我要存心在武林逐鹿、爭勝，就要絕情滅性，發覺了喜歡一個男人時，就把他殺死。」

江曉峰道：「你覺著你娘的話，說得很對麼？」

藍家鳳道：「有什麼不對？她親身經歷，爲情拖累，備受其害，一生中難得有幾日快活，難道還不夠悲慘麼？我怎能再蹈覆轍？」

江曉峰苦笑一下，道：「令堂的際遇，確然叫人同情，但她不能把世間的人，全都看成了跟藍天義一樣的壞人。」

這時，江曉峰心中已然明白，就算是有援手趕到，也難是藍家鳳的敵手，唯一的生存機會，只有用言語說動她，至少應說動她能一劍把自己殺死，免得落一個求生不能、求死難得的苦境。

但聞藍家鳳輕輕歎息一聲，道：「我母親爲我安排下的前程，件件都能夠按她老人家的遺書實現，她要我殺死喜愛之人，自然是不會錯了，我不能冒險背棄她的遺訓。」

江曉峰道：「你母親既然是遺書要你殺死喜愛之人，爲什麼你又不肯遵照她的遺訓所囑，一劍把我殺死了呢？」

藍家鳳道：「我還未到忘情絕性那等至高的境界，所以，還不忍把你一劍殺死，我要你追隨在我的身側，但又永不生叛離之心。」

江曉峰道：「這麼說，姑娘是有些喜愛在下了？」

藍家鳳微微一笑，頷首說道：「這地方沒有外人，告訴你也不要緊，我如是對你無情，那也不會迫你吞服藥丸了。」

江曉峰道：「能得你玉燕子的垂青，死亦無憾！」

藍家鳳接道：「好啊！那你就快些吃下這顆藥丸，你如說的實言，此刻你已經知曉了我肺腑中事，死而無憾了，何況，你還不會死。」

江曉峰道：「我答應吞服藥丸，不過不是現在！」

藍家鳳道：「幾時吞服？」

江曉峰道：「到達巫山下院之時，因爲我有太多的疑問要問，太多的事情要告訴你，姑娘武功，已強我甚多，大概不會怕我逃走了。」

藍家鳳道：「此去巫山下院，不過數十里路，加快腳程，咱們很快就可以趕到……」抬頭看看天色，接道：「現在時刻還早，咱們就在這裏談談吧！不過，我希望你說快一些，最慢也要在一頓飯工夫之內說完。」

江曉峰道：「多謝姑娘，一頓飯的工夫，總應該夠了。」

藍家鳳又點了江曉峰一處穴道，扶他坐下，舉手對守在身側的灰衣人一揮，灰衣人轉身自去。

江曉峰目睹那灰衣人去遠之後，才輕輕咳了一聲，道：「在下不明之一是，令堂既有這等絕世的才慧，必然早已洞悉了藍天義的爲人和陰謀，爲什麼不肯先發制人，處置了藍天義呢？不但可免了自己被殺之禍，而且亦可替武林做件善事，消去一場浩劫？」

藍家鳳道：「這就是我娘爲情所苦的鐵證。她明明知曉藍天義早有殺她之心，但得機會立時會取她之命，而她卻故作存疑，不肯相信，所以，才有巫山門中群豪，和巫山下院中十二金釵的安排。只要藍天義不對她下手，她就控制住這些人，不讓他們出世，和藍天義作對，此外，她又費了心機，爲我安排下死中求生的妙計。」

江曉峰道：「倒也有理，第二件是，姑娘不承認藍天義是你的父親，但姑娘是否已知曉自己生身父親是誰呢？」

藍家鳳沉吟了一陣，道：「這個，我還不知道，不過，我相信我娘在最後的安排中，一定會告訴我生身父親的姓名，指示我登門拜見。」

江曉峰苦笑一下，道：「你真的很相信她，不怕她騙了你？」

藍家鳳道：「虎毒不食子，我娘為什麼要騙我，我是她的女兒啊！」

江曉峰道：「你對令堂的信任，似乎已到了如癡如狂的境界，這一條是談不成了！」

藍家鳳道：「不錯，咱們也早就該換一個題目談談了。」

江曉峰道：「在下要告訴姑娘，巫山下院中後院秘室內的十二金釵，武功十分高強，似是還練有刀槍不入的功夫，但她們卻有如死去一般的軀殼不動。」

藍家鳳道：「她們吃不吃東西？」

江曉峰道：「一樣的要進食用之物，不過，她們把白天當晚上，晚上進用食物。那秘室深入地下，我等去時，十二金釵都躺在一張木榻之上，身上用布覆蓋。」

藍家鳳點點頭，道：「不錯，確然如此，我娘已經在遺書上說過。」

江曉峰道：「十二金釵在我們進入秘室之後，不但未醒過來，反而沉睡如故，直到那黑衣人出現之後，仍未見有人動過。」

藍家鳳道：「那黑衣人是誰？」

江曉峰道：「不知道。但他控制著十二金釵。」

藍家鳳沉吟了一陣道：「多承指教，你還有什麼要說麼？」

江曉峰道：「在下等曾和那黑衣人展開過一場口舌激辯。」

藍家鳳道：「你們辯論些什麼？」

江曉峰道：「那黑衣人似有著絕對的把握控制著十二金釵，你如想收服十二金釵，必得先收拾了那黑衣人。在下聽他口氣，似乎是他早已料定你會去找他……」

藍家鳳怔了一怔，接道：「他早已知道了？」

江曉峰道：「不錯，他似是早知道了。姑娘可曾去過那座地下密室？」

藍家鳳搖搖頭，道：「沒有去過。」

江曉峰道：「姑娘如若相信我，在下願帶姑娘同往秘室一行。」

藍家鳳道：「我娘在遺書上，早已說明了收服十二金釵的辦法，用不著你的幫忙。」

江曉峰道：「那位控制著十二金釵的黑衣人，神智清明，而且是一個江湖經驗十分豐富的人，我們在辯論之中，他已說出來，藍夫人可能要安排下對付他的謀略，他既然早有準備，姑娘只要一進入巫山下院，就要遇上那黑衣人布下的伏擊。再說那十二金釵，確有高不可測的武功，如是那黑衣人當時存有殺死我們的用心，在下和王老前輩等，都難生離巫山下院。」

藍家鳳道：「他又如何肯放你們離開？」

江曉峰道：「一番口舌論戰，神算子古燦蓮花，說服那黑衣人。」

藍家鳳道：「你武功不足以和十二金釵中人抗拒，帶你去，又能對我有何幫助？」

江曉峰道：「這就是在下來見姑娘的用心了。」

藍家鳳道：「說下去。」

江曉峰道：「不論令堂才慧如何高強，但她終究已經去世，留下的策略，已難有變化，你雖然智珠在握，但那只是收服十二金釵的死辦法，對付那黑衣人，必需隨機應變，這就非姑娘能夠應付了。」

藍家鳳嗯了一聲，道：「這是說你們比我強了？」

江曉峰道：「如論用謀行略之道，當今之世，無人強過王修，替姑娘借箸代籌，必須和王修合作，或可償你之願，收服十二金釵。」

藍家鳳沉吟了一陣道：「收服了十二金釵後呢？」

江曉峰道：「借用十二金釵之力，一舉間擊潰藍天義的天道教。」

藍家鳳淡然一笑，道：「你和王修隔山觀虎鬥，讓我率領巫山群豪和十二金釵火併藍天義？」

江曉峰道：「藍天義世之大惡，姑娘如肯動手除惡，我等怎會坐視不管？……」

語聲一頓，接道：「如是在下的看法不錯，巫山群豪和十二金釵，就是被令堂用一種特殊的力量控制著，只不過令堂的手法，更爲高明一些而已，這些人，也許都是你忠實的僕從、衛隊，但卻不是你的朋友、謀士，姑娘此刻，步步遵照令堂的遺書行事，所到之處，無不大有收獲，但令堂遺書，無法包羅天下所有，收服十二金釵之後，大約是已集齊了，令堂爲你安排下的強大實力，餘下的，該是和藍天義的一場決戰了……」

藍家鳳微微一笑，接道：「想不到，你竟然思慮如此周詳。」

江曉峰道：「不是在下小看你姑娘，你縱有十二金釵那等高手相助，也未必能強過藍天義，需知這等絕世高手的大搏殺，除了武功之外，還要謀略、制機，一著失錯，就要滿盤皆輸，姑娘務要三思在下之言。」

藍家鳳道：「你要做我的謀士？」

江曉峰道：「天下才智之士，無人能強過王修，姑娘如若要找一位輔助自己的高人，捨王修，再無可求之才。」

藍家鳳沉吟了一陣，道：「我娘已代我安排了制勝之機，王修雖有才氣，諒他也難是我娘之敵。」

江曉峰道：「令堂如若活在世上，也許她確然能勝過王修，可惜，她死了，死去之人，如何能夠和活人相比？」

藍家鳳道：「你確是一片好意，我會仔細地想一下，現在，你可以服用下這顆藥丸了。」

江曉峰呆了一呆，心中愕然道：「說了半天，她還是要我服用這粒藥丸！」

藍家鳳小巧的玉指挾著藥丸，直送到江曉峰口邊，柔聲道：「你一向很喜歡我，是麼？」

江曉鋒點點頭道：「就算是吧！」

藍家鳳道：「你就放心吞下這顆藥丸。」

江曉峰道：「如果我服下了這粒藥丸之後，我就變成了一個木木訥訥的人，是麼？」

藍家鳳道：「那有什麼關係？你雖然變得木訥了，可是永遠追隨在我的身側，我會更對你呵護、愛惜了。」

江曉峰道：「好吧！你如一定要把我變成個神智喪失，像木牛蠢馬一般的人，那也是沒有法子的事了。」

他心中忖度形勢，無論如何已難再有反抗之能，只好暗中認命了。

藍家鳳輕輕歎息一聲，道：「說得好可憐啊！但你如能想，小妹會常伴身側，你縱然變得像個木頭人，那又何妨？」

屈指一彈，把藥丸彈入了江曉峰的口中。

江曉峰一咬牙，把藥丸吞了下去，道：「姑娘，聽在下一句話，找王修助你一臂之力。」
藍家鳳鬆開了江曉峰手腕穴門，笑道：「江兄，不要動逃走之念，留在我身側，一旦藥力發作，我還可以助你減去一些痛楚。」
江曉峰道：「姑娘請放心，我就要神智迷失、如癡如呆，哪裏還有這麼多的想法？但願你聽我一句勸……」
藍家鳳道：「我知道！不要忘了請王修助我一臂之力。」
江曉峰點點頭，閉上眼睛。
藍家鳳微微一笑，伸出手去，挽住了江曉峰的右腕，道：「江兄，你恨不恨我？」
江曉峰仍然閉著雙目，道：「不恨……」
他已萬念俱灰，心中空空洞洞，宛如一張白紙，無慮亦無恨。
藍家鳳似是有意地取笑江曉峰，也許是她心中有了愧疚，拉著江曉峰在道旁坐下，緩緩把嬌軀偎入他的懷中，道：「我把你擺佈得神智迷失，你爲什麼一點也不恨我呢？」
江曉峰茫然一笑，道：「這樣也好，總算是讓我毀在了你的手中，如是我神智清明，日後那一份相思的痛苦，也夠受了。」
藍家鳳道：「嗯！江兄相思的是哪一個，可否告訴小妹呢？」
江曉峰苦笑道：「那是一位女孩子，只不過，我們距離越來越遠了……」
藍家鳳道：「那人的名字叫什麼？」
江曉峰道：「藍家鳳。」
藍家鳳把身軀偎得更緊一些，道：「你這話是真的麼？」

江曉峰道：「再過片刻，我就要神智迷失，爲什麼還要說假話？」

藍家鳳坐正了身子，黯然一笑，道：「江兄，你的藥性，就快要發作了。」

江曉峰點點頭，道：「我明白，這是我一生之中，僅有的片刻時光……」

藍家鳳接道：「就算你真的神智迷失，你的人仍然活在世上，怎能說是這一生中，只餘下的片刻時光呢？」

江曉峰道：「如果我神智迷失，生不如死，那時姑娘不論如何對我，我也是渾然不覺。」

藍家鳳道：「唉！你應該信任我，我會好好的對待你。」

江曉峰苦笑一下，道：「信不信任你，又有何不同？你縱然是虐待我，我也不知，那又何必好好的待我呢？」

藍家鳳笑一笑，說道：「說得好可憐啊！」緩緩站起身了道：「我們走吧！」

江曉峰道：「到哪裏去？」

藍家鳳道：「時間不早，我們該趕去巫山下院。」

江曉峰歎息一聲，道：「藍姑娘，求你一件事好麼？」

藍家鳳道：「你說吧！只要不太離譜，我就會答應你。」

江曉峰道：「我神智昏迷過去之後，我們再走如何？」

藍家鳳道：「你知道要好多時間藥物才能發作？」

江曉峰道：「這個，在下不知。」

藍家鳳沉吟片刻道：「大約要七天後，藥性才能發作，我們總不能在這裏等上七天吧！」

江曉峰怔了一怔，道：「要這麼久時間麼？」

藍家鳳笑道：「你服用的藥量太少。你就耐心一些，我會隨時的幫助你，咱們走吧！」

江曉峰想到藥已吞入腹中，縱然能夠逃走，藥性一旦發作，也將變成神智迷失的人，倒不如隨在藍家鳳身側，也許她會突發慈悲心腸，除去自己身上之毒。

心中念轉，站起身子，隨在藍家鳳身後行去。

藍家鳳當先領路，直奔巫山下院，一面發出一聲低嘯。

灰衣人突然從暗影中奔了出來，緊追在兩人身後而行。

數十里路程，在三人全力奔行之下，不過半個時辰，已到了巫山下院。

夜色中，林木環繞著一座高大的宅院，不見燈火，不聞人聲。

藍家鳳停下腳步，回頭望了江曉峰一眼，低聲說道：「你怕麼？」

江曉峰搖搖頭，道：「想來有些恐怖，不過，在下此刻已把生死一事看得很淡。」

藍家鳳道：「服下那粒藥物，增了你不少勇氣。」

江曉峰仰望夜空，長長吁一口氣，道：「天下各門各派，上千的武林同道，都陷於浩劫大難之中，我江某一個人的生死，又算得了什麼？只望姑娘能早日改變心意，爲武林大局著想，不計個人的恩怨，與王修等合力攜手，抗拒天道教，挽救武林大劫，在下死亦無憾。」

藍家鳳道：「你的想法很偉大，也許我會被你所感動……」

語聲一頓，接道：「咱們先進去瞧瞧吧！」舉步行上石級，揚手推門。

江曉峰搶先一步，攔在藍家鳳的前面，道：「在下帶路。」推門而入。

藍家鳳緊追身後，笑道：「爲什麼你要搶在前面？」

江曉峰道：「那黑衣蒙面人早已知曉你要來，可能設有埋伏。」
藍家鳳歎息一聲，不再言語。
江曉峰前面開道，藍家鳳居中而行，灰衣人走在最後。
廣大的庭院中一片死寂，只有聲聲夜蟲鳴叫，斷續傳來。
江曉峰仗劍挺胸，直向後院走去。
藍家鳳輕輕咳了一聲，問道：「江兄，你要到哪裏去？」
江曉峰道：「到那十二金釵的停息之處！」
藍家鳳嗯了一聲，道：「不要慌，咱們先到大廳中瞧瞧。」
江曉峰道：「瞧什麼？」
藍家鳳：「如是那人早有準備，很快就會有反應，咱們在大廳中等他們也是一樣。」
江曉峰奇道：「你準備和十二金釵等人動手？」
藍家鳳道：「既然來了，總難免一番搏鬥。」
江曉峰搖頭說道：「不，姑娘千萬不能和她們動手。」
藍家鳳道：「你很害怕？」
江曉峰道：「她們不知練的什麼武功，周身刀槍不入，招數奇幻，勁道強猛無匹，姑娘武功雖高，也不是她們的敵手。」
藍家鳳微微一愕，道：「武功一道，變化莫測，有人確是不可力敵。」
目光轉動，四顧了一眼，舉步而行，道：「你們跟我來吧！」
江曉峰心中暗道：「看她從容鎮靜，有如胸有成竹一般。」

藍家鳳行近大廳前面，伸手推開木門，舉步而入。

江曉峰和那灰衣人，隨後入廳。

但見火光一閃，藍家鳳燃起了案上的火燭。

這一座敞廳很大，一支火燭，無法照亮全廳，是以大廳角落處，仍然很多地方一片幽暗。

只聽一個冷冷的聲音，由那大廳一角暗影中傳了過來，道：「是藍姑娘？」

江曉峰一聽聲音，已認出是那黑衣人，急急叫道：「就是他，那黑衣蒙面率領十二金釵的人。」

藍家鳳揮揮手，攔住江曉峰接道：「不錯，我正是藍家鳳。」

暗影中又傳出那人冷漠的聲音，道：「藍姑娘此番回巫山下院，不知有何用心！」

藍家鳳淡然一笑，道：「你既然心中明白了，何不請出來，面對面商量一下？」

那冷漠的聲音接道：「不用商量，藍姑娘如想迫在下交出率領的十二金釵之權，萬萬不能辦到！」

藍家鳳笑道：「如是不要你交出十二金釵呢？」

冷漠的聲音道：「藍姑娘如若是識趣之人，咱們可以互不相犯。」

藍家鳳道：「我娘遺書之上，再三稱讚閣下對她忠誠，才把訓練十二金釵的重任，交付於閣下。」

這時，幽暗處人影移動，已隱隱可見一個黑衣人。

但他很快地停了下來，停身處相距藍家鳳仍有著兩丈以上的距離。

他臉上蒙著黑紗，連雙手也戴著黑色手套，除了可聽到他冷漠的聲音之外，無法瞧到他身上一點肌膚。
但聞那冷漠的聲音，傳了過來，道：「令堂在世之日，在下自然應該對她忠誠，可惜的是她已經死了。」
藍家鳳道：「所以，你要背叛她？」
黑衣人道：「我只是爲了自保，一旦我真的交出十二金釵的統領之權，姑娘絕然不會饒過在下。」
藍家鳳道：「我正有甚多借重之處，爲何要加害於你。」
黑衣人道：「鳥盡弓藏，兔死狗烹，在下不願做良弓走狗……」
語聲一頓，接道：「再說，令堂在世之時，已然對在下生了疑心，除在遺書中傳授姑娘對付我的辦法之外，而且早已授計他人，謀算於我。」
藍家鳳道：「你說的是什麼？」
黑衣人道：「神算子王修。」
藍家鳳道：「王修爲人，詭計多端，他的話如何能夠相信？」
黑衣人道：「無風不起浪，在下縱然不會全信，亦得半信半疑……」
呵呵大笑了一陣，接道：「令堂才慧，確是有過人之處，一向是算無遺策，但她低估了在下，是一件極大的錯誤。」
藍家鳳一揚柳眉，冷冷說道：「聽你的口氣，咱們似乎是沒有商量的餘地了。」
黑衣人道：「念在令堂和我交往數十年的份上，在下願爲姑娘辦一件事，但只限一件，事完之後，咱們就互不相關，在下亦將帶領十二金釵，離開這巫山下院。」

藍家鳳心中火起，冷笑一聲，道：「你不過是我娘生前從人之一，怎和我談起條件來了！」

黑衣人道：「姑娘如若再口不擇言，在下立時取消對姑娘的承諾。」

藍家鳳一蹙柳眉，欲待發作，但卻又強自忍了下去，道：「這樣看起來，咱們很難再作進一步的商量了？」

黑衣人道：「再無商量餘地，姑娘也可以請回了。」

藍家鳳接道：「你這是下逐客令？」

黑衣人道：「在下答應為姑娘辦一件事，姑娘也可以說明白了。我希望姑娘今夜離開此地之後，就別再到巫山下院中來。」

藍家鳳道：「有一件事，我想閣下也應明白。」

黑衣人道：「明白什麼？」

藍家鳳道：「如是我沒有幾分把握，也不會深夜之中，只帶著兩個從人，就到這巫山下院中來。」

黑衣人冷笑一聲道：「藍姑娘可是要脅迫在下？」

藍家鳳道：「我希望和你談出一個彼此都能夠容忍的合作方法……」

黑衣人道：「在下已經說得很明白了，如今是藍姑娘不肯同意，似乎是不用再談下去了。」

藍家鳳舉手一揮，那灰衣人突然移動身軀，擋在大廳。

黑衣人冷哼一聲，道：「姑娘準備動手？」

藍家鳳笑一笑道：「我娘在遺書中說，你有一個致命弱點。」

黑衣人沉吟了一聲，道：「什麼弱點？」

藍家鳳笑一笑，道：「恕難奉告，等一會兒，咱們如若是真的要動上手，我自然會讓你明白……」

語聲一頓，接道：「我娘對你了解極深，但她一時未對你下手，正是因爲她早已有了對付你的辦法，她死了，這辦法，自然會落在我的手中。但你一手訓練出十二金釵，我不願在十二金釵還未出現於江湖之前，先把你這位訓練她們的首腦人物除去。」

黑衣人道：「在下有些不信。」

藍家鳳緩緩舉步向黑衣人行了過去。

江曉峰領教過那十二金釵中人的厲害，想這黑衣人的武功，定然非同小可，心中大驚，急急追了上去，越過藍家鳳，拔出長劍。

他一語未發，但對藍家鳳的關心愛護，卻流現於行動之中！

藍家鳳微微一笑，低聲說道：「你不是他的敵手，快些退開！」

江曉峰苦笑道：「姑娘，在下不過還有幾天時光清醒，能爲你捨命一戰，死而何憾？」

藍家鳳道：「我要你好好的活著，快給我退開！」

江曉峰，道：「爲什麼？」

還未來得及答話，藍家鳳已然快步越過江曉峰。

黑衣人厲聲喝道：「站住！」

藍家鳳道：「你可是改變了主意？」

黑衣人冷然道：「虎無傷人意，人有傷虎心。姑娘如是逼迫在下出手，那是自取滅亡。」

藍家鳳道：「你有什麼壓箱底的本領，快些施展，再慢，也許你就沒有施展的機會了。」

黑衣人突然舉手互擊了一掌，從敞廳暗處裏，走出兩個衣袂飄飄的綠衣女子來。

這兩個女人，潛伏在敞廳一角，竟然未發出過一點聲息。

江曉峰吃了一驚，道：「十二金釵中人！」

黑衣人冷冷說道：「二位可想試試她們的武功？」

只見兩個綠衣女子，美目中奇光暴射，分別盯注在江曉峰和藍家鳳的身上。

藍家鳳橫移嬌軀，向江曉峰靠近了兩步，道：「和我站在一起，不要離我太遠。」

江曉峰看她神情鎮靜，若無其事，不禁心中大急，說道：「十二金釵中人，個個身負絕技，似乎是都已經練成了金剛不壞之身，你要多加小心！」

藍家鳳微微一笑，道：「你放心，我若無對付她們的辦法，怎敢來此？她們有致命的弱點，只需輕輕一擊，就可以置她們於死地。」

那黑衣人本待下令兩個綠衣少女，向藍家鳳和江曉峰施以攻擊，但聽得藍家鳳一席話後，突然停了下來，冷冷地望了藍家鳳一眼，道：「你能制服十二金釵？」

藍家鳳道：「不相信你就試試，因爲你早存了背叛之心，我娘在未死之前，就已經瞧了出來，所以她預作準備，研究出對付十二金釵的辦法，而且已把這辦法傳授給我，她們雖然武功已達登峰造極，但她們並非真的鋼打鐵鑄之人，她們有一個缺點……」

黑衣人急急說道：「住口！」

藍家鳳微微一笑，道：「爲什麼？」

黑衣人道：「我受你娘之托，費時十餘年，造就了這十二金釵，你如是一句話，把這些隱密說出，那豈不是白白費了一番心血麼？」
藍家鳳道：「你如是不讓我說出來，咱們應該有一個條件。」
黑衣人道：「好！你提出來吧！」
藍家鳳道：「我母親雖然對你不滿，但她已經死去，我的看法和我娘有些不同，我覺著你不是我母親所說那樣的壞人，所以，我願意和你合作。」
黑衣人道：「怎麼樣一個合作法？」
藍家鳳道：「自然要以我爲主。」
黑衣人沉吟了一陣，道：「像你娘活在世上時一樣麼！」
藍家鳳道：「自然是有不一樣……」
黑衣人輕輕咳了一聲，接道：「這樣吧！在下提一個條件，如是姑娘同意，咱們就合作，如是不同意，在下……」
藍家鳳道：「好！你提出你的條件吧！」
黑衣人道：「在下只聽姑娘之命行事，但卻不做姑娘的從人。」
藍家鳳道：「還有什麼？」
黑衣人道：「十二金釵，永遠歸我統率，而且姑娘不能直接指揮十二金釵。」
藍家鳳嗯了一聲，道：「可以，我並無親自統率十二金釵之意。」
黑衣人又道：「還有一件事，不知姑娘是否願意答允。」
藍家鳳道：「你說吧，最好一口氣把你的條件全說完。」

黑衣人道：「令堂確然對在下早已動疑，不但在遺書中傳授了姑娘對付十二金釵的辦法，而且還傳授了另一個人，備以對付在下和十二金釵。」

藍家鳳道：「什麼人？」

黑衣人道：「神算子王修。」

藍家鳳道：「王修？」

黑衣人道：「不錯，留此人活在世上，終是心腹大患，所以，咱們要早一些把他殺死。」

藍家鳳回顧了江曉峰一眼，沉吟不語。

黑衣人不聞藍家鳳回答，輕輕咳了一聲，接道：「王修已有對付十二金釵的辦法，所以，在下不能出手，請姑娘率領巫山門中人，早些把此人殺死。」

藍家鳳道：「你讓我想想再做決定！」

黑衣人道：「好，姑娘想想，在下先行告辭了。」也不聽藍家鳳答話，轉身而退！

藍家鳳沉聲喝道：「站住！」

黑衣人停下腳步，道：「藍姑娘還有什麼吩咐？」

藍家鳳道：「咱們如何再見？」

黑衣人道：「明日午時，姑娘拿王修人頭到此，咱們再見。屆時，在下帶領十二金釵來叩見姑娘。」

藍家鳳道：「這限制太苛刻一些吧！」

黑衣人道：「在下可以奉告姑娘一句話，十二金釵的武功，舉世無匹，大約除了你姑娘和那王修之外，世間再無克制她們的人，憑仗十二金釵之力，可以使姑娘登上武林盟主之位，不過，條件是先殺了王修。」

藍家鳳略一沉吟，道：「如是我不殺王修呢？」

黑衣人冷冷笑道：「那是逼在下走極端了。」

藍家鳳道：「嗯！可否告訴我，你走了極端，又對我構成了什麼樣的威脅？」

黑衣人道：「在下修正十二金釵，使她們不畏王修和姑娘的手法。」

藍家鳳道：「十二金釵還能修正？」

黑衣人哈哈一笑，道：「姑娘料想不到吧？」

藍家鳳臉上微現驚訝之色，但只不過一瞬間，又恢復了鎮靜，淡淡一笑，道：「我不善謊言，這一點，我娘在遺書中未說明白。」

黑衣人道：「因爲她也不知道，所以她也無法告訴你。」

長呼一口氣道：「不過，在下不願修正十二金釵，因爲那將使她們陷入瘋狂之境，難成大功。」

藍家鳳道：「好！明日中午時分，咱們再見！屆時，我會給你一個明確的答覆。」

黑衣人道：「如是姑娘殺不了那王修，那就不用來了。」

轉身一躍，消失於廳外夜色之中。

江曉峰長長吁一口氣，道：「好險！」

藍家鳳低聲說道：「不許胡說，咱們走吧！」舉步向外行去。

江曉峰緊追在藍家鳳身後，出了巫山下院。

四一　山窮水盡

藍家鳳一口氣走出了三里左右，才停下腳步，道：「江兄，帶我會見王修。」

江曉峰呆了一呆，道：「你真的要殺王修？」

藍家鳳微微一笑，道：「你聽到那黑衣人說過了，我如不能殺了王修，那就別再去見他，那黑衣人並不重要，重要的是他率領的十二金釵！」

江曉峰道：「姑娘準備如何應付此事呢？」

藍家鳳道：「見了王修再說。」

江曉峰搖搖頭，道：「不成，姑娘如若不說明白，在下不會帶你去見王修。」

藍家鳳神情肅然地道：「有一件事，我必須要先說明白。」

「十二金釵關係著江湖的危亡，這是一件十分重大的事，你必需要帶我去見王修，如若那王修有辦法對付那黑衣人，那是最好，如是他沒有辦法對付那黑衣人，那就……」

江曉峰接道：「怎麼樣？」

藍家鳳道：「那就只好借他的項上人頭用用了。」

江曉峰道：「一個人只能死一次，也只有一個人頭，如何能夠借給你用？」

藍家鳳道：「除此之外，不知你又有什麼良策？」

江曉峰沉吟了良久，道：「目下，在下亦想不出妥善之策，但好在還有一段時間，我們不妨多想想！」

藍家鳳道：「王修的才智，比起你我如何？」

江曉峰道：「強勝十倍。」

藍家鳳道：「那爲什麼不找他商量？」

江曉峰沉吟了一陣，道：「除非姑娘答應我不殺他，在下才會去找王修。」

藍家鳳一皺眉頭，道：「你這樣固執，對我有何幫助？再說，王修心中所思，豈是你所能料及？應該如何，該由王修決定才是。」

江曉峰道：「好！我去找王修，把事情的經過和姑娘的存心，全都奉告於他。我一字不加，一句不減，來不來，是他的事了。」

藍家鳳道：「好吧！那也只有如此了！正南方五里外，有一座小土地廟，不管能否找到王修，都希望你在五更前，趕到那裏和我會面。」說完話，帶著那灰衣人轉身而去。

江曉峰望著兩人遠去的背影，輕輕歎息一聲，道：「我又到哪裏去找王修呢！」

只聽一聲輕呼，道：「不用找，我就在這裏。」

江曉峰聽音辨人，已聽出那是王修的聲音，急急轉身回去。

只見王修身著長衫，站在五尺左右一棵大樹前面。

江曉峰輕輕咳了一聲，道：「老前輩，你來了多久時間？」

王修道：「我一直站在這大樹後面，很久了。」

江曉峰道：「那麼你都聽到了？」

王修道：「字字入耳，走！咱們見藍姑娘去。」

江曉峰道：「她新近練成了幾種絕技，都是世間奇學，如若是她真的存有殺你之心，咱們可都不是她的敵手！」

王修笑了笑，道：「是福不是禍，是禍躲不過。再說，折服藍家鳳，不一定要用武功……」輕輕咳了一聲，接道：「有一件事藍家鳳倒是說得不錯，江湖大局安危，比一個人的生死重要得多。」

江曉峰道：「老前輩似乎是早已經胸有成竹了。」

王修道：「不錯，我自信有驚無險，可以用說詞折服藍家鳳。」

江曉峰舉步前行，一面又道：「老前輩的輕功，十分卓絕，你停在五尺左右的樹後，在下和藍家鳳都未聽得一點聲息。」

王修揚了揚手中一塊空包的布罩，笑道：「僥倖在此，憑仗這一片玄色布絹蒙面，又貼在樹身之後，你和藍家鳳都未留心，如何能夠看得到我？」

江曉峰道：「原來如此！」

沉思了一陣，又道：「武當三子呢？」

王修道：「都布守在這片林木之中，監視巫山下院中各個人物的活動！」

江曉峰啊了一聲，放開腳步，向前奔去。

王修緊追了幾步，跟在江曉峰的身後道：「江少俠，藍姑娘似是對你不錯。」

江曉峰道：「對！很好，她在我身上下了慢性毒藥，錯過七日之後，我就逐漸的失去了判斷和智力，變成了一具行屍走肉，永爲她奴役，聽她之命了。」

王修聽得愣了一愣，道：「這個不大可能吧？」
江曉峰道：「她說得千真萬確。」
王修微微一笑，道：「這中間只怕有詐，你不像中毒的樣子。」
江曉峰停下腳步，道：「毒性未發之前，自然是和常人無異！」
王修搖頭笑道：「雖然在夜暗之中，但我看你雙目清澈，並沒有中毒的徵象，也許是藍家鳳在故意嚇你！」
江曉峰苦笑一下，不再多言。
兩人連袂奔行，四、五里路不過是片刻工夫。
到了那座小廟，藍家鳳果然在廟中等候，只見她緩步行了出來，道：「兩位好快。」
王修道：「姑娘相召，自然要全力奔趕而來。」
藍家鳳道：「江曉峰都告訴你了？」
王修道：「說明白了。」
藍家鳳道：「你作何打算？」
王修道：「如若在下之死，能幫忙姑娘，以救武林大局，在下死何足惜！」
藍家鳳道：「題目作得太大了，你的死，不一定能挽救武林大劫，而是幫我的忙。」
王修笑了笑，道：「拿我王某之命，換取你的性命。」
藍家鳳道：「又說得太嚴重了，拿你的人頭，幫我完成一件心願。」
王修道：「姑娘可能夠肯定，在下捐出了人頭之後，定能使你心願得償麼？」

藍家鳳道：「至少使我的機會多些……」

語聲一頓，接道：「王老前輩，你辯才奇佳，能言善道，我如和你談話太多，也許會被你說服，所以，我不想和你多談……」

王修接道：「你要借我之頭，事實非得和我多談不可。」

藍家鳳道：「你錯了，既然咱們見了面，你就失去了保有人頭的機會，你如是肯答應，我就會讓你死得安適一些，你如是不肯答允，也得死，不過死得要痛苦一些。明白點說，現在你已經非死不可了，你只需考慮你是如何一個死法。」

王修道：「姑娘意志堅決，豪氣干雲，我答不答允，已不重要，在下也相信，我已沒有逃走的機會了。」

藍家鳳格格一笑道：「王老前輩果然是聰明人。」

王修道：「有一點只怕姑娘沒有想到，在下答允來此之時，早已把生死置於度外了。」

藍家鳳淡淡一笑，道：「那好極了，王老前輩請入小廟中坐息一下。據晚輩所知，一個人預知死亡之期，會對生命生出特殊的留戀，你已只有半個夜晚、半個白天好活，希望你輕鬆一些，盡情的享受一下僅餘的可貴生命。」

江曉峰道：「這不成！」

藍家鳳嗯了一聲笑道：「爲什麼？」

王修伸手攔住了江曉峰，不讓他再說下去，淡淡笑道：「姑娘的盛情，王某感激不盡。」抱拳舉步向廟中行去。

江曉峰疾快地搶先一步，攔住了王修，一面對藍家鳳暗提真氣，道：「王老前輩快走，在下帶你來此，不能眼看著你死於藍家鳳的手中。」
王修道：「江少俠不用為我擔心，明日午時，藍姑娘才會取我之命，我還有半夜、半日好活，敵對之間，瞬息萬變，這數個時辰之久，可能還有很大的變化呢！」
口中說話，人卻伸手撥開了江曉峰的身子，行入廟中。
藍家鳳緊隨而入。
王修抬頭打量了小廟一眼，在壁角坐下，笑道：「姑娘，在下相信姑娘殺不了我。」
藍家鳳一揚秀眉，道：「你雖然有神算子之稱，但你卻算錯了一件事。」
王修道：「什麼事？」
藍家鳳道：「此刻的藍家鳳，和過去的藍家鳳，有些不同。」
王修突然仰面大笑三聲，閉上雙目，不再答話。
藍家鳳怒道：「你笑什麼？」
王修閉目不理，恍如未聞。
藍家鳳右手疾伸，點了王修兩個穴道，厲聲喝道：「你們不聽我的話，我就先殺了你！」
王修也不讓避，任那藍家鳳點中身上兩處穴道，人卻微微一笑，睜開雙目，道：「姑娘要說什麼？」
藍家鳳道：「我問你，你笑什麼！」
王修道：「我笑你姑娘受人愚弄而不自知。」
藍家鳳道：「此話怎麼說？」
王修道：「王某人武功有限，自知不是你姑娘之敵，也非那黑衣人統率的十二金釵之敵，姑娘可以殺我，他們也可以殺我，但他們不肯動手，卻要姑娘動手，此是何意？」
藍家鳳道：「那是因爲你知曉了對付十二金釵的辦法。」
王修道：「姑娘相信這件事麼？」
藍家鳳道：「你騙得了那黑衣人，卻騙不了我藍家鳳，我相信你不知曉。」
王修道：「在下確然不知。姑娘可以想到，那黑衣人自然也可以想到了。」
藍家鳳道：「他爲你巧言蒙蔽，信以爲真。」
王修道：「是麼？那麼姑娘殺了我，可使黑衣人少了一層顧慮，可以放手對付姑娘。如是你也遭了不幸，世間再無人能夠對付十二金釵，那黑衣人也再也無所畏懼了。」
藍家鳳略一沉吟，道：「話倒是有些道理。」
王修道：「姑娘明知在下不知對付十二金釵之法，對在下應該無所顧忌，王修生死都和十二金釵無關，但我如活著，卻使那黑衣人多了一層顧慮，是麼？」
藍家鳳道：「不錯。」
王修道：「事情已經很明顯，姑娘應該如道，不難決定了。」
藍家鳳道：「但他約我明日午時，必須要帶上你的人頭。」
王修問道：「如是不帶在下的人頭同去，他有何動作？」
藍家鳳道：「他會用十二金釵。」
王修微微一笑，道：「果然是不出在下的預料。」
藍家鳳微微一笑，道：「你料到了什麼？」
王修道：「事實上，姑娘也無法制服十二金釵。」

藍家鳳道：「你太聰明了，留你在世間上，是一大患。」

王修道：「至少目下，姑娘需要我神算子的才智，幫助對付那黑衣人，和十二金釵。」

藍家鳳道：「你又有什麼能耐？還不是空口白話，唬唬人而已！」

王修道：「兵不厭詐，愈詐愈好，在下有一策，可以使那黑衣人相信，你真的有能力對付十二金釵。」

藍家鳳嗯了一聲，接道：「你最好不要對我用詐，只要你真能策劃出一個對付那黑衣人的辦法，你就可以不死。」

王修沉吟了一陣，笑道：「姑娘得令堂遺書指點，但仍無對付十二金釵之法，在下何許人，豈能真有此等良策，自然它是一種詐術，不過，要說得有板有眼，使他相信就行。」

藍家鳳道：「好吧！那你就說出來聽聽！」

王修道：「天下至強至堅，亦必有其脆弱之處，十二金釵縱然練成了金剛不壞之身，亦應有制服之道，再者，如是令堂有遺書，必會提到十二金釵，也會提到黑衣人微妙的地位，和他可能背叛你的事。」

藍家鳳嗯了一聲，道：「再說下去。」

王修微微一笑，道：「如是在下的推想不錯，令堂在遺書上定然會告訴你，對付那十二金釵的辦法，不過這辦法十分困難，你無法施展出來，所以才想到借重在下的人頭。」

藍家鳳默然不語，顯是被王修猜中了心事。

王修重重咳了一聲，道：「其實，有一個很簡單的辦法，姑娘可憑智慧裁決。」

藍家鳳道：「什麼辦法？」

王修道：「那黑衣人和在下兩人之間，姑娘信任哪一個？」
藍家鳳脫口接道：「照老前輩的說法，是要我信任你了。」
王修道：「自然，在下如若比起那黑衣人，可算是能托重任的人了。」
藍家鳳輕輕咳了一聲，道：「就算你可以信任吧！但你如何能使我掌握到十二金釵？」
王修道：「第一，姑娘先要絕對的信任我。」
藍家鳳點點頭，道：「好！我信任你！」
王修道：「因此，如是在下全然不知十二金釵的內情，縱然是懷有滿腹玄機，也難想出奇謀，姑娘對十二金釵，能了解好多，希望能告訴在下。」
藍家鳳沉吟不語。
王修微微一笑，道：「姑娘對在下之言，可是有些懷疑，是麼？」
藍家鳳仍然是默不作聲。
王修輕輕歎息一聲，道：「也許姑娘覺著真的已把那人唬住了，果真如此，那人怎的還敢向姑娘提出條件呢？」
藍家鳳嗯了一聲，道：「這和殺你何關？」
王修嚴肅地說道：「說一句不怕你藍姑娘生氣的話，唬住那黑衣人的，是我王修，而並非是你藍姑娘，一旦姑娘提著在下的人頭，趕赴那黑衣人之約，只怕姑娘生離那巫山下院的機會就不大了。」
藍家鳳究竟是極爲聰明的人，沉吟了一陣，道：「你說下去吧！」
王修道：「那黑衣人雖然用黑紗蒙面，但在下可以斷言，他昔年在武林之中，一定是一位十分有名氣的人物，他和在下見面之時，已經認出了我……」

語聲一頓，接道：「在下想請問姑娘幾件事？不知是否可以？」

藍家鳳已然完全被王修說服，點點頭，道：「你請問吧！」

王修問道：「令堂遺書中，是否提到過那黑衣人的姓名？」

藍家鳳搖搖頭，道：「沒有提過，但我娘對十二金釵卻說得十分詳盡。」

王修道：「好！我們現在就需要對十二金釵，有一個詳盡的了解，姑娘對十二金釵知道好多，希望盡量說出來。」

藍家鳳道：「我娘在遺書上說，十二金釵是一種超人類體能極限之外的產物……」

江曉峰道：「她們明明是人，怎能夠喻之爲物？」

藍家鳳道：「她們已不能算人，至多是半人半物，她們被那一種藥物和催眠術，消滅了一個人應具有的靈性，所以，她們能突破人體的極限大關，她們無愛無恨、無欲無嗔，這是一種魔道上乘功夫，但卻和佛家的四大皆空之說，暗暗吻合，只不過，她們用之於邪。就她們本身而言，十二金釵，不會和人動手，也不會動殺人的念頭，但卻被人役作殺人的工具。」

王修點點頭，道：「數百年來，江湖上盛傳有一種輪迴魔功之說，大約這十二金釵，就是輪迴魔功下的產物。」

藍家鳳道：「不錯，但輪迴魔功，只是一種理論，那是感歎一個人，常面臨體能極限的關口，無法上窺武學大乘之境。數百年前，有一位魔道高手，閉門自修，獨處大漠三十年，苦求上乘魔功，歷三十年仍無所得，但卻被他發覺了阻止上進的原因。」

江曉峰聽得悠然神注，道：「那是些什麼原因？」

藍家鳳道：「一個人有思維和靈性，如若能消滅思維和靈性，就可能突破體能極限，達到前無古人的境界，這就是輪迴魔功的理論之始……」

長長吁一口氣，又道：「但一個人，要想完全拋去思維和靈性，談何容易，正大人士，有先天下之憂而憂，後天下之樂而樂的仁慈之心，邪惡者亦有爭霸天下、役使群豪的惡毒想法，等而下之，那就更不用提它了，是以，雖然有了可循之徑，卻無可行之法。」

王修道：「以後，有人想到了藥物？」

藍家鳳道：「是的，如說十二金釵是魔功大成之物，只算說對了一半，可行之法，借重了醫學、藥物，把藥物的力量，用於人身，使他消失了自己的靈性和思維，造成了十二金釵……」

接著輕輕歎息一聲，道：「我知道的就是這些了，也許還有很多別的原因，但已非我所知。」

王修道：「這已很夠詳盡了，不過，令堂的遺書上，還應該有著對付十二金釵的辦法，姑娘可否一併說出？」

藍家鳳道：「辦法是有，但我必得先知道她們到了一種什麼境界，如是逾越了那種境界，十二金釵就將成為天下無敵之人，誰也無法對付她們，也就是說，誰能掌握了十二金釵，誰即將成為武林中的霸主。」

王修雖然覺出這十二金釵，非同小可，但也未想到，她們到了何等境界，心中不由暗暗震驚，口中卻說道：「姑娘是否瞧出那十二金釵逾越了一定界限呢？」

藍家鳳道：「必須接近她們，才能瞧到……」

她似不願把詳細內情說出，是以，說了一半，住口不言。
王修道：「令堂是一個思慮十分周密的人，不知她是否預料到，那黑衣人會背叛於你？」
藍家鳳道：「想到了，可是，她還未說出對付那人的辦法，就撒手而去了。」
王修道：「那是說令堂的遺書，沒有寫完？」
藍家鳳道：「我母親所留的遺書，並非集中一起，而是個段珍藏，我只要依照她計畫行去，每遇到困難時，就可找出預留的計畫，在巫山下院中發現的，似乎是最後一封，因為下面並未再說明，要我到何處找她下一步的安排，而且，她在遺書最後一章，說有幾句話……」
王修道：「說些什麼？」
藍家鳳道：「她說，那人靠不住……」
王修道：「就是這幾個字麼？」
藍家鳳道：「是的，字跡很潦草，而且下面有虛線，那表示，她的話沒有說完，遇上十分重大的事情。」
王修道：「那麼姑娘準備如何呢？」
藍家鳳道：「我想先去看看，十二金釵是否已逾越那一限界，如未曾逾越，我就不怕她們，我有對付她們的辦法。」
王修道：「如是逾越那一限界呢？」
藍家鳳答道：「逾越了那一限界，晚輩就無法應付了。」
王修道：「姑娘明日中午去赴約，豈不是太過涉險麼？」
藍家鳳道：「一路下來，我一直照我娘的遺書行事，從未出過差錯，我想，我娘的這一設想，也不致出什麼差錯。退一步說，真的十二金釵已脫出了武功所能對付的範疇，至少，我可以全身而退。」

王修道：「就算姑娘能夠逃出來，又將如何？」

藍家鳳道：「收不了十二金釵，我娘的計畫亦到此爲止，晚輩只好回鎭江了……」

江曉峰接道：「回鎭江做什麼？」

藍家鳳道：「碰碰運氣，看看我娘是否在鎭江留下對付那黑衣人的辦法。」

王修搖搖頭道：「姑娘，這希望不大……」

語聲微微一頓，接道：「你娘絕不會在鎭江府中留下遺書，如是一旦爲藍天義發現，那她二十年的計畫，盡成泡影……」

似乎是突然想到了一件十分重大的事，改口問道：「姑娘，恕在下唐突，你今年幾歲了？」

藍家鳳怔了一怔，道：「十九歲。問我的年齡幹什麼？」

王修道：「這年齡不會錯麼？」

藍家鳳沉吟了一陣，道：「也許是二十歲，大一歲，小一歲，難道很重要嗎？」

王修道：「這很重要，在下問下去，姑娘就會明白了。」

略一沉吟，接道：「姑娘可知那黑衣人，幾時受令堂之命，開始訓練那十二金釵？」

藍家鳳思索了良久，道：「就我所知的情形計算，好像也有了二十年。」

王修道：「那時，令堂可能正懷著身孕。」

藍家鳳道：「我想不出這又有什麼重要。」

王修道：「如若那時間令堂和藍天義相處得十分融洽，令堂就不會手創巫山門，和訓練這十二金釵了……」

沉吟了一陣，又道：「令堂和藍天義成爲夫婦一事，經過十分隱密，三十年來，江湖中事，在下大都知道，但令堂和藍天義何時相識成婚，區區卻是從不知道……」

藍家鳳輕輕歎息一聲，卻未接言。

王修輕輕咳了一聲，道：「近年來，江湖上實力的消長、變遷，令堂是一位關鍵人物，這一點，姑娘大概早明白了。」

藍家鳳點點頭，道：「我知道。」

王修暗中運足目力望去，發覺那藍家鳳並無生氣、動怒的味道，才接口說道：「令堂和百年武林中公認的第一高手指塵上人，來往甚密，甚至，就在下各方所得的資料看來，那丹書、魔令，原爲指塵上人所得，但此事並未公諸於世，丹書、魔令交給令堂，可說兩人之間，情義十分深重。」

藍家鳳接道：「好了，用不著說得太詳細了。」

王修沉吟了一陣，道：「但令堂怎肯把丹書、魔令交給了藍天義，在下心中卻有些想不明白，估算時間，那該是指塵上人失蹤以後的事了。」

藍家鳳道：「那是什麼時間，我娘遺書上沒有說過，我不知道。」

王修道：「姑娘，在下有句不當之言，說出口來，希望姑娘不要生氣。」

藍家鳳沉吟了良久，道：「好吧！你說，你已知道我娘的甚多事情，那也不用瞞你了。不過，這些事，你不能講出來。」

王修聲音突然間轉變得十分低沉，道：「令堂肯把丹書、魔令交給那藍天義，只怕是另有一種很特殊的條件。」

藍家鳳道：「什麼條件？」

王修道：「這個，在下也不敢妄言……」

抬頭目掠藍家鳳，接道：「令堂已告訴你，說你不是藍天義的女兒，但不知她是否告訴過你，生身之父又是誰？」

藍家鳳怔了一怔，道：「沒有提過，也許我那生身之父，還在人世。」

王修道：「姑娘仔細想想看，令堂可能會在遺書上有些暗示。」

藍家鳳道：「沒有，我完全不知道。」

王修輕輕咳了一聲，不再言語。

默然良久，還是藍家鳳忍不住，說道：「你怎麼不說話了？」

王修道：「在下在想，姑娘是不是……」

話到口邊，只覺難以出口，是了半天，是不出個所以然來。

藍家鳳苦笑一下，道：「你說吧！不要緊，我也希望知曉生身的父親是誰。」

王修道：「就目前情形看來，令堂生前和指塵上人最爲親近。」

藍家鳳道：「你是說，我是指塵上人的女兒？」

王修道：「在下只是有此懷疑。」

藍家鳳道：「這個，這個……」

她的話聲，十分艱澀，這個了半天，才說出了一句話，道：「不是。」

這一下，倒讓王修感到有些意外，抓抓腦袋，道：「你怎麼知道不是？」

藍家鳳道：「我娘在遺書中說過，求我這做女兒的原諒她，並坦白的告訴我，我不是指塵上人的女兒。」

王修心中暗暗忖道：「指塵上人、藍天義、藍夫人，這已經夠複雜的了，難道還有另外一個人介入不成？」

心中念頭百轉，但卻不便多追問下去，只好一轉口風，道：「藍姑娘，咱們暫時不談這件事……」

藍家鳳接道：「不妨事，你心中有什麼話只管說出來吧！上一代的恩怨，希望由我手中，作一個總結。」

王修道：「死了，死了，一死百了，令堂的事，已經再現。」

藍家鳳忽然流下淚來，淒然說道：「江曉峰，你聽到了麼？」

江曉峰道：「聽到了。」

藍家鳳道：「我是個野女孩，母親扶養我長大，但我卻不知曉父親是誰？」

江曉峰道：「豪傑英雄，不問出身，再說姑娘的身世，比起我江某，那又強得多了。」

藍家鳳道：「你……」

江曉峰接道：「姑娘還有一個母親養你長大，我江曉峰連父母是誰，全然不知，從小孤處深谷，在寂寞中長大，算起來，我才是真真正正的野孩子。」

王修輕輕歎息，道：「你們同病應該相憐。」

藍家鳳一整臉色，道：「一個人身世如何，只是個人的事，目下要緊的是江湖大局……」

王修接道：「對！如若不能剿滅了藍天義，武林還不知要有多少個無父無母的孤兒。」

藍家鳳道：「王老前輩，是否已想出了對付那黑衣人的法子呢？我所知道的，都已經告訴你了。」

王修道：「姑娘，你對『換心香』的事，知曉好多？令堂的遺書中，是否曾提過『換心香』這種藥物？」

藍家鳳道：「提到過，只是不太詳盡。」

王修道：「那換心香雖然是一種新奇的藥物，尙不爲世人所知，姑娘應該保密。但目下情形有些不同，那換心香關係著十二金釵，所以，姑娘必須坦然相告，也許可由那換心香中，找出十二金釵之秘。」

藍家鳳沉思了一陣，道：「那換心香是幾種藥物混合而成，一種神效奇異的藥物，我母親在一段遺書中曾經提到過，換心香配製成功後，使她訓練十二金釵的計畫，得以實現。對換心香，我就知道這麼多了。」

王修道：「姑娘之言，可以證實了一件事，那就是換心香和十二金釵，確然是有著密切的關係。」

藍家鳳道：「縱然是咱們知道了，但又能有什麼幫助？」

王修道：「說一句不怕姑娘生氣的話，目下那黑衣人對你藍姑娘全無恐懼，他怕的還是我王某人，因爲，我無意中說出了換心香，在他的想像中，我能知曉換心香這三個字，絕非信口開河。」

這數月之中，藍家鳳在母親遺書指導之下，無往不利，不但在武功上有了極大的進境，又得巫山門中十餘高手相助，如夢如幻的際遇，使她青雲直上，但當藍夫人遺書中斷，沒人再爲她安排下一步的行動，頓然使得她有六神無主的惶惑。

也使得藍家鳳陡然心生警覺，想到了自己仍然不過是二十左右的女孩，也不是具有非常的才慧，足以應付目下的江湖局勢。

有此一念，頓然改顏，一欠身道：「老前輩有何高見，還望指點一、二。」

王修微微一笑，道：「姑娘及時覺醒，實爲武林之福。」

藍家鳳道：「收服不了十二金釵，這世間再也無人能對付藍天義，也是枉然。」

王修道：「那收服十二金釵的藥物，在於換心香上。」

藍家鳳道：「就算那換心香確然能夠制服十二金釵，但咱們並無換心香這種藥物。」

王修道：「如果咱們沒有換心香這種藥物，那就不用多費心機去研究方法了。」

抬頭望望天色，道：「時刻還早，咱們盡量設法保持體能，先行坐息一陣，再作道理。」

藍家鳳道：「六、七個時辰，彈指即過，時間如此迫促，老前輩還有心情坐息？」

江曉峰心中暗道：「看起來，藍家鳳對十二金釵的恐懼之心，較之我等，似乎是更爲深重一些。」

只聽王修輕輕咳了一聲，道：「靜而後能慮，慮而後能得。如是在下到明日午時，仍然想不出制服那十二金釵的法子，那就照姑娘的意思試試看了。」

藍家鳳輕輕歎息一聲，不再多言，緩步行到一側坐下，江曉峰、王修各自就原位而坐，閉目調息。

半宵無事，匆匆而過。

江曉峰坐息醒來時，已然天色大亮。

轉眼望去，只見藍家鳳瞪著一雙圓圓的大眼睛，望著王修出神，心中大感奇怪。轉頭望去，只見那王修原本一頭黑髮，經半宵苦思，已成了灰白之色，垂胸黑髯，更是變成了一片銀白。

江曉峰一驚，叫道：「老……」

藍家鳳及時而至，攔住了江曉峰，道：「不要驚擾他。」

牽著江曉峰在身旁坐下，接道：「我已經醒了很久，也看了他很久，但卻一直未驚擾他。」

江曉峰道：「原來一夜白髮的傳說，竟然真有其事……」

藍家鳳接道：「他傾耗心血，苦苦思索，半宵之間，使鬚髮灰白，但看他神情，思路未斷，也許是即將思有所得，你如驚擾了他，也許會使他一夜的苦思盡付流水。」

江曉峰道：「姑娘說得是。」

但見王修一張嘴，一口鮮血，猛地沖了出來，飛濺三尺，壁間、身上和兩人的衣服之上，都沾滿了血漬。

江曉峰一躍而起，道：「老前輩，你……」

王修倚壁而坐，微微一笑，道：「我不要緊……」

目光轉到藍家鳳的身上，接道：「姑娘，區區思得一策，但不知能否適用。」

藍家鳳說道：「老前輩耗神過多，先請休息一陣再說。」

王修道：「咱們的時間不多，必須早作決定，也好多一點準備工夫。」

藍家鳳移過身軀，道：「老前輩既如此說，晚輩恭敬不如從命了。」

王修道：「在下苦思半宵，就姑娘處所得一些資料推斷，咱們確然無法對付十二金釵，而且在下可以斷定，那十二金釵已超越過某一種武功界限，咱們所知的任何武功，都無法對付了。」

藍家鳳道：「想不到啊！我娘為我準備的保護我的力量，反成了一種對我致命的傷害。」

王修苦笑一下，道：「任何人，如若能完全知曉十二金釵的實力，又能統馭十二金釵時，都會不甘心屈居人下。」

藍家鳳輕輕咳了一聲，道：「老前輩有何高見，能制服那黑衣人，收回十二金釵呢？」

王修道：「姑娘帶了幾個人前來？」

藍家鳳道：「算上江曉峰，我只有三個人。我來此之時，並未想到他會背叛我娘。原打算收服了十二金釵之後，立時就走的。如是老前輩需要人手，晚輩可以下令叫他們來此，但計算路程，午時前，似是無法趕到了。」

王修搖搖頭，道：「來不及了，咱們是行險求勝，人數多寡，並不是很重要的事情。不過，人手不足調配，卻要姑娘多涉凶險了。」

藍家鳳道：「收不回十二金釵，我亦無法在江湖立足，為此涉險，理所當然，老前輩請說出辦法，晚輩立時行動。」

王修道：「姑娘可記得令堂的形貌麼？」

藍家鳳若有所悟地道：「要我裝扮成我娘模樣？」

王修道：「是的！如若那統率十二金釵的黑衣人，還對一個人有所顧慮，那人就是令堂。」

藍家鳳道：「但那人已知我娘的死訊。」

王修道：「令堂在他心目之中，份量極重，就算他已然確知令堂的死訊，但驟見令堂出現之時，也將是半信半疑。」

藍家鳳道：「以後呢？」

王修笑一笑道：「咱們是行險求勝，自無完美之策，所以，要處處行險。」

藍家鳳站起身子道：「晚輩立刻動手易容，老前輩見過家母，如有不妥之處，還望指點一、二。」舉步行出廟外。

江曉峰低聲說道：「老前輩，藍家鳳似乎氣質大變，又恢復了數月前的面目了。」

王修道：「她遇上了困難。數月之前，她得母親遺書之助，無往不利，短短的時光，武功、地位，都有了極高的成就，但她母親遺書中斷之後，形勢立刻大變，她已感覺到自己的力量有限，必得和咱們合作才成。」

目光盯注在江曉峰臉上瞧了一陣，接道：「有一件事，江少俠可以放心。」

江曉峰道：「什麼事？」

王修道：「你沒有中毒，她給你服用的藥物，不但無損，而且對你功力進境上，有很大的幫助。」

江曉峰

江曉峰道：「晚輩昨宵坐息之後，亦覺著全無中毒之徵。」

放低了聲音，接道：「老前輩要她改扮做藍夫人，用意何在？」

王修苦笑一下，道：「我一夜嘔心瀝血，思逾千策，但每一個策略，都不適宜咱們之用。

對方如磨磐大石，咱們卻以卵施襲，勝負之數，不言可喻了……」

江曉峰道：「照老前輩的說法，咱們已是山窮水盡了？」

王修道：「很恰當，但山窮水盡疑無路時，突然想到了當年諸葛武侯所使用的空城計，給了我很大的啓示。」

江曉峰道：「老前輩也要用空城計？」

王修笑一笑，道：「當年諸葛孔明用空城計時，還有幾員虎將，使那司馬懿心生畏懼。而此刻咱們卻無可調之將與可用之計，因此在下之計，叫空空計了。」

江曉峰道：「空空計？」

王修道：「咱們無一處有制敵之能，處處用心，處處用空，都是受不得考驗，全憑一些部署，使敵人自心生疑，疑生暗鬼，授咱們以可乘之機。」

江曉峰「哦」了一聲，道：「聽起來，倒有些道理，不過，老前輩應該先給藍姑娘說明才是。」

王修道：「你不能說，一說她就沒有勇氣了。」

江曉峰低聲說道：「這麼說來，藍姑娘的處境，十分危險了。」

王修道：「何止是藍姑娘，咱們所有之人的處境，都十分危險。只要有一點馬腳露出，都可能造成一場風波，我們所有的人都可能會有生命之險。」

苦笑一下，接著道：「江兄弟，別說我神算子了，就算是藍夫人重生還魂，也未必會有對付十二金釵的辦法。」

談話之間，藍家鳳已緩緩行了進來。

這時，她衣服雖未更換，但面容已改，果然是藍夫人的模樣。
江曉峰抬頭打量了藍家鳳一眼，微微一笑，道：「藍姑娘的易容術十分高明。」
藍家鳳道：「扮自己的母親嘛，自然有些像了。」
王修站起身子，道：「好了，咱們走吧！」
藍家鳳怔了一怔，道：「我還未換衣服。」
王修道：「不用換了。」
藍家鳳道：「不換也好，我該如何行動，還望老前輩指點一下。」
王修道：「姑娘，在下想先行解說一件事。」
藍家鳳道：「晚輩洗耳恭聽。」
王修道：「咱們並沒有萬全之策，因此可能會一敗塗地。」
藍家鳳道：「勢不均，力不敵，自難有完美的辦法，咱們傾力而爲就是。」
王修道：「姑娘是明白人，話就好說了，如咱們布的疑陣，被那黑衣人看破，咱們都可能有性命之險。」
藍家鳳道：「你是擔心說明了內情，我沒有勇氣承受，是麼？」
王修道：「在下相信姑娘有勇氣承受下來，只不過，你既明白了內情，可能會多擔上一分心事，所以，還是不說得好。」
藍家鳳道：「好吧！不說明白，我現在應該如何行動？老前輩總應該說明白吧？」
王修道：「姑娘一人，請先行在巫山下院附近出現，而且要若無其事一般，查看周圍的形勢。」

藍家鳳道：「以後呢？」

王修道：「姑娘務必要半隱半現，驚動到那個黑衣人。」

藍家鳳道：「讓他發覺？」

王修道：「不錯，要確定是已被那黑衣人發覺才成。」

藍家鳳道：「他是我娘的心腹屬下，發覺我娘未死，自然會來見我了，如他確知我娘已死，必知有人假冒，定然會追上來，查個水落石出。」

王修道：「這中間，要拿捏得恰到好處，姑娘確知已被他發覺之後，就立刻走避。」

藍家鳳道：「可有一定的去處？」

王修道：「有，姑娘向正西方而行，約五里處，有一座李氏墓園……」

藍家鳳道：「躲在墓園之中？」

王修道：「那墓園中有一座特別高大的古墓，姑娘到那座古墓前面。」

藍鳳道：「如是那黑衣人追去呢？」

王修道：「在下會在古墓前面等候。」

藍家鳳道：「只有這些麼？」

王修道：「其他的恕我暫時賣個關子，到時間，在下自會指示姑娘的去處。」

藍家鳳道：「我一個人去，如何安排我那位同來的屬下？」

王修道：「最好是讓他和在下同行，但恐他桀驁不馴，不肯聽從在下的吩咐。」

藍家鳳道：「這個，你可以放心，我會要他聽命行事。」

王修道：「成了，姑娘召你的屬下來交代一聲。」

藍家鳳行出廟外，招來灰衣人，告訴他聽從王修之命行事。
那灰衣人打量了王修一眼，點點頭。
藍家鳳道：「我可以動身了麼？」
王修道：「我們先行，姑娘在一個時辰之後再行動身。」
藍家鳳微笑頷首，低聲對江曉峰道：「江郎，你過來。」
江曉峰依言行了過去，道：「姑娘有什麼吩咐？」
藍家鳳道：「昨天，今日，我是否已有著很大改變？」
江曉峰道：「判若兩人。」
藍家鳳道：「昨天，我還是母親遺書安排下的執行人，現在，我又恢復了藍家鳳。」
江曉峰笑一笑，道：「是，你又恢復了過去的玉燕子了。」
但聞王修的聲音，傳了過來，道：「江少俠，咱們要趕路了。」
江曉峰心知不便多留，一拱手，道：「我要去了，姑娘多多珍重。」轉身快步而去。

四二　無所遁形

藍家鳳目睹江曉峰步出廟門，輕輕歎息一聲，盤坐調息。

數月間經歷過無數凶險，也使得藍家鳳有了超越年齡的成熟。

她心中明白，王修雖然已累得一夜白了髮，但面對著十二金釵這等特殊的人物，王修實也想不出什麼良策，一切只不過是對付那黑衣人罷了。

藍家鳳雖然一切遵從王修的安排，但她心中明白，一旦事情弄到兵戎相見時，仍然要靠自己安靜的處理。

她必須珍惜自己的體能，所以，爭取這可能僅有的時間，坐息一陣，希望能藉此一刻調息，一旦打起來，能增強幾分耐力。

她用手在面前射入日光的地方，劃一條線，估計一個時辰後，日光照及的所在。

坐息醒來，日光已過線半尺。

藍家鳳匆匆站起身子，直奔巫山下院而去。

因為過了約定的時刻甚多，所以她離開了小廟之後，立即奔向巫山下院。

一口氣奔到下院的門外，才停下了腳步。

這時，距離中午還有近一個時辰光景，巫山下院中一片靜寂，莊院前兩扇木門正大開著。

四周一片靜寂，聽不到一點聲息。

藍家鳳在門前徘徊了一陣，不見有何動靜，忍不住舉步向莊院之中行去。

行進門內去，只見院中一片死寂。流目四顧，不見人蹤。

藍家鳳輕輕吁一口氣，暗運功力戒備，緩步向前行去。

繞著庭院走了半周，藍家鳳表面上裝作全不經心，暗中卻是全神貫注，留心著四外的景物。感覺中似有兩道銳利的目光，在大廳中一木窗內直射過來。她無法猜出那人是誰，但卻感覺到那人必有著很深厚的內功。

藍家鳳停下腳步，略一沉吟，緩緩舉步行出了巫山下院。

原來，她停步略一忖思，覺著飛躍而出，不如緩步行出來得自然。

藍家鳳行出巫山下院，立時縱身而起，一連三個飛躍，跳出了六、七丈遠，閃身隱在一株大樹之後。

轉頭望去，只見人影一閃，那黑衣蒙面人已然出現在大門口。

他似乎並未看到藍家鳳，目光流轉，四下張望。

那人瞧看了一陣，突然拉下了臉上的蒙面黑紗，日光下只見蒼白可怖的怪臉上，暴射出兩道森冷目光，不停地四下觀看。

藍家鳳心中暗自盤算道：「只瞧他兩道眼神，已可了然他內功極深。看他的臉色蒼白，似乎是練的寒陰一類武功，但他只要不帶十二金釵人，我可和他一拚。」

心中有此一念，頓時覺著開朗了很多，暗中提氣，悄然向林外行去。

行不過三丈左右，突聞一個清冷的聲音，由身後傳了過來，道：「夫人……」

藍家鳳回目一顧，只見那黑衣人奔行如飛般地直撲過來，急急一提真氣，向前飛奔而去。

那黑衣人叫道：「屬下聞得傳言，夫人已遭暗算喪命。屬下本意還率領十二金釵，為夫人報仇，但因未得遺命，再加十二金釵還未到至善之境，未敢妄動。夫人既未遭人暗算，重臨巫山下院，何以竟不肯和屬下見上一面呢？」

他說的聲音並不太大，但卻聽得十分清晰。

藍家鳳字字入耳，但卻不敢輕易回答，生恐被黑衣人聽出她聲音，判定她不是藍夫人。她心中早已決定了去向，放腿直奔正西，一口氣跑出二、三里路。

回目一顧，只見那黑衣人，有如風馳電掣一般，直追上來，雙方相距，也不過三丈左右的距離。

藍家鳳吃了一驚，暗道：「我已用足了八成功力，奔行不能算不快，但仍然被他追上了數丈距離，單是這份輕功，就足以驚人了。」

心中念轉，暗中提聚了十成功力，流星飛矢一般地向前疾奔。

奔行之間，瞥見了一座古柏環繞的廣大墳地。

墓園外聳立著一塊高大的石碑，寫著「李氏墓園」幾個大字。

但藍家鳳奔行太快，有如追風閃電一般，疾掠石碑而過，只瞧到那石碑上一個「李」字。

方位未錯，估算路程，應該已到王修約好會面的李氏墓園中了。

情勢迫人，無法細瞧，奔行中一側身子，閃入了柏樹林中。

就在她閃身入林的同時，那疾追身後的黑衣人，突然一抬右手，一道白芒，閃電射出，口中大聲喝道：「賤婢膽子不小，竟然冒充藍夫人。」

叫聲中，蓬然一聲大震，一株碗口粗細的古柏，倒摔在地上。

原來，那黑衣人遙遙飛出的一道白芒，不但鋒利無比，而且勁道奇大，一株碗口大的古柏，竟被白芒一繞之下，攔腰中斷。

藍家鳳目睹那黑衣人飛出的白芒，如此威勢，心中大是震駭，暗道：「再厲害的暗器，也難有這等威勢，他這飛出的白芒，分明是馭劍術了。」

心中盤算，人卻直入墓園。

深入五丈左右，果然見到一座高大的古墓。

墓前一座石碑下面，寫著「拖延時刻」四個字。

四個字寫在碑前土地上，藍家鳳看過之後，隨手把字跡毀去，心中大是奇怪，忖道：「拖延時刻，分明是要我和那黑衣人慢慢談判了，但我一說話，豈不要洩露出自己的身分麼？」

還未拿定主意，耳際間已響起那黑衣人冷漠的聲音，道：「你究是何許人，竟然冒充藍夫人？」

藍家鳳疾快地轉過身子，抹去了臉上的易容藥物，道：「我……」

黑衣人道：「果然是你藍姑娘，在下沒有想錯。」

藍家鳳道：「你來得很好，我們正該好好談談。」

黑衣人道：「咱們約好你把王修的人頭，送入巫山下院，但姑娘並未守約，似乎是用不著再談什麼了。」

藍家鳳道：「當時我娘要你訓練十二金釵，對你寄望是何等殷切，信任是何等的深厚，想不到她老人家屍骨未寒，你竟然背叛了她。」

黑衣人突然仰天打了個哈哈，道：「多謝你藍姑娘啊！」

這句話沒頭沒腦，聽得藍家鳳怔了一怔，道：「爲什麼謝我？」

黑衣人笑道：「令堂的死訊，在下雖聽到多次，但心中一直有些懷疑，今日得你證明，大約是再也不會錯了，豈不要多謝你藍姑娘……」

臉色一整，冷冷接道：「令堂既已去世，天下再無我可畏懼的人了。」

藍家鳳道：「難道你一點也不顧念我母親生前對你的提攜之恩？」

黑衣人道：「有一句俗話說，人在人情在，令堂既然已經死去，在下自然就不用顧念她的生前情意了。」

雙目中奇光迸射，盯注在藍家鳳的臉上，道：「放眼天下，我是唯一能助你爲母報仇的人，也是唯一能挽狂瀾於既倒，避免天下武林同道，免於被奴役於天道教的人……」

藍家鳳道：「但你不肯爲我娘報仇，替武林同道盡力，那也枉然。」

黑衣人泛現一抹獰笑，道：「此事也未始不可商量，只要你藍姑娘答應在下一個條件。」

藍家鳳道：「什麼條件？」

黑衣人道：「你如肯嫁我爲妻，此事大可商量。」

藍家鳳聽得心頭火起，但卻強自忍下，未發作出來，忖道：「神算子讓我拖延時間，不如要拖延到什麼時刻才有效果？還得和他多扯上幾句才成。」

當下緩緩說過：「爲我娘報仇之後……」

黑衣人搖頭接道：「不是。你先下嫁我爲妻，過幾日夫妻生活之後，在下才能相信。」

藍家鳳略一沉吟，道：「如是不答應呢？」

黑衣人道：「那要看姑娘的武功如何了。」
藍家鳳仍不聞有何反應，心內大急，口中卻說道：「如是我不勞閣下相助呢……」
黑衣人接道：「不論姑娘是否要在下相助，姑娘只有兩條路走，一條是嫁我為妻，一條是死於當場。」
藍家鳳搖搖頭，道：「兩樣我都不願意。」
黑衣人道：「那姑娘只好動手，自尋死路了。」
突然踏前兩步，疾向藍家鳳右腕脈穴之上抓去。
藍家鳳一閃避開，回擊一掌。
黑衣人冷笑道：「姑娘如是敗於在下手中，是否會答應在下的婚約呢？」
藍家鳳道：「你先勝了我再說。」
十指揮彈，縷縷指風，破空而出，封住了那黑衣人的凌厲掌勢。
黑衣人一面揮劍搶攻，一面冷冷說道：「令堂把『穿雲指』，也傳給你了。」
藍家鳳道：「我母親傳給我千餘種武功之多，就要看你有沒有破解之能了。」
藍家鳳無法預測此後的形勢變化，王修等久不現身，使得藍家鳳心中極為不安。必須要靠自己的能力，獨自應付局勢變化。
心中念轉，口中說道：「我如是嫁給你，對我有什麼好處？」
黑衣人道：「十二金釵，是目下武林中武功最強的人，別說十二金釵合力，就是十二人在江湖上行走，也是可把江湖搞一個天翻地覆。放眼當今之世，在下是唯一能夠指揮十二金釵的人，這情勢已經很明顯了，在下實已是當今武林至尊。姑娘嫁給在下，雖然年齡懸殊一些，但這份榮耀，不是任何男人所能給你的了。」

聲音突轉冷厲，接道：「你應知道，如若是你不肯嫁我為妻，舉世之間，再無一人能為你母親報仇了，而且，你也無法再活下去。」

兩人一面交談，一個卻是各展所能，掌影指風，凌厲無匹，各自攻對方的要害大穴。

藍家鳳雖然不斷有新奇的招術，用出克敵，但那黑衣人卻始終用一套很奇異的掌法，當藍家鳳全力搶攻時，黑衣人就採守勢，雙掌把門戶封閉得十分嚴緊，但藍家鳳只要攻勢一鬆，黑衣人雙掌就如狂風驟雨一般地反攻過來。

這種搏鬥之法，一直使藍家鳳沒有喘息的機會。

這是一場精彩絕倫的搏鬥，可惜四周竟無觀賞之人。兩人在古柏參天的墓園，你來我往，不覺之間，已然互鬥了二百餘招。

那黑衣人固然是臉露驚異之色，藍家鳳的臉上，也泛出了汗水。

黑衣人一面放手搶攻，一面說道：「令堂給你這一番培植，果然是費了不少苦心。她把丹書、魔令上甚多奇奧的武功，都傳授給你，只可惜你功力稍差一籌，無法把那奇奧招術的威力，完全發揮出來。如若你功力到家，在下早已敗於你的手中了。」

藍家鳳道：「我還道你數十年隱身清修，武功高不可測，其實，也不過如此而已。此刻，只要有一個武功相當的人助我，三十回合內，可以取你性命。」

黑衣人笑道：「可惜，沒有人幫助你。」

藍家鳳心頭大急，暗道：「那王修號稱神算子，怎的竟不知在這古墓之中設下埋伏。只要有一個江曉峰能夠出面助我，此刻，就可以制服住這位黑衣人了。」

忽然間，心念一轉，暗道：「也許這是王修故意的安排，讓我將這黑衣人支開，他們好有機會趕到巫山下院，收拾十二金釵。」

她心中念頭百轉，手腳爲之一緩。

黑衣人趁勢疾攻，迫得藍家鳳連退了三步，幾乎被那黑衣人的掌勢擊中。

那黑衣人搶得先機之後，掌勢愈見凌厲，一面笑道：「鳳姑娘，你已成強弩之末，如若咱們再打個幾十招，就算我不能把你殺死，亦將把你活活的累死了。」

藍家鳳也確然感覺到難再有餘力支持下去，身上汗出如雨，濕透了衣衫。

但那黑衣人的掌勢，卻是愈來愈強勁，招招如鐵錘擊岩一般，劈了下來。

忽然間，一股淡淡的幽香，撲入了鼻中。

藍家鳳全神對敵，還無感覺，但那黑衣人卻似是遇到了萬分驚駭之事，失聲叫道：「換心香！」收掌倒退五尺。

藍家鳳已爲對方掌勢逼得筋疲力盡，黑衣人忽然收掌而退，急急的喘了兩口氣，還未來得及接口，青塚之後，突然走出來神算子王修，道：「不錯，正是換心香。如若我們能夠早知道，藍姑娘能和閣下硬拚百招不輸，我們就用不著千辛萬苦的安排這換心香了。」

黑衣人臉色大變，冷冷說道：「你們由何處得來這換心香？」

王修道：「換心香早已記載於本草綱目之上，只不過它的名字不叫換心香罷了。」

黑衣人對那醫書所知不多，也不知王修說的是真是假，一時間瞠目結舌，不知如何回答。

王修輕輕咳了一聲，道：「閣下隱居秘室數十年，也許你覺著現在武林中，已經沒有認識你的人了，是麼？」

黑衣人訝道：「難道你認識我不成？」

王修點點頭，道：「如若我沒有認錯，閣下應該叫玉朗君韋剛。玉朗君早年在江湖上走動之時，喜穿白衣，現在，你只是將衣服換成黑色而已。」

黑衣人呆了一呆，道：「你能肯定在下就是玉郎君麼？」

王修道：「錯不了，韋剛昔年臉上受傷，把一張英俊的容貌，弄得十分難看，閣下臉上不見傷痕，定是改容手術之功，藍夫人學博四海，精通改容手術，你易容改裝，幫助藍夫人訓練十二金釵，是也不是？」

黑衣人臉上青白不定，顯然他內心之中，正有著無比的激動。

王修察顏觀色，已知自己推論不錯，輕輕咳了一聲，道：「藍夫人早知你有了叛她之心，所以把換心香配製之法，告訴了在下。我王某一生精研醫道，得藍夫人一些指點，早已了然，再看醫書，本有記述，只不過未說明它的配製之法而已……」

語聲突轉嚴厲，道：「換心香能使人有如像換過心一樣，你朋友吸入甚多，如是不能早得救治，十二金釵之外，還要加一個玉朗君了。」

玉朗君韋剛心頭大爲震動，道：「你們有解藥？」

王修道：「如是在下不備有解藥，絕不敢輕易施用，那豈不是使吸入之人，都要變成十二金釵中的人麼！」

玉朗君道：「如何才肯給我解藥？」

王修道：「自然要有條件。」

韋剛道：「什麼條件，開出來吧。」

王修道：「很簡單，只要你把十二金釵交給藍姑娘統率，我立刻可以奉上解藥。」

韋剛道：「我呢？你們如何處置。」

王修道：「閣下如若願和我們合作，自然是萬分歡迎，如是不原和我們合作，韋兄可以自行決定去處。」

韋剛冷冷說道：「如是在下不答允這些條件呢？」

王修道：「那咱們只好借重閣下，以增強那十二金釵的陣容了。」

韋剛目光轉動，四顧了一眼，緩緩說道：「看來，諸位對在下很客氣。」

王修舉手互擊一掌，道：「韋兄最好別打歹主意，須知這等有關生死的事，最好還是不要冒險。」

隨那一響掌聲，人影紛現，江曉峰、灰衣人、武當三子，分由四面圍攏過來。

王修道：「識時務者爲俊傑，韋兄已然身陷重圍，何況，換心香毒，即刻就要發作。」

韋剛道：「我練過先天呼吸之法，可以閉住氣息，閉上一個時辰。在一時三刻內，我未必會中毒，不過……」

王修道：「不過什麼？」

韋剛道：「區區倒希望能和你王兄，好好合作一下。」

王修道：「哦！有這等事？韋兄怎會看上兄弟？」

韋剛道：「如論武功，天下再無人能勝過十二金釵，所以，兄弟用不著武功高強之人相助，借重王兄的是，你那無所不知的博聞，和你那過人的才智。」

王修哈哈一笑，道：「不知韋兄開給兄弟些什麼條件？」

韋剛道：「區區手下，除了十二金釵之外，再無可用之人，王兄如若答允，你是第一個助我的人，自然是除了兄弟以外，就算你王兄最大了。」

王修微微一笑，道：「兄弟剛剛聽到，你對那藍姑娘也曾這麼說過。」

韋剛道：「這丫頭年紀幼小，不知好歹，王兄是博聞多見的人，自然是看法不同。」

王修搖搖頭，笑道：「在下確和藍姑娘有些不同，是一個十分識時務的人，這些話，如若是韋兄早些給兄弟講，兄弟連想也不用想，就會一口答允，如今麼？情勢不同了。」

韋剛道：「能指揮十二金釵的人，除了兄弟之外，天下再無其他的人，情勢依舊。」

王修目光左右轉動，瞧了一眼，笑道：「目下你韋剛兄處於劣勢之中，如是我們一齊出手，不難取你韋兄性命……」

韋剛冷笑一聲，接道：「你算盤別打得太如意了，你們聯手而來，也未必真勝得了我韋剛。」

王修道：「至少，我們可以讓你無法運氣，身中那換心香，韋兄千算萬算，只怕未算出那藍夫人傳了在下換心香的配方。」

韋剛道：「藍夫人未把換心香的配方傳給她女兒，卻傳給了你王修，這一點，兄弟始終不信。」

王修道：「藍夫人功參造化，她能在不著痕跡中，替藍姑娘奠定了上乘武功的基礎，然後，在適當時機，指點她武功竅訣，使藍姑娘在數月間，成爲武林第一等高手。但她卻無法把那些深奧的醫書道理，傳給她的女兒。利益相權之下，就把換心香的配方，傳給了在下。」

語聲一頓，接道：「這解釋不知韋兄是否滿意？」

韋剛雙目盯注在王修的臉上，瞧了一陣，道：「王兄還知道些什麼！」

王修心中釋然，暗道：「此刻，他似是已經相信了，我如是說錯一句話，必將是前功盡棄。」

心中直在念轉，口中卻哈哈大笑，道：「怎麼？韋兄，要考考兄弟麼？」

韋剛神情肅然，道：「你如是說對了，可以證明藍夫人確然已授給你對付十二金釵的辦法，也傳給你配製換心香的秘方，如是你說錯了，那可證明你是滿口胡言，我要召來十二金釵，殺你們一個雞犬不留。」

這不但是比試才智，而且，還比試判斷力，王修一無所知，不得不冒險施用詐術，冷冷說道：「十二金釵來不得了。」

一面全神貫注，默察韋剛的反應。

只見韋剛臉色一變，道：「爲什麼？」

王修心中暗自點頭，口中卻應道：「因爲這換心香可使十二金釵受到傷害。」

韋剛臉色大變，道：「好一個惡毒的婦人！」

王修正自無法確定自己這句話，是否說錯了，聽得那韋剛大罵惡毒婦人，心中頓然一暢，立時一整臉色，冷冷說道：「韋剛，王某人沒有說錯吧！」

韋剛道：「藍夫人如此惡毒，在下背叛她，那是毫無愧疚了。」

王修笑道：「藍夫人是何等才智人物，察微知著。你心存叛意，她豈有瞧不出的道理？只不過那時十二金釵的訓練，正在緊要關頭，無法換人罷了，只有設法傳下對付十二金釵之法，萬一你真的背叛了她，只有不惜連同十二金釵，一齊毀滅。」

韋剛已為王修攻心所敗，輕輕歎息一聲，道：「那藍夫人可曾說過如何安排在下？」

王修答道：「藍夫人要韋兄暫時退出江湖，息隱三年。」

韋剛道：「三年之後呢？」

王修道：「要藍姑娘再把十二金釵重新交還給韋兄。」

韋剛莫名所以，張大眼睛，道：「這又是為什麼？」

形勢給了王修一個賣弄才智的機會，當下輕輕咳了一聲，道：「有一件事，只怕韋兄還不清楚。」

韋剛道：「什麼事？」

王修道：「十二金釵雖然超越了人的體能極限，練成人間無法抗拒的武功，但她們修習的，並非仙道大乘之學，因此，在一定時限中，她們要自行毀滅、凋謝。」

韋剛道：「王兄知道她們毀滅的時限麼？」

王修道：「藍夫人講給在下聽過，這日期約有三年。」

韋剛怒道：「三年後，十二金釵就要自行凋謝，為什麼還要交還給我？」

王修道：「這裏面有個很微妙的道理，韋兄一手訓練出十二金釵，藍夫人也要你親眼見十二金釵凋謝，讓你知道，十二金釵並非最絕對可付恃的一股武力，一個人的成就，主要的還是靠個人的修為。」

韋剛沉吟了一陣，道：「好！兄弟願交出十二金釵，但我有一條件！」

王修道：「什麼條件？」

韋剛道：「這十二金釵受一特殊方法的統馭，雖然那方法是藍夫人的設計，但已經過我多次的修改，除在下願意傳授，縱然是藍夫人返魂重生，也無法傳授此法。」

王修微微一皺眉道：「韋兄不用繞圈子，什麼話，乾脆明明白白地說出來吧！」

韋剛道：「這方法只能傳給藍姑娘一人，別人不能在旁跟著學習。因此，在下必須單獨和藍姑娘在密室相處數日。」

王修沉吟了一陣道：「如只是為了不讓役使十二金釵之法外露，在下倒別有一策，韋兄可以獨處一室，寫下役使十二金釵的方法，然後，給藍姑娘一人閱讀……」

韋剛道：「這是條件。如是諸位不能答允，在下寧以身殉，諸位只管動手取我之命，在下絕不反抗。」言罷，閉上雙目，盤膝坐在地上，不再理會幾人。

王修設想了很多種對付韋剛的變化，但卻未想到韋剛會有席地而坐這一手，一時間想不出對付之策。

藍家鳳突然欺進兩步，雙手連揮，點了韋剛的雙臂、雙腿上四處穴道，而且手法很重，使對方再無動手之能。

回顧了王修一眼，道：「老前輩，讓他們散去，我要單獨和韋剛談談。」

王修微微頷首，帶著江曉峰和武當三子等離去。

韋剛睜開眼睛，四下打量了一下，笑道：「姑娘，我韋剛奉了令堂之命，訓練出十二金釵，和那些形同殭屍一般的人，相處了十餘年，如今要在下交出這十二金釵，實在心有未甘。」

藍家鳳道：「如何才能使你心甘！」

韋剛笑一笑，道：「在下歷盡滄桑，除了武林至尊的身分之外，其他的小名小利，在下都已經不放心上，交出十二金釵，在下這份希望，也將歸於幻滅。」
藍家鳳道：「所以，你不願交？」
韋剛道：「交！一則是在下已經答應了交出來，一則，我已無反抗之能，也不忍看著由我一手訓練的十二金釵，就此埋沒。但能使在下甘心交出十二金釵的，只有你姑娘有此能耐。」
藍家鳳道：「咱們不用打啞謎，你明白的說吧！」
韋剛道：「姑娘陪我兩天，我傳給你指揮十二金釵的方法，在下覺著這才公平。」
長長吁了一口氣，接道：「當年能使我答允冒性命之險，訓練十二金釵的，是令堂的美麗。當時她曾答允過我，一旦十二金釵有所成就，她就佈施色身，和我……」
藍家鳳怒道：「住口！我娘不是這樣的人。」
韋剛道：「姑娘不相信我的話？」
藍家鳳道：「我娘已死，死無對證，你高興怎麼說，就怎麼說了。」
韋剛笑了一笑，道：「藍夫人麗質天生，她能夠學得絕技，成爲武林中有數的高手之一，全憑仗她的美麗……」
說聲頓了一頓，接道：「有一件事，只怕藍姑娘還不知曉。」
藍家鳳道：「什麼事？」
韋剛道：「你不是藍天義的女兒。」
藍家鳳顰起柳眉，道：「你胡說，我不是藍天義的女兒？」
韋剛笑一笑，道：「姑娘不用發怒。這是武林中一大隱秘，除了在下之外，世間知曉此事的人，只怕難有幾個。」

藍家鳳心中暗道：「母親遺書，從未提到我的生父，這韋剛口氣如此托大，也許他真的知道。」

心中念轉，口中卻說道：「我雖然不信你滿口胡言，不過……」

韋剛微微一笑，接道：「不過，仍希望聽聽在下的胡言麼！」

藍家鳳道：「聽聽不妨。」

韋剛道：「你真正的生身之父，應該是武當派中的指塵上人。」

藍家鳳吃了一驚，道：「指塵上人！」

韋剛笑道：「令堂對在下透出過口風，就在下查證所得，也極吻合。」

藍家鳳心中震動，口中卻故作輕鬆，道：「但我娘已經死去，縱然你說的是實話，那也是過去的事了。」

韋剛道：「父債子償，這母親的承諾，自然要女兒補償了。」

藍家鳳搖搖頭，道：「不管你說的是真是假，我不會答應，唉！有這樣一位母親，我這做女兒的，也感到十分羞愧！」

韋剛微微一笑，道：「不能太責備令堂，紅顏薄命，古今皆然，她的美麗給她帶來了坎坷的旅程，重重的災難。」

藍家鳳接道：「對我母親的事，你似是知曉很多？」

韋剛道：「在下和令堂相識數十年，對她生前之事，無不了然。」

藍家鳳道：「她如何認識了指塵上人？又爲何和藍天義結成夫婦？」

韋剛輕輕歎息一聲，道：「令堂的美麗，使道行高深如指塵上人者，亦無法把握自己，鑄下大錯，但那指塵上人究竟是跳出三界外，不在五行中的高人，也是武當派的傑出才人，當時又任掌門之位，他心中慚愧鑄下大錯，就留下丹書、魔令，飄然遠走……」

「在他想像之中，令堂是一位心地純情，又具才慧的少女，以丹書、魔令上的博大武功，定可使令堂成爲武林中一代王后……」

他頓了頓，接道：「但他卻忽略了，那分別之後的刻骨相思，竟然是那樣深刻，那樣的難以忍耐……」

藍家鳳接道：「所以，他躲在那山腹秘洞中，自絕而亡？」

韋剛道：「那是後事，先發生變故的是令堂。」

藍家鳳啊了一聲，欲言又止。

韋剛凝目思索了片刻，接道：「令堂那時年紀還輕，初時，倒也能夠按照指塵上人留下的函示，練成武功，但數月之後，相思加深，丹書、魔令上的博大武功，已經無法吸引令堂之心，日日以淚洗面，漸成瘋癲。」

藍家鳳吃了一驚，道：「她瘋了？」

韋剛微微一笑，道：「瘋了，但是不太嚴重。這時，江湖上傳言丹書、魔令出現，有很多武林人物，前往巫山，找尋丹書、魔令，藍天義亦是其中之一。」

藍家鳳道：「所以，他們相互結識。」

韋剛道：「令堂雖然相思成瘋，但她的豔麗，仍然十分動人，江湖上黑、白兩道中人，見她美貌，甚多人都動了覬覦之心，斯時，令堂已學成了很好的武功，很多江湖高手，都傷敗在令堂的手中。」

略一停頓，接道：「但這件事卻因此傳揚開去。有一次，三、四個強盜合手攻擊令堂，令堂苦戰了很久不能制服強敵，自己卻漸呈不支，險象環生中，令尊及時而至，幫助了令堂，擊退強敵，就這樣，令堂和藍天義開始認識。」

藍家鳳道：「我母親的瘋症……」

韋剛接道：「在藍天義細心的照顧之下，令堂的瘋癲，逐漸地好轉、復元。」

藍家鳳道：「所以我娘感恩圖報，嫁給了藍天義？」

韋剛笑一笑，道：「藍天義爲了避免進入巫山的群雄追蹤，所以，帶著令堂遷至一處很隱密的所在，兩人相處了近一年的時光，令堂才決定下嫁藍天義。這期間，自然另有文章，姑娘是聰明人，想想就不難明白了。」

藍家鳳嗯了一聲，道：「以後呢？」

韋剛道：「以後，令堂和藍天義一同出山，把丹書、魔令上的武功，傳授給藍天義，因此藍天義的武功愈來愈強，名氣也愈來愈大。但這時候，令堂卻發現了藍天義早已經娶妻生子，一氣之下，又離開了令尊。」

藍家鳳啊了一聲，道：「還有這一段曲折！」

韋剛接道：「藍天義不知如何處置了元配、兒子，然後，天涯海角地追查令堂，苦尋數年之後，又找到巫山，才找到了令堂。妙的是，那指塵上人，難耐相思之苦，又和令堂見面，大約是那時間，令堂有了姑娘……」

藍家鳳突然感覺到一陣傷心，流下來兩行淚水。

韋剛笑一笑，接道：「那時，武當派因掌門人年久失蹤，門下弟子們苦苦尋找，追蹤查詢，找上了巫山。指塵上人愧見門下弟子，一度留書告別，他是否回到武當山後，和武當弟子們見面，大概只有武當門中人才知曉……」

藍家鳳道：「那指塵上人已經死了？」

韋剛道：「死了，大約是他無法忍受相思的痛苦，才自絕而亡。」

藍家鳳道：「我母親呢？」

韋剛道：「就在指塵上人離開巫山不久，和藍天義言歸於好。在下無法說出詳細情形，但照在下推想，令堂是爲了你，才答允藍天義破鏡重圓的要求，她不願心愛之人的骨肉，長大之後是一個沒有父親的私生子。」

藍家鳳熱淚泉湧，盡濕衣襟。

韋剛接道：「藍天義和令堂再度重圓，仔細分析，是各懷鬼胎，令堂爲了替腹中子女找個掛名的父親，藍天義卻是志在丹書、魔令。」

藍家鳳一面拂拭臉上的淚痕，一面低聲說道：「不論我母親有多大的錯誤，但她總還有愛護子女之心。」

韋剛道：「好像藍天義陪盡小心，令堂又胸懷歉疚，漸漸對藍天義動了真情，洩露了收藏丹書、魔命之秘……」

沉吟了一陣，接道：「我不知藍天義如何由令堂的手中騙去了丹書、魔令，但你三歲那一年，令堂已配成了換心香，要區區訓練十二金釵，那時她好像已預感到二十年後的不幸，懷著你遨遊天下，以避藍天義的耳目，一面暗作部署，安排巫山門和十二金釵這股力量。令堂的才慧，也似乎是由那時開始發揮，以後她如何部署，在下也不得而知了。」

藍家鳳道：「近十幾年的事，你就不知道了？」

韋剛道：「在下奉命訓練那十二金釵，不能離開，緊要之時，整整三年未見過天日，自然不知道江湖中事了。」

藍家鳳道：「我娘要你訓練十二金釵，那是對你很信任了？」

韋剛笑一笑，道：「這件事十分艱巨，也很苦寂，十年，陪這些活死人，這日子難道好過麼？」

藍家鳳道：「那你當時爲什麼答應我娘呢？」

韋剛道：「因爲在下有一個心願，希望能一親芳澤，十二金釵訓練完成之後，令堂陪我共度一夜春宵，就爲令堂這一點承諾，使在下受了十幾年的活罪。」

藍家鳳道：「十幾年的變化太大了，最近幾年，我母親已變得十分難看。」

韋剛道：「她晚年情況如何，在下不得而知，但在我記憶之中，令堂是一位妖媚絕倫的婦人。」

藍家鳳道：「就算我娘確實答應過你，但她人都死了，這諾言自然是無法兌現了。」

韋剛臉上泛現出一個邪惡的微笑，道：「令堂已無愧絕世美女，但姑娘比令堂似乎是又強過幾分。我花費了十幾年的心血，訓練成十二金釵，白白的拱手送與姑娘，讓你稱霸武林。姑娘如若能替在下想想，要在下如何甘心……」

長長吁一口氣，接道：「我以十幾年心血耗費的代價，只求片刻之歡，難道還不值得麼！」

藍家鳳道：「你在江湖上的恩恩怨怨，全部和我無關，上一代的情仇愛恨，爲何要我一個做晚輩的來承受？片刻歡娛不打緊，但你卻毀了我的一生。」

韋剛道：「照姑娘這等說法，在下這十幾年的苦，難道是白受了麼？」

藍家鳳道：「我們相差數十年，彼此之間，從無一面之識，你又已知我是個命運坎坷的弱女，為什麼竟然不肯放過我？」

韋剛冷笑一聲，道：「我放過你，誰又肯同情我這十幾年的痛苦呢？」

藍家鳳臉色一整，道：「老前輩，你講不講理？」

韋剛道：「自然講理。」

藍家鳳道：「講理就好，需知你此刻的處境，並無要求我代償母債的實力。」

韋剛道：「在下可以戰死於此，但那十二金釵也將星散江湖，無人能夠役使。」

藍家鳳皺皺眉，然後說道：「韋剛，我娘的才華如何！」

韋剛道：「一代才女。」

藍家鳳道：「我想她必然留下有駕馭十二金釵之法，就算我一時之間找它不著，但也不難會很快地找到，你死了豈不是白死？」

韋剛哈哈一笑，道：「姑娘錯了。」

藍家鳳道：「錯在何處？」

韋剛道：「十二金釵，都已被派了工作，今夜子時之前，如若不能使她們回集於一處，明晨她們即將散開四出傷人，直到她們力盡而死。你想想看，十幾個身負絕世武功的美豔女人，飄忽如幽靈一般，逢人就殺，那是一個什麼樣的局面？」

藍家鳳怒道：「你這人簡直是沒有一點人性。」

韋剛微微一笑道：「姑娘也是胸懷大仁大義的人，又何苦拘於小節，如若能答允在下片刻之歡，你就可役使十二金釵，縱橫江湖，力挽狂瀾，消滅藍天義，博得世代美名，既可成爲天下人人崇敬的女英雄，又可替令堂報仇，何樂而不爲呢！」

藍家鳳道：「你呢？」

韋剛哈哈一笑，道：「我麼？得償心願之後，立時自絕而亡，絕不要留作你姑娘的後患。」

藍家鳳只覺心中一陣氣悶，嗚嗚咽咽地哭了起來。她聲音越哭越大，把存在心中的悲苦，一股腦兒全發洩出來，聲聲悲啼，有如杜鵑啼血，聲音也愈傳愈遠。

韋剛卻抬頭瞧瞧藍家鳳，道：「姑娘好好的哭一場也好，你哭過了再作決定。」

這時，神算子王修突然舉步行了過來，道：「你爲老不尊，欺侮一個後生晚輩……」

韋剛怒聲接道：「神算子，你這不守信約的人，給我滾遠一些。」

藍家鳳抹去臉上的淚痕，接道：「老前輩來得正好，晚輩正有一件爲難之事，無法決定。」

王修道：「什麼事？」

藍家鳳道：「關於那十二金釵……」

韋剛接道：「藍姑娘，這件事最好是只有你和在下知曉。」

藍家鳳怒道：「我就算答允你，也要公諸於世，我不會像我母親一樣，白玉玷污，我就不會再活下去。」

韋剛怔了一怔，道：「那你爲什麼要學習役使十二金釵之法？」

藍家鳳道：「我不會立刻去死，我要先用十二金釵之力，對付了藍天義，爲武林除去大害，然後再死。」

韋剛輕輕咳了一聲，道：「你有十二金釵爲助，不難奪得武林至尊之位，爲何還要尋死！」

藍家鳳道：「我如清白被你玷污，活在世間上還有什麼意思？」

韋剛道：「姑娘如是以死來威脅在下，那白費心機了，須知我韋剛鐵石心腸。」

藍家鳳似是忽然有了決定，站起身子，道：「好！我答應你，不過，你不能耍花招，騙去我清白的身子。」

韋剛道：「我韋剛已準備以命相殉，爲什麼還要騙你。」

藍家鳳道：「我陪你死，那役使十二金釵之法，也不用傳給我了。」

韋剛感覺奇怪地問道：「傳給什麼人呢？」

藍家鳳道：「王修。」

韋剛道：「爲什麼傳給他？」

藍家鳳道：「你玷污了我身子之後，我已無顏再見世上的人，那就不如早些死去，掃蕩江湖妖魔一事，只有委託王修前輩。」

韋剛目光轉到王修的臉上，冷冷地道：「藍姑娘的話，閣下是否都聽到了？」

王修道：「都聽到了。」

韋剛道：「這本是區區和藍姑娘兩人的事，現在卻把閣下也拖了進來。」

王修沉吟了一陣，道：「聽韋兄之言，似乎是韋兄已經同意了此事。」

韋剛哈哈一笑，道：「藍夫人才華絕代，她爲了防止我韋某人率領十二金釵橫行天下，她死去後，仍安排下置我於死的陷阱。但智者千慮，必有一失，她未能料到我能使十二金釵星散毀滅，白費她一番的苦心了……」

雙目轉注在藍家鳳的臉上，邪惡、冷肅地說道：「令堂的這一番惡毒用心，亦只有你這做女兒的替她償還了。」

藍家鳳冷冷道：「你究竟是爲了報復我的母親？還是爲了我的美麗？」

韋剛怔了一怔，笑道：「報復令堂死亡之前安排對付我的陷阱，是其一，姑娘美豔動人、撩人心弦，是其二，但這樣一來，把在下一肚子怨氣，發洩於你姑娘的身上，令堂泉下有知，也將在地下恨得牙癢癢的了。」

一直站在旁側，默默無語的王修，突然長長歎了一口氣道：「韋兄，有一件事，王某人覺著應該告訴你！」

韋剛道：「什麼事？」

王修道：「韋兄請瞧瞧在下，和咱們初見面時，有何不同？」

韋剛打量了王修一眼，突然面現驚愕之色，道：「你白了頭髮、鬍子。」不待王修開口，又搶先說道：「江湖上真真假假，染白鬚髮的事，也不算什麼奇怪。」

王修苦笑了一下，道：「但兄弟這不是染的，今日你這番處境，也不是藍夫人的安排，而是我王修苦心積慮的設計。爲了這件事，我用盡了心血，一夜間，頓然鬚髮皆白。」

韋剛怒道：「你滿口胡言，就算這套是你安排，但是換心香的配方……」

王修接道：「那也是假的，只是香味和換心香的味道相同，但它卻沒有換心香的藥性。」

韋剛臉上突然現出輕鬆之色，道：「你為何要揭穿內情？」

王修道：「在下想說明，藍夫人對你並無記恨，也沒有傳下換心香的配方，韋兄，盡可以消除胸中對那藍夫人的積怨。」

韋剛忽道：「這麼樣說來，中間全是你王修搗的鬼了。」

王修道：「兄弟極願認罪，但韋兄對藍夫人應該有所諒解。」

韋剛沉吟了半晌，道：「你配製那換心香的味道，似乎是越來越濃了！」

王修道：「兄弟只嗅到一次，自信配製的還不會走味。」

韋剛道：「快些把它熄去。」

王修道：「為什麼？」

韋剛道：「這味道可以招來十二金釵。」

王修應了一聲，急急轉身而去，滅去香味，又轉回來。

韋剛笑了笑道：「神算子，你果有點小聰明，配製的換心香，竟然能騙得過在下。」

王修一抱拳道：「韋兄諒解藍夫人，咱們應該談談合作的條件了。」

韋剛望了藍家鳳一眼，道：「這位藍姑娘是否已名花有主？」

王修還未及答話，藍家鳳搶先道：「沒有。」

韋剛道：「那很好，那很好。」

目光轉到王修的臉上，接道：「那就請王兄做個現成的媒人如何！」

王修道：「這個，這個……」

藍家鳳輕輕歎息一聲，接道：「韋剛，不用逼王老前輩為難，先談談你的條件。」

韋剛道：「自然是彼此之間，兩沾其利的事。」
藍家鳳道：「你先說說看。」
韋剛道：「在下助姑娘擊敗藍天義，救武林大劫，而且事完之後，散去十二金釵的功力，免得她們在江湖上為害。」
藍家鳳道：「那很好啊。」
韋剛目注藍家鳳笑道：「但要委屈你姑娘了。」
藍家鳳道：「你明白說吧。」
韋剛道：「姑娘先要答應，和在下訂了婚約，在神前立誓，三媒六證，等掃平藍天義，江湖重歸平靜時，姑娘再于歸在下，完成婚典。」
藍家鳳道：「好！我答應你，但我也有個條件。」
韋剛道：「姑娘請說。」
藍家鳳道：「現在你穴道被點，生死掌握在我手中。但一旦解開你的穴道，你立時可以招來十二金釵，把她們一舉搏殺。」
韋剛道：「姑娘之意呢？」
藍家鳳道：「我答應你的婚約，但卻無法信任你，你野心勃勃，既然想娶我為妻，又想身為武林至尊。你必須有個保證，使我能夠相信。」
韋剛道：「要在下如何保證，才能使姑娘相信？」
藍家鳳道：「時間不早了，咱們要早作決定，如是你還未想起，我倒有一個辦法。」
韋剛道：「看起來，姑娘似乎早已胸有成竹了。」

後的事了，現在咱們只從厲害方面談吧！」

藍家鳳道：「我答應嫁給你，全是厲害所關……，至於能不能使我對你生出情意，那是以後的事了，現在咱們只從厲害方面談吧！」

韋剛道：「在下洗耳恭聽。」

藍家鳳道：「我不學你統領十二金釵的方法，但我要在你身上施下毒手，如是有一天我背叛你，你可以下令十二金釵殺死我，但我死之後，你也活不過四十九天，大家同歸於盡。」

韋剛道：「你要在我身上施毒？」

藍家鳳道：「不是下毒，我相信你的內功，已到了爐火純青之境，縱然在你身上下了毒，你也可以把身上所中之毒，逼在一處不重要的地方。」

韋剛道：「那姑娘準備在區區身上，用什麼手段呢？」

藍家鳳道：「我母親傳給你訓練十二金釵之法，但那丹書、魔令上，還記述有很多種的武功和方法，你不知道。」

韋剛皺皺眉頭道：「姑娘不願說明用什麼手段對付在下，總該告訴我，在下要承受些什麼痛苦？」

藍家鳳道：「你不會失去武功，也不會承受到什麼痛苦，只是有一點點的不適，每隔四十九天，要我施救一次，如是過了限期，你就立刻死亡。除我之外，天下再無人能救你。」

韋剛道：「姑娘的手段很惡毒啊！」

藍家鳳道：「咱們互相不能信任，只有此法，才能使咱們雙方都有保障。」

韋剛道：「如是剷平了藍天義，在下是否還要受此威脅？」

藍家鳳道：「藍天義死亡之日，我就解去你身上的禁制。」

韋剛道：「那時間，你已是武林中備受敬重的人物，要當著天下群雄之面，說明要嫁我為妻，可是這樣！」

藍家鳳道：「我知道，我已經說出了條件，現在你該想一想，是否答應。」

韋剛突然轉過去，目光落在王修的身上，道：「王兄，在下想請教兩件事。」

王修道：「韋兄請說，兄弟洗耳恭聽。」

韋剛道：「第一件事情，是王兄是否願意作媒。」

王修道：「藍姑娘答應了，我王某作的順水人情，何樂不為？」

韋剛道：「那很好。第二件事，你定個限期，需要好多時間，能把藍天義幾個主腦人物，引入這巫山下院中來？」

王修沉吟了半晌，道：「如若在下明日動手佈置，快則半月，至遲一月之內，可以把藍天義引入巫山下院。」

韋剛道：「咱們就以一月為期，只要把人引入巫山下院中來，其他的事，由在下包辦，叫他們來時有路，去時無門。」

藍家鳳道：「我想不明白，為什麼一定要把藍天義引入巫山下院中動手呢？」

韋剛搖搖頭，道：「十二金釵，一個個嬌豔欲滴、麗裳玉環，就算是黑夜趕路，也難免引起人的注意，消息傳入了藍天義的耳中，豈不會引起他的留心？一旦他有防備，必然會遣人比試，接手一戰，這將使藍天義提高警覺，如果不能一舉而搏殺了藍天義，就算能盡殲天道教中的高手，也不能算是消滅了江湖禍患。」

王修道：「韋兄說得有理。」

韋剛目光移到王修的臉上，道：「這要看王兄，是否能把藍天義引入巫山下院了。」

王修道：「兄弟自信還有這點才能，誘使藍天義上鉤。」

韋剛道：「好，那麼這件事就此決定。」

話音一頓，又接道：「王兄應該替兄弟作媒了。」

王修道：「藍姑娘已經答應了，你們相互有約，在下這個媒人，似乎是多餘了。」

韋剛搖了搖頭，道：「王兄是個聰明人，難道一定要兄弟說得很明白麼？」

王修道：「兄弟歷過不少大風大浪，有著很多江湖閱歷，但這作媒的事，兄弟還是第一次遇到。」

韋剛道：「好吧，我明白的告訴你，藍姑娘雖然答應了我的婚約，但她答應得很勉強，兄弟想找一個人，做我們定親的證人。日後，如果藍姑娘變卦的話，諸位也可挺身為在下作證。」

王修目光轉移到藍家鳳的身上，只見她臉上一片平靜，既無憤怒之色，亦無羞容之狀，叫人猜不出她心中在想什麼。

王修道：「在下是明白了，但是不知道藍姑娘是否同意。」

藍家鳳淡淡一笑，道：「我已經答應了，自然不會變卦了。」

王修道：「韋兄，你要兄弟做的不是媒人，而是證人，也不要兄弟作媒，而是主持你們定親。」

韋剛道：「不錯，兄弟正是此意，王兄出面替兄弟辦個定親手續。」

王修道：「好吧，兩位既然都同意了，就許個諾言，在下做個證人就是。」

韋剛道：「這地方，十分荒涼，不用擺設酒宴了，咱們就揑土爲香，起個誓言，招來三媒六證，大家聽入耳內，記在心中，日後如有什麼變化，在下也可找諸位說話了。」

他步步進逼，逼得王修無法應付，回首再看藍家鳳，只見藍家鳳卻端然而坐，神情肅然，似乎別人不是在談她。

王修大感爲難，無可奈何地說道：「也好，韋兄一定要彼此立下誓言，兄弟就洗耳恭聽。」

韋剛怒道：「你這算是作媒麼！」

王修笑道：「作媒的事，兄弟本是外行。兩位這個媒，乾脆，你韋兄坦然的說出來，要兄弟怎麼辦，藍姑娘只要同意，兄弟照辦就是。」

韋剛道：「可以，你先召來你幾個朋友，也好多幾個證人。」

王修望了望藍家鳳，沉吟不語。

藍家鳳道：「你去請來武當三子。」

王修心中明白，藍家鳳要他請來武當三子，自然是不要江曉峰來了！

當下站起身子，轉身而去。

片刻之後，王修帶著武當三子，急急奔馳。

四三　捨己救世

武當三子，在途中已得王修的示意，三人到了現場，站在王修的身側，一語不發。

王修輕輕咳了一聲道：「王兄，四個人夠了麼？」

韋剛望望武當三子道：「三位願意作保證麼？不過……」

藍家鳳突感不耐，冷然地道：「武當三子和王修，都是江湖上響噹噹的人物，四人作證，應該夠了。你可以說出你的條件了。」

韋剛道：「咱們拿草爲香，先謝月下老人。」

藍家鳳冷若冰霜地折了幾段樹枝，插在地上，道：「還有什麼？」

韋剛道：「姑娘要在四位證人面前，許下誓言，我助姑娘殺了藍天義，姑娘就和在下完成婚禮！」

藍家鳳道：「且慢，你剛才答應我，讓我先在你身上下了禁制，然後，咱們再談訂親的事。」

韋剛微微一笑道：「這個當然。」

閉上雙目，接道：「姑娘請出手吧！」

藍家鳳站起身子，神情冷肅地緩緩向韋剛走去。

韋剛閉上雙目，臉上全無畏懼，大有牡丹花下死，做鬼也風流的氣概。

只見藍家鳳右手在懷中一摸，不知取出了一件什麼事物，右手一揚，拍在韋剛的後背之上。

韋剛一皺眉頭，臉色大變。

顯然，他在強忍著很大的痛苦，但他卻咬牙苦忍，未哼一聲。

藍家鳳緩緩抬起右手，雙掌連揮，拍活了他身上的穴道，道：「你可以活動了。」

韋剛頂門上，激出了一片汗水，抬頭望了藍家鳳一眼道：「姑娘，你在我身上下的什麼禁制？」

藍家鳳道：「你有些後悔了，是麼？」

韋剛站起身子，舒展一下雙臂，道：「不後悔，不過，在下想求姑娘一件事？」

藍家鳳道：「什麼事？」

韋剛道：「目下情勢，已很明顯，不論你姑娘心中對我是恨是愛，但姑娘已非要嫁我爲妻不可。在下希望你能展現一次笑容，縱然是苦笑也好。」

藍家鳳輕輕歎息一聲，啓齒一笑。

韋剛精神一振，對著那插在地上的枯枝，跪了下去，道：「我韋剛答應愛妻搏殺藍天義，剿平天道教，事成之後，再行大禮，今生一世，願聽吾妻之命，爲牛爲馬，絕無一句怨言，如是口不應心，天誅地滅。」言罷，回目望著藍家鳳，臉上情愛橫溢。

但藍家鳳臉上卻是一片茫然神色，緩緩向前行了兩步，在韋剛的身側跪下，道：「我答允韋剛，在搏殺藍天義，剿滅天道教後，嫁他爲妻，如是不履此約，要我不得好死。」

韋剛一躍而起，道：「王兄，在下先回巫山下院，預作佈置，希望你盡早設法引誘藍天義，只要他進入巫山下院，其他的事，就用不著諸位費心。」

王修一抱拳，道：「在下盡力而辦。」

韋剛不再答話，轉身一躍而去。

他身法快速，兩個起躍，人已消失不見。

回頭看去，只見藍家鳳仍然跪在當地，淚水滾滾，泉湧而出。

王修輕輕咳了一聲，道：「姑娘，韋剛走了。」

藍家鳳緩緩站起身子，拭去臉上的淚痕，道：「江曉峰呢？」

王修道：「我把他安排在很遠的地方，剛才的景象，他不會看到，姑娘放心。」

藍家鳳驟然說道：「我母親做了很多孽，報應在她女兒的身上，這也是天道輪迴之理，我要請求諸位一件事。」

王修道：「爲武林正義，姑娘已付出了無與倫比的代價，一旦武林恢復清平，姑娘必將是武林中萬世敬仰的人物，姑娘有什麼事，但請吩咐就是，我等無不遵從，請求二字，言重了。」

藍家鳳道：「適才的事，諸位都是親眼所見，只請諸位暫時爲我守此隱密，絕對不要讓那江曉峰知道。」

武當三子、王修點頭，道：「我們明白，姑娘但請放心。」

藍家鳳：「你們去吧，商討一下武林大事，如何能誘使藍天義進入巫山下院，我要好好的休息一下。」

王修輕歎一聲，道：「姑娘要多多保重。」
示意武當三子，轉身而去。
藍家鳳只覺似是經歷了一場惡戰一般，全身疲倦不堪，倚在一株古柏之上，閉目養神。
不知過去了多少時間，耳際間，突然響起了江曉峰的聲音，道：「姑娘，喝口水吧！」
藍家鳳睜開眼睛，只見江曉峰手中捧著一瓢清水，臉上微帶笑意，道：「你很累，是麼？」
藍家鳳睜動了一下眼睛道：「現在好多了。」
接過木瓢，喝了兩口清水，道：「江兄，有一事，我已經想了很久，一直未告訴你！」
江曉峰道：「你要說什麼？」
藍家鳳道：「你是不是真的很喜歡我？」
問得大膽，單刀直入，大出江曉峰意料之外，不禁呆了一呆，道：「難道姑娘真的不知道麼？」
藍家鳳道：「我知道，但我要你親口說出來。」
江曉峰笑了一笑，道：「從一見姑娘開始，在下一直對姑娘十分敬重。」
藍家鳳伸出手去，拉住了江曉峰的手，道：「如是有別人喜歡我了，你心中是否難過？」
江曉峰搖搖頭，笑道：「不難過。」
藍家鳳怔了一怔，道：「為什麼？」拉住江曉峰的手，突然放開了。
江曉峰緩緩說道：「像你這樣絕世無倫的美貌玉人，自然是人見人愛，我如是心中難過，豈不是每日都在哀傷之中？」

藍家鳳道：「這麼說來，你一點都不嫉忌。」

江曉峰道：「嫉忌什麼？你生得太美了，別人喜歡你，情所必然，我不能把天下所有的男人，全都殺光，再說別人喜歡你，你又不喜歡他們，我為什麼還要嫉忌呢？」

藍家鳳微微一笑道：「如是有一天，你忽然發覺了，我喜歡別人，你又將如何？」

江曉峰道：「這個，這個……」

只覺此事很難處理，這個了半天，這個不出個所以然來。

藍家鳳抬眼望天，一字一句地說道：「你可是不知道怎麼辦？」

江曉峰道：「我想，那時……那時我心中定然十分痛苦，但那時我能夠做些什麼？現在就無法預測了。」

藍家鳳道：「要不要我告訴你個辦法？」

江曉峰道：「姑娘指教。」

藍家鳳道：「珍惜現在，過去的已經過去，未來的，又不知如何變化，最好的就是把握現在。咱們兩情相投，你不用太顧忌了。」

她了然身世後，心中充滿著悲苦，再加上韋剛以助其報仇逼婚，迫得藍家鳳別無選擇，只好答允了韋剛的婚事。

但她心中，又有著強烈的反抗意識，不甘忍受命運的擺佈，可是一時之間，又想不出適當的方法，這一場痛苦的憂愁，湧塞胸中，使得藍家鳳的性格，有了很大的轉變，她緩緩移動身軀，偎入了江曉峰懷中。

一陣陣處女的幽香，沁入了江曉峰的鼻中。

陡然而來的豔福，使得江曉峰有著受寵若驚之感，一時之間驚惶失措，不知如何應付。

藍家鳳覺著江曉峰心臟跳動，急速加快，不禁啞然失笑，道：「你心中害怕麼？」

江曉峰怔了一怔，答道：「我不是害怕，我只是有些……」

只聽一聲重重的咳嗽，傳了過來，打斷了江曉峰未完之言。

藍家鳳挺身而起，理理雲鬢，轉眼望去。

只見王修緩緩行了過來。

江曉峰站起身子，一抱拳，道：「老前輩。」

想到適才情景，可能已落入了王修的眼中，頓覺臉上發熱。

王修卻似渾如不覺，沉聲對藍家鳳說：「姑娘，在下想了很久，如若想誘使藍天義進入巫山下院，那非要姑娘親自出手不可。」

藍家鳳道：「為了挽救武林一番劫難，晚輩極願意犧牲一切，且說出你詳細的安排，晚輩願即時行動。」

王修道：「藍天義發動以來，一年有餘，已經席捲半個江湖，他們在嵩山少林寺的挫敗，滅了他不少銳氣，不過，主動權仍然是控制在藍天義等人的手中，此刻，咱們第一件事，就是爭回主動之機。」

藍家鳳點點頭道：「理當如此。」

王修道：「綜觀目前江湖大局，少林已成疲憊之師，能保住嵩山少林本院，已算僥天之幸，除此之外，只有兩處人手，可以主動襲擊天道教的人。」

江曉峰道：「哪兩處人手？」

王修道：「一是黃山盤龍谷的松蘭雙劍，二是藍姑娘和江少俠了。」語音一頓，接道：「就是以實力算計，我們這一股尤強過松蘭雙劍，藍姑娘有巫山群豪相助，一旦出手，必如生龍活虎一般，給予天道教極大的打擊，除了藍天義、藍福有限幾人之外，天道教中，亦無多少人能是諸位之敵。」

王修伸手從懷中取出一張地圖展開地上，道：「這是中原數省形勢，我就記憶繪成，也許有些不切實的地方，但大致上，不會有錯。藍天義率領的天道教，也大部散佈在這數省地面之上，由姑娘和江少俠為首，率領一批人手，分別向天道教中之人施襲，以便引誘藍天義等，追擊兩位。那時，兩位才有引他們進入巫山下院的機會。」

藍家鳳點點頭，道：「不錯，先讓他們吃點苦頭，遭受一點挫敗，這樣才能使他們集中高手，全力追擊。」

江曉峰道：「老前輩和武當三子，是否也要參與呢？」

藍家鳳道：「咱們集中在一起，反而覺得安全一些了。」

輕輕歎息一聲，道：「我們幾時動身呢？」

王修道：「愈快愈好。」

藍家鳳道：「好，我這就遣人去召集部分人手，集中此地，照估計，他們明日晚間可以趕到，讓他們休息一夜，咱們後天早上動身。」

王修道：「後天早晨，他們也許有回報來了。」

江曉峰道：「誰的回報？」

王修道：「武當三子。我已經遣人請他們各帶幾位武當弟子，扮做商旅的身分，勘察形勢，如是天道教中，再遣高手來此，咱們就追上去，打他們一個措手不及。」
藍家鳳道：「老前輩智略過人，一切由老前輩調度就是。」
江曉峰道：「有一件事，老前輩是否忘了？」
王修道：「什麼事？」
江曉峰道：「和我義父相會晤。」
王修道：「沒有忘，我已遣人持密函，趕往和他約會之處，另行約他會晤。如是一切發展，都能在我預料之內，七日之後，咱們就可會到呼延嘯了。」
藍家鳳沉吟了一陣，道：「老前輩，我也決定了一件事……」
說了一半，卻突然住口不言。
王修回顧了江曉峰一眼，道：「可是要我代姑娘選一個人？」
藍家鳳呆了一呆，道：「老前輩，果然是有些道行。」
王修道：「姑娘過獎了。」
藍家鳳輕輕歎息一聲，道：「是的，我要老前輩替我選個繼承大統的人。」這一次，倒是把王修聽得一呆，道：「繼承大統，是何用意？」
藍家鳳道：「正、邪兩道，各有一本武功大成，留在人間，老前輩是早已知曉了。」
王修道：「丹書、魔令，不是在藍天義的手中麼？」
藍家鳳道：「他手中雖有丹書、魔令，但那是我母親抄本。中間，已被我母親刪減了很多，我母親命運坎坷，遇人不淑，但在一些擇善固執之人的眼中，也許把我母親視作妖姬蕩婦。男人們如道德不修，不算惡行，還要美其名曰風流，但女人不管她際遇如何，都不能匹配二夫、寡婦再醮，縱不受萬世唾罵，亦必遭千夫所指，我們女人家，似乎是生下來就注定要吃虧的。」

她心有所感，一番話，有如急水下灘，聽得王修和江曉峰面面相覷，不知如何接言。

藍家鳳黯然一歎，道：「不管後世人對我母親的評論如何，但她是一位才氣橫溢的人，我照她的遺囑，進入巫山之後，見到她替我訓練的屬下，也看到她預先留下遺書，而且說明了那丹書、魔令的存放之處。」

王修道：「姑娘是否取到了丹書、魔令？」

藍家鳳點點頭，道：「取到了。」

王修道：「姑娘的意思，可是要在下找一個承繼丹書、魔令的人麼？」

藍家鳳道：「本來，我想把原本的丹書、魔令，用火焚去，但仔細讀過，覺著上面的記載，任何招式，都費了前輩高人的不少心血，實是不忍心把它燒毀。因此，要借重老前輩的閱歷，選出一位才德並具的人，承繼丹書道統。至於魔令上記載的武功，雖然奇麗奪目，但我覺著它太過惡毒，因此，準備把它焚毀了。」

王修沉吟了一陣，道：「令堂沒有遺命，指定繼承之人麼？」

藍家鳳，道：「沒有。」

王修道：「姑娘爲何不願自己承繼丹書、魔令道統！」

藍家鳳苦笑了一下，道：「我有這番私心，所以，一直未明示於人，但我目下的處境，已經無法再存這私心了。」

江曉峰奇道：「姑娘，你的處境有何不妥呢？」

藍家鳳笑了一笑，道：「我雖然有丹書、魔令的真本，卻沒有時間習練，藍天義雖然拿的抄本，但他已經苦練了數十年，見面相搏時，鹿死誰手很難預料，萬一我不幸戰死，豈不是把那些絕世武功、前人心血，隨我埋沒泉下，再也無人知曉了？」

江曉峰道：「姑娘不是和那韋剛談好了麼？由他率領十二金釵助你。」

藍家鳳黯然一笑，道：「韋剛為人，不可信任，一旦真的殲滅了天道教，他可能生出二心。再說，那十二金釵，未必真能殲滅藍天義，不能不未雨綢繆，早作準備。」

王修知她胸中之苦，但又不敢出言相勸。

需知江曉峰乃極為聰明的人，稍微言語失慎，就可能被他猜破，是以，默默不語。

江曉峰點點頭，道：「姑娘說得也是。」

王修仰臉長長吁一口氣，道：「姑娘的心中，是否早有主見呢？」

藍家鳳搖搖頭，道：「沒有！」

回顧了江曉峰一眼，接道：「照晚輩看來，那承繼道統的人，不在我們這一群人中。」

王修哦了一聲，道：「我明白了，姑娘想找一個才氣縱橫，而又是名不見經傳的人，藍天義不會找他，才能在隱密之中，苦苦求解，承繼天道。」

藍家鳳道：「不錯。所以才會恁般隱密，不使外人知曉。」

王修點點頭，道：「就在下所見之人中，江曉峰不失為一適當人選。」

藍家鳳道：「從此刻起，他要和我常走在一起。」

王修道：「好，在下替姑娘再找找看……」

語音一頓，接道：「但目下最重要的一件事，就是要好好保管那丹書、魔令，不能再讓人得去。否則若干年後，必又在武林鬧出一番殺劫。」

藍家鳳道：「這件事，老前輩但情放心。晚輩收存之處，自覺已夠隱密了。」

王修道：「那就好了。」

藍家鳳道：「要找就要早些找到，免得時間安排不及。」

王修道：「千軍易得，一將難求，姑娘不用因此事煩惱，在下盡快找出這麼一個人就是。」

藍家鳳點了點頭，不再答話。

王修回顧了江曉峰一眼，道：「你陪藍姑娘好好的休息一下，我去安排一下，盡可能的早些行動。」言罷，匆匆而去。

目睹王修行去後，江曉峰突然長長歎了口氣，道：「在下有些不明白。」

藍家鳳道：「什麼事！」

江曉峰道：「此時大敵當前，咱們應該先行集中才智，對付天道教，你何以竟想到要找承繼大統之人？」

藍家鳳淡然一笑，道：「藍天義挾絕世俠名行惡，不但搞亂了江湖形勢，而且也搞亂了江湖上傳統千百年的規誡、信義，人人都以奸險爲是，行詐自保，這才是江湖上最大的悲哀。」

語音一頓，又道：「近十年的武林形勢，似是有一個很奇怪的現象。」

江曉峰道：「什麼現象？」

藍家鳳道：「一直在道消魔長之中，似乎是大門派中，沒有才氣縱橫的人物，江湖上魔道橫行，除了少林寺僧侶，還在暗中做一些維護武林正義的事外，似乎是再無其他門派之人，願管江湖上的事，這就造成了藍天義一枝獨秀，成就了曠古絕今的俠名，誰又會知道，他竟然是一個心機陰沉的奸雄人物呢？唉！如非他的俠名，也不會騙得我母親再醮，也不會有今日武林的悲慘局勢了。」

江曉峰道：「這和姑娘選擇一位承繼武林大統之人何關？」

藍家鳳道：「我只是在說明，目下江湖人心險詐，不可信任，就算咱們能夠一舉搏殺了藍天義，也不能就此風平浪靜。」

江曉峰正待接言，藍家鳳卻又搶先說著：「江郎，聽我說，咱們這一代，正是在道魔消長的夾縫之中，所以，咱們不能以常態，應付江湖上的人人事事，要通權達變，不拘小節。」

江曉峰一臉茫然之色，微微頷首。

藍家鳳嫣然一笑，道：「你明白了？」

江曉峰說：「實在說，鳳姑娘，我不大明白。」

藍家鳳黯然歎息一聲，道：「你好傻喲！再不明白，我就羞於出口了。」

江曉峰望著藍家鳳微帶羞意的動人嬌笑，心中卻在苦苦思索，他雖然無法了解藍家鳳話中明顯的含意，但他卻感到藍家鳳有些改變，改變得大膽了很多。

藍家鳳舉手理一理鬢邊散髮，道：「江郎，我有一個很不幸的預感。」

江曉峰道：「什麼預感！」

藍家鳳道：「殲滅了藍天義之後，我也不會再活多久。」

江曉峰抓抓腦袋，道：「爲什麼呢？咱們可能戰死於和藍天義的衝突之中，但在大局既定之後，姑娘將是武林中最受尊敬的人物，爲什麼不會再活下去呢？」

藍家鳳道：「我只是有這樣的預感，我如是不願步上我母親的後塵，那就只有死亡一途……」

江曉峰接道：「爲什麼你會有這些預感，我是越想越糊塗了。」

藍家鳳道：「生死由命，一個人不能永遠活在人間，對於生死的事，我已經看得很淡了。當我知道了自己的身世，便覺著生死之間，只不過是毫釐之差罷了。一個人該死的時候不死，縱然能苟延殘喘的活下去，不但無味的很，而且也活得十分痛苦，那就生不如死了。所以，在我未死之前，要把這些都安排得十分妥當，才能夠死得瞑目，死得心安理得。」

長長吁了一口氣，接道：「不過，有一點，我不明白，想問問江兄。」

江曉峰道：「什麼事？與我有關麼？」

藍家鳳道：「我那生身之父，早已死去，生我之母，也已離開了人間，這世間，我已經沒有一個親人。我如是死去之後，連一個墳前獻花、靈前哭祭的人，也是無有。江兄和我相識雖然不久，但小妹卻已把江兄視爲知己。日前，小妹爲母親遺書安排的勝利，沖昏了頭腦，對江兄有很多失禮之處，還望江兄不要心存有芥蒂才好。」

江曉峰道：「姑娘對在下，有過數度救命之恩……」

藍家鳳接道：「不談過去的事。只說以後，我死之後，江兄準備如何？」

江曉峰道：「姑娘如是真的死於這一場正、邪大搏鬥，必將是極受武林尊仰的人物，墳前必是花積如山，靈堂哭聲動天，千百人爲你戴孝，武林中同聲喝彩。」

藍家鳳笑一笑，道：「很光彩，可惜我卻不希罕，我想知道你要怎麼辦？」

江曉峰道：「真有那麼一天，我也許會在你墓前自絕一死，追隨泉下。」

藍家鳳突然一正臉色，道：「也許會，那是說不一定了。」

江曉峰神情肅然地說道：「在下心中之言，本不敢說出來……」

藍家鳳接道：「爲什麼？」

江曉峰道：「姑娘是仙露明珠，人間仙子，在下只是一個流浪江湖的凡人，說出來，恐怕會唐突了姑娘。」

藍家鳳道：「你爲何不把我看成平凡的女孩子，我和別的人，有何不同？」

江曉峰道：「你太美了，美得令人自慚形穢。」

藍家鳳道：「不要把我看得太高。撇開了外貌不談，我是一個很平凡的女孩子，你心裏有什麼話只管說出來，也許以後，咱倆就沒有這樣談心的機會了。」

江曉峰沉吟了一陣，道：「在下妄想有一天能和姑娘……」

話到此處，突然住口不言。

藍家鳳回顧了一眼，低聲說道：「可是想娶我做妻子？」

這等單刀直入的方法，反使江曉峰呆了一呆，半晌才說道：「固所願矣！不敢請耳。」

藍家鳳笑一笑，道：「禮教誤人，走！咱們到裏面瞧瞧去。」

江曉峰道：「滿地古墳，壘壘青塚，有什麼好瞧的呢？」

藍家鳳站起身子，舉步而行，一面說道：「華堂巨廈依然在，古墳卻埋修築人，木棺青塚，才是人長居之地。」

江曉峰聽她之言，若有萬般愁苦，似乎是除卻一死之外，別無他法。心中大是驚異，想勸解幾句，但卻又不知從何說起，只好隨在藍家鳳身後行去。

藍家鳳穿行於青柏古塚之間，臉上是一片自憐自惜的神色。

不覺之間，已然穿過了林立古柏和壘起的青塚，到了一座土地廟前。

那是一個香火很少的小廟，香爐中積塵盈滿，卻不見香灰、紙糜，想來，這座小廟，已很久無人叩拜了。

藍家鳳突然停下腳步，輕輕歎息一聲，瞧著小廟出神。

江曉峰道：「這是座福德祠，到處可見，有什麼好瞧的？」

藍家鳳道：「我在想，當年修築這廟之時，定也是香火鼎盛，但曾幾何時，竟變得如此冷落。世事無常，滄海桑田，實叫人感慨萬端。」

江曉峰心中暗道：「這位姑娘怎麼了，忽然間變得多愁善感起來？」

忖思之間，忽見藍家鳳對著那小廟跪了下去。

江曉峰吃了一驚道：「鳳姑娘！你怎麼了？」

藍家鳳道：「你也跪下來。」

江曉峰怔了一怔，道：「我也跪下？」

藍家鳳道：「嗯！跪下來。我有話問你！」

江曉峰依言跪了下去：「姑娘要講什麼？」

藍家鳳：「你要娶我爲妻，是真是假？」

江曉峰道：「字字出於肺腑。」依言跪了下去。

藍家鳳道：「你如是一片真心，咱們就在這小廟前，對神立誓，訂下婚約。」

江曉峰臉上泛現出一片驚喜之色，道：「這豈不太委屈姑娘了麼？」

藍家鳳道：「天地為證，神作媒，怎麼會委屈了我呢？」

江曉峰回顧了藍家鳳一眼，道：「咱們要說些什麼話？」

藍家鳳道：「也沒有一定的規定。咱們各自把心中的話說出就是。」

江曉峰道：「好，在下先說。」

藍家鳳道：「我先說。」

江曉峰道：「好，在下洗耳恭聽。」

藍家鳳微微一笑，道：「小女子藍家鳳，願以終身相許江郎，從此之後，視其為大，對神立誓，以明心跡。如是情天多變，難為江郎之妻，當以死守節，願做一烈婦。」

江曉峰聽她言語之間，多為不祥，心中頗感奇怪，緩緩說道：「鳳姑娘，我不明白，今日是咱倆訂婚佳期，你怎麼會說出這許多不祥之言？」

藍家鳳歎道：「由來情天多變化，殊難知道以後的事。」

江曉峰茫然地一點頭，道：「姑娘說得是。」

望著小廟，接道：「在下江曉峰，願娶藍家鳳姑娘為妻，終身相守，矢志不移，如是口不應心，天誅……」

藍家鳳急急接道：「住口！」

伸手拉起了江曉峰，接道：「江郎，你認我為妻就是，為什麼要立此重誓！」

江曉峰道：「姑娘今日之舉，在下受寵若驚，立下重誓，只不過聊表敬慕之心……」

語聲一頓：「再說，你為我願做烈婦，我豈能不表明心跡？」

了。」

藍家鳳笑一笑，道：「咱們剛剛訂下婚約，別談這些事了。快回去吧！也許王修早已回來

江曉峰一皺眉頭；道：「你似是有著很多心事未告訴我。」

藍家鳳微微一笑，答非所問地道：「江湖多變，生死難料，我勸江郎一句話，花開堪折直須折，莫待無花空折枝。」

江曉峰愣了一愣，欲言又止。

藍家鳳久久不聞江曉峰答話，心中暗道：「我這等胡言亂語，他心中一定怪我輕浮，唉！但他哪裏知道我心中的痛苦呢？」放開腳步，向前奔去。

藍家鳳一口氣跑回原地，王修已然早在等候。

江曉峰不知藍家鳳何以會突然放腿而奔，只好在後面追趕。

追上了藍家鳳，正待開口詢問，王修卻搶先道：「姑娘、江少俠，準備幾時動身？」

藍家鳳道：「老前輩有什麼消息麼？」

王修道：「在下和兩位分手之後，就得到數處回報消息，有幾樁使人傷疼，但也有好消息。」

藍家鳳道：「先說難過的吧？」

王修道：「松蘭雙劍，爲了保護少林寺的基業，挺身而戰，和藍天義決鬥了四個時辰之後，重傷在藍天義的劍下……」

江曉峰心頭一震，接道：「兩位前輩聯手劍勢，仍無法勝過藍天義麼？」

王修道：「是的，兩人聯手劍勢，仍無法勝過那藍天義，不過纏鬥千招之後，才傷在了藍

天義的劍下。」

藍家鳳神情凝重，思索了片刻，道：「老前輩可否說得清楚一些？」

王修道：「唉！少林寺在天道教數番搶攻之下，精銳非死即傷，雖然憑仗羅漢陣擋住了藍天義，未攻進少林寺中，實已元氣大損……」

「日前，藍天義又役使屬下，猛攻少林寺，希望一舉間，能把少林寺拿下來，少林寺在精銳大傷之下，無法攔阻天道教凌厲的攻勢，多處防守之區，已爲天道教所攻破，少林方丈，親率其餘高僧，阻擋藍天義所率的高手，無暇求援……」

「眼看少林就要遭受破寺之危，松蘭雙劍，突然出面，兩柄劍猶如出柙猛虎，力挽狂瀾，天道教中的精銳，傷於劍下者八十餘人，總算保住了少林寺基業未損……」

長長歎一口氣，道：「自然，這件事，惹起了藍天義極大的怒火，指名挑戰松蘭雙劍。」

江曉峰歎道：「兩位老前輩如是置之不理，那就好了。」

王修道：「松蘭雙劍，乃天下武林中人人敬慕的高人，兩老原來本想在暗中助手，但不忍目睹少林寺毀在藍天義的手中，才正面出手干預。既然出了面，以二老在江湖的成就，就不能不答應那藍天義的挑戰，藍天義又說明了獨鬥二老，二老心中亦有自知之明，才肯聯手而出。雙方一戰，足足打了四個時辰，千招之後，才雙雙重傷在藍天義的劍下……」

藍家鳳接道：「兩位老人家現在何處？」

王修道：「二老重傷之後，少林寺數位高僧拚命相救，把兩位救回了少林寺，蘭劍傷中要害，救回寺中之後，立時死亡，松溪老人目睹老伴死去，悲恨交集，難以自遣，傷勢發作而死。」

江曉峰道：「松蘭雙劍，已修成半仙之體，深居幽谷，不問江湖是非數十年，想不到，竟也傷死在藍天義劍下。」

王修道：「就目下情勢而論，少林寺雖得松蘭力拚保住，但恐亦難長久，能夠和藍天義一決雌雄的人，似乎只有我們一股力量了。」

江曉峰道：「武林九大主派，上百門戶，難道都被嚇破了膽子麼？」

王修道：「九大主派，已被藍天義收服了四派，江湖上散居各地的門戶豪雄，也大都被他收服，餘下的，都自知無能勝任，不是躲了起來，就是分散江湖，抗拒天道教藍天義的重責，已完全落在姑娘和江少俠的身上了。」

藍家鳳道：「我母親傳出了丹書，魔令，爲清平江湖招來一片殺劫，我這做女兒的，自是責無旁貸，不論要受任何屈辱，都應該替母親造成之大錯補過，這方面老前輩可以放心。」

王修黯然點點頭，道：「姑娘犧牲一己，謀福武林，千秋百世之後，武林同道，都仍將對你留著很深的懷念。」

江曉峰回顧王修一眼，說道：「老前輩，說說看，有什麼較好消息？」

王修道：「大約是藍福歸報之後，藍天義亦覺得事非小可，已親自率領了天道教中精銳，趕來了此地，用不著咱們再多行設法，安排圈套，引他上鉤了。」

藍家鳳回顧江曉峰一眼，臉上滿是幽怨之色，黯然說道：「他們幾天可到？」

王修道：「大約三、五天內，就要到了。」

藍家鳳道：「還有什麼事？」

王修道：「方秀梅已得君不語之助，離開了天道教，呼处嘯送了她五隻巨鷹，方秀梅借這五隻巨鷹之助，到處邀請人手，會合了摘星手公孫成、笑面佛天燈大師、鐵面神丐李五行，以及崑崙派的名宿多星子等，很多退休江湖的高人，正兼程趕來此地，助咱們一臂之力。」

江曉峰喜道：「他們幾時可到？」

王修道：「想他們應該比藍天義來得快些，至遲明晚可以趕到。」

江曉峰道：「那很好，咱們有了這批生力軍參與，可以和藍天義放手一戰了。」

王修道：「還有一件是江少俠最高興的事情……」

江曉峰道：「什麼事？」

王修道：「呼延兄思念少俠心切，我接到他飛鳥傳書，今晚上可以趕到此地。」

藍家鳳突然轉過話題，道：「王老前輩，我要選的人可曾找到？」

王修道：「找到了。」

藍家鳳道：「在哪裏！快些帶他來見我。」

王修道：「遠在天邊。近在眼前。」

藍家鳳道：「你是說江曉峰？」

王修道：「不錯，除了江曉峰之外，天下再無人能夠勝此任。」

藍家鳳神情嚴肅，冷冷說道：「你沒有說錯麼？」

語音一頓，接道：「這是一件十分重大的事，不能憑仗個人之好惡選擇。需知若選擇相差毫釐，武林之中，若十年後，就會出現第二個藍天義……」

「我看過丹書、魔令，上面不但記述了絕世的武功，而且還記述著習練之法，那是無數位習練武功之人的心血、經驗，熟讀了丹書、魔令，不但盡知舉世絕技，而且借重書上記述的習練經驗，以收事半功倍之效。」

王修道：「姑娘可以放心，在下選擇江曉峰，絕無私人的好惡成份，而是憑藉數十年的閱歷和相人術，而下的斷語。」

藍家鳳沉吟了一陣，道：「老前輩，有一件事，想你早已知曉了。」

王修沉吟了片刻，道：「說說看。」

藍家鳳道：「那位被選定繼承武學道統的人，要離開此地……」

王修接道：「我明白，這件事，我也考慮了很久。適才。咱們人手太少，江少俠不能走，現在咱們到的助手很多，少他一個人，無害大局，所以在下才想到他。」

藍家鳳長長歎息一聲，默然不語。

王修望了藍家鳳一眼，又道：「姑娘，頓飯工夫之前，咱們還決定，以姑娘和江少俠為主，分帶人手，引誘那藍天義到巫山下院中來，但在頓飯工夫之後，局勢又有了很大的變化，那就是藍天義自己要率人趕來這巫山下院。」

藍家鳳道：「嗯，我知道。」

王修暗暗一皺眉頭，道：「咱們很快要見到藍天義，所以，咱們要盡早準備，姑娘是主持大局的人，自是會比別人更為忙碌。再說，咱們在今晚之前，就會有很多的援手趕來，實也用不到江少俠再行涉險了。」

未待藍家鳳開口，江曉峰已搶先接道：「王老前輩的盛情，江某感激不盡，但我已經自作決定，放棄承繼武學道統。」

藍家鳳回顧了江曉峰一眼，默默未語。

王修卻噢了一聲，道：「爲什麼？」

江曉峰道：「一則，我要盡我之力，幫助藍姑娘拒擋敵人，再者，我還要見我義父和姊姊。」

王修沉吟了一陣，道：「這麼吧！在下有折衷的辦法，不知兩位是否同意？」

藍家鳳道：「先請說出聽聽。」

江曉峰道：「願聞高見。」

王修道：「江少俠先助藍姑娘拒敵，待十二金釵出手之後，江少俠再行離此。」

江曉峰搖搖頭，道：「不好，我要留在這裏幫助藍姑娘，直待大局平定。」

王修望了藍家鳳一眼：「姑娘之意呢？」

心中卻暗暗忖道：「大局底定之時，那韋剛必定會提出婚約，那時事情非被揭穿不可，是一個什麼樣的結局，就叫人無法預料了。」

但聞藍家鳳輕輕歎息一聲，道：「江兄，王前輩說得有理，如是他決定了你可以承繼武林中道統絕學，你也不用再推辭了。」

江曉峰雙手直搖，道：「不行，我在這裏幫助你，你如在這場搏鬥之中，安然無恙，自然不用再找人承繼絕學了……」

藍家鳳接道：「我如是戰死了呢？」

江曉峰道：「真的戰死了，我也不願獨生，自是不用再承擔那既往開來的大任了。」

王修是何等聰慧之人，愈聽愈覺得不對，兩個人似乎變成了絞在一起的麻花糖，大有難作割捨之情了。

江曉峰話語說得很含蓄，但言下之意，無疑是「生同羅帳死同穴」的誓約，忖道：「難道我去了之後，他兩人之間，又有了什麼特殊變化不成？」

心中念轉，兩道目光，不停地在江曉峰的臉上察看。

只見他神色間一片關愛之情，分明還不知道藍家鳳答應韋剛婚約的事。

再看藍家鳳，眉宇間，卻隱藏著無與倫比的深深痛苦。

雖然她竭力忍受、掩飾、但以王修之閱歷，仍然瞧得出來。

情勢發展，已然是王修無法不問，當下輕輕咳了一聲，道：「江少俠，剛才兩位到哪裏去了？」

忽然間，把話題轉到了兒女私情之上，江曉峰不禁為之一怔，但想到王修敏銳的觀察力，欺騙也實非易事，倒不如說出事實的好。

當下應道：「我和藍姑娘，在外面走走。」

王修重重咳了一聲，道：「藍姑娘。」

藍家鳳轉過臉來，雙目中含蘊著晶瑩的淚珠，道：「什麼事？」

王修心頭一震，若有所悟地說道：「江湖上有很多應付敵人的詐術，乃是彼此的手段之一，所以，有很多承諾，實也不用放在心上。」

藍家鳳啊了一聲，道：「老前輩可是說兵不厭詐？」

王修道：「對，兵不厭詐，愈詐愈好，彼此敵對，用些詐術，自是不用耿耿於懷！」

言下之意，無疑是勸說藍家鳳，不用把她對韋剛的承諾，放在心上。

藍家鳳自是聽得懂話中的含意，但江曉峰卻是聽得瞠目結舌，不知所以，忍不住問道：

「你們說得什麼?」

王修道:「在下和姑娘談用兵的事,並無別意。」

藍家鳳轉過臉來,雙目盯住在江曉峰的臉上,道:「江兄,王老前輩既通相人之術,又有著數十年的閱歷、經驗,他既然推薦你承繼丹書上絕學大任,想來是不會有錯了。我有十二金釵之助,你自是不用擔心我們了。如是十二金釵無能贏得藍天義,多任何一個人,也於事無補。如是十二金釵能勝藍天義,你留此何益?不如答應下來……」

江曉峰搖搖頭,接道:「姑娘錯了!」

藍家鳳微微一怔,道:「我哪裏錯了?」

江曉峰道:「如是咱們能勝藍天義,我要看你身受天下武林同道擁戴的榮耀,咱們如是不能勝過藍天義,姑娘即使不死於藍天義的手下,亦將自絕而死,留我一個人活在世上,還有什麼味道!」

藍家鳳道:「你是男子漢,要傳宗接代,怎能輕易言死。」

江曉峰道:「但如你死了,這些事都成了泡影。」

回顧了王修一眼,接道:「王老前輩也不是外人,咱們夫妻,在天願為比翼鳥,在地願是連理枝,生死有命,福禍與共,你不用老想著把我支走,你一個人獨擋大敵。」

藍家鳳聽得心中傷痛,忍不住淚珠兒滾滾而下。

王修卻是聽得大為驚異,心中忖道:「原來,他們已訂了親。」

表面上,卻仍然保持著平靜神色,道:「江少俠說得也是,兩位天生佳偶、珠聯璧合,合力拒敵,不但是武林同道之幸,也算替武林同道留下一段佳話。至於承繼武林道統一事,似乎也用不著急在一時了。」

藍家鳳拭去了臉上的淚痕，道：「如是我在這一戰不幸戰死，那丹書、魔令，豈不是無人知曉它存放於何處了？」

王修輕輕咳了一聲，道：「在下有一個奇怪的想法，不知兩位可否同意？」

藍家鳳、江曉峰齊聲說道：「老前輩請說。」

王修道：「武功三大要件是稟賦、師承、時間，三樣缺一不可，良師選徒，首重其德，多方考驗，證明他能承擔大任，才肯授予絕技，所以，一出師門，即是一位仁、勇俱備的義俠人物。如是丹書、魔令，留存人間，就打破了仁、勇之間的微妙均衡，不論那人的心術如何，只要他有足夠的才慧，即可練成絕技，再加丹書、魔令詳作指點，更收事半功倍之效……」

「姑娘已決心毀去魔令，實是大快人心的事。不過丹書寶典無靈，雖屬正統武學，但它卻無法甄選，在下之意，何不連丹書一併毀去。」

藍家鳳沉吟了一陣，道：「老前輩說得有理，晚輩立刻遣人去把丹書、魔令毀去。」

王修搖頭說道：「不用急。」

藍家鳳道：「如若丹書、魔令留在世上，有損無益，何以不把它早些毀去呢？」

王修道：「最好能當著天下英雄之面，毀去二物，才能使得天下英雄相信。」

藍家鳳沉吟了一陣，道：「就依老前輩的高見。」

王修微微一笑，道：「如若咱們一切順利，十日之內，就可以搏殺藍天義了，樹倒猢猻散，藍天義死去之後，天道教中領導無人，不難一舉掃平……」

語聲一頓，接道：「兩位休息一下，在下還得安排一下，迎接各路的英雄。」

藍家鳳道：「江兄，你該去幫一下老前輩的忙。」

王修道：「不用了，在下的人手，已夠分配，用不著勞動江少俠。」

江曉峰道：「我該去相助一臂之力，但不知老前輩把嘉賓安頓何處，總不能讓他們幕天席地的，住在這古墳墓園之中吧？」

王修道：「我已商借好了幾處農舍，就在這墓地不遠之處，道消魔長，情勢迫人，只好委屈他們一下。」

藍家鳳緩緩接道：「老前輩帶江兄去吧，也好讓他多認識幾位武林高人。晚輩到巫山下院中和韋剛商量，看看他是否允准，用巫山下院做爲迎接嘉賓之處。」

王修微微一笑道：「好，那就有勞姑娘一行。不過，韋剛如有不便之處，姑娘也不用相強，在下要先行告退。」

帶著江曉峰出了墓園。

四四　任重道遠

越過一片棉花地，眼前景物一變，只見一座大水塘，橫擋去路。

對岸幾株高大槐楊的濃蔭下，有幾幢竹籬環繞的茅舍。

王修笑道：「一座大的墓地，遮住了視線，咱們竟未發現這幾處農家。」

江曉峰道：「濃蔭茅舍，水色翠綠，此地倒很雅致，但不知是否有人居住？」

王修道：「居住倒是有人居住，不過，都已連夜他遷了。」

江曉峰道：「可是老前輩勸說他們搬走的？」

王修道：「巢南子道長，以武當三玄觀所屬的百畝良田廟產，換來了這幾幢茅舍。這地方本就甚爲荒涼，居民奇少，大約也就是藍夫人選上這地方，訓練十二金釵的原因了。」

話語之間，已然行近茅舍。

樹後人影一閃，巢南子仗劍而出道：「江少俠。」

江曉峰微微一笑，道：「日後武林能得重建天日，貴門中將是出力最大的一大門派。」

巢南子道：「貧道等無能無德，致使整個武當派幾遭覆亡之災，江少俠如此誇讚，倒真叫貧道汗顏了。」

語聲一頓，接道：「兩位來了很久麼？」

王修道：「剛剛到。」

巢南子神色一整，道：「這就有些奇怪了……」

王修道：「怎麼回事？」

巢南子並未立即回答，舉步直向茅舍中行去。

江曉峰本欲追問，卻被王修阻止，兩人隨在巢南子的身後，直行一座茅舍中。

巢南子掩上籬門，低聲說道：「貧道兩位師弟和門下幾個弟子，都已奉派而出，迎接天下英雄，僅有一個隨侍弟子，亦被貧道派做暗樁，此地只有貧道守護。」

江曉峰道：「道長可是發現了什麼？」

巢南子道：「兩位到此之前，貧道發現了水中一條倒影，動作奇怪，一閃而逝，可惜貧道發現得太慢，沒瞧清楚，正想過去看看，兩位就及時而至。」

王修道：「這等重要時刻，絕不能讓敵人混入。」

緩緩移動腳步，行出茅舍，隱身在竹籬之內，目注水塘。

江曉峰，也隨著小心翼翼地行出室外。

抬頭望去，只見濃蔭蔽天，遮住視線。

轉目望向水塘中的倒映樹影，卻十分清明。

原來那水塘十分廣大，日光映射，光線特別的明朗，一枝一葉，都看得十分清楚。

這時，巢南子也緩步行了出來，目注水塘。

突然間，水塘枝葉分動，兩隻鳥雀，飛了出來，橫越水塘而去。

江曉峰心中一動，暗道：「義父傳了我役鳥之術，何不用來施展一下，搜尋敵蹤。」

心中念轉，撮唇低嘯，發出一陣鳥鳴之聲。

樹上鳥雀甚多，江曉峰一鳴百應，一時間，全都是盈耳的鳥雀叫聲。

但他役鳥術還未到得心應手之境，只能引發群鳥鳴唱。

飛來跳去，但卻無法用牠們傳報警訊，找出敵人所在。

忽然間，百鳥爭鳴，來得極爲突然，只聽得巢南子大感驚愕。

王修卻移動身子，行到江曉峰的身邊，道：「呼延兄的役鳥之術，如臂使指，稱絕人間，江少俠已得真傳了。」

江曉峰聽得臉上一紅，道：「晚輩僅只學得一點皮毛，雖引起百鳥的鳴叫，卻不能役用牠們搜尋敵蹤。」

王修啊了一聲，未再多言。

江曉峰心中大感慚愧，苦苦思索下一步役鳥之法，心中愈急，愈是想不出來。

正自焦慮，突聞幾聲雀鳥驚鳴，十餘隻鳥，紛紛出空中墜地而死。

江曉峰突然縱身而起，直向一株高大的槐樹撲去。

王修、巢南子亦自警覺，各自提氣躍出籬外。

且說江曉峰一躍兩丈多高，伸手抓住了一條垂下的樹枝，手腕加勁，用力一拉，借勢一個大翻身，直衝而上。

但那樹枝，承受不了江曉峰這一壓力，隆然一聲，折作兩段，跌落草地。

王修高聲說道：「江兄小心。」

緊隨著飛身而起，躍上一個分叉的樹枝之上。

這時，一株高大的白楊樹上，閃電奔雷一般，飛落一個人影。
江曉峰向上躍飛，那人向下俯衝，兩條人影，頓然交接在一處。
只聽一聲金鐵交鳴，寒芒閃轉，兩人同時跌落了實地。
江曉峰就地一個翻身，飛躍而起，對方也在同一時刻，挺身而起。
凝目望去，只見來人又矮又瘦，穿著一身灰色長衫，手中提著又長又寬的寶劍，幾乎要和他一樣長短。
江曉峰認得這位是曾在藍天義的壽筵之上，裝瘋賣傻的奇書生吳半風，當下冷笑一聲，道：「原來是奇書生吳半風。」
吳半風笑道：「江公子，你還沒有死啊！」
王修、巢南子，齊齊飛躍而出，分站了兩個方位，把吳半風圍在中間。
江曉峰長劍一振，道：「閣下只有一個人嗎？」
吳半風淡然一笑道：「不錯，在下只有一個人。」
江曉峰回顧了王修和巢南子一眼，道：「兩位替在下掠陣。」
舉劍平胸，直向吳半風逼了過去，口中說道：「閣下的劍術，造詣很深，不知願否和江某人一決勝負？」
其實，口中之言，已屬多餘，欺近吳半風，長劍一探，直向吳半風當胸刺去。
吳半風揮劍接架，兩人立時展開了一場激烈絕倫的惡鬥！
江曉峰年來連有奇遇，武功進境甚大，但卻一直未能有過一次放手施展的機會。
此刻遇上了吳半風，正是試驗的大好機會，放手施展，全都用進擊招術，寒芒流轉，每一劍都指向那吳半風的要害大穴。

吳半風寬長的大劍，揮動之間，帶著呼呼的風響，聲勢本極驚人，但因被江曉峰一陣快攻，搶去了先機，吳半風頓然落處劣勢。

但奇書生確是位身負絕技的人物，雖在江曉峰奇招連綿的逼攻之下，仍能鎮靜應付，未露敗象。

王修和巢南子本想出手相助，一舉間，能把奇書生吳半風制住，但兩人看過了江曉峰和奇書生搏鬥的形勢之後，頓然有著無從下手之感。

原來，兩人搏鬥的劍勢，綿密異常，全無空隙，縱然要出手相助，亦有著無從下手之感，只好站在一側，冷眼旁觀了。

這時，已然是太陽下山的時分，西方天際，幻起了絢爛的晚霞，映射在兩人飛舞的劍勢上，輪轉的寒光中，閃泛起片片紅光。

王修看著兩人搏鬥之勢，似乎是很難在極快的時間中，分出勝負，心中大為焦慮，低聲說道：「奇書生既然到此，絕非一人，更可怕的，除他之外，可能還有著後援人物，看樣子，江少俠一時間很難制服此人，但來此聚集的天下英雄，眼看很快就會有人趕到，如是讓他們再這樣打下去，勢必被吳半風發現隱密了。」

巢南子一揚長劍，道：「讓貧道去助江少俠一臂之力。」

王修道：「為了挽救整個武林同道，用不著墨守江湖規戒了。」

巢南子心裏一咬牙，舉劍向上行去，心中暗作盤算道：「我在夾攻之時，拚著送了一條命，使他劍路受阻，江曉峰就有取他性命的機會了。」

主意暗定，立時縱身而上，連人帶劍，直向奇書生衝了過去。
吳半風反手一劍，擋開了巢南子的劍勢，卻不料巢南子的劍雖被封擋，竟然以血肉之軀，硬向劍上衝去，吳半風吃了一驚，急急收劍而退。
江曉峰乘勢而上，長劍連攻三招。
這三劍一氣呵成，凌厲無比，迫得那吳半風險象環生。
吳半風手忙腳亂地擋開了三劍之後，高聲喝道：「住手！」
江曉峰停下劍勢，道：「閣下不戰了？」
吳半風哈哈一笑，道：「江少俠武功精進極速，在下佩服得很。」
江曉峰冷冷說道：「正邪不兩立，咱們兩人之中，必有一個人要在今日搏鬥中死亡。」
吳半風淡淡一笑，道：「爲什麼一定要有一個人死亡呢？」
江曉峰望望天色道：「無暇和你鬥口，看劍！」唰的一劍，刺了過去。
吳半風一閃避開，道：「慢著，吳某人還有話說。」
江曉峰一皺眉道，問道：「什麼話，最好能快些說完。」
吳半風目光轉移到王修身上，道：「王兄，在下受人之托，攜有書信一封，面呈王兄，但目睹江少俠的身法，不禁技癢，和他對了幾劍，幾乎要誤了大事。」
王修沉吟了一陣，道：「吳兄受何人所托？」
吳半風道：「君不語。」
王修啊了一聲，道：「君不語現處？」
吳半風道：「這個在下不知，這封信，他是在十日之前，交給了在下，各位大概知道，天道教中人，都受著那藍教主嚴密的控制，君不語難以自主，在下的行動亦是無法自作決定。」

王修道：「君兄的書信，現在何處？不知可否先讓在下瞧瞧？」

吳半風道：「書信在吳某身上，這封信本是致奉王兄的，豈有不交王兄瞧看之理。」

探手從懷中摸出一封信遞了過去，道：「王兄請過目。」

王修接過一瞧，那只是一方折疊的白絹，展開瞧去，只見上面寫道：「十絕毒陣已成，但早過了對敵應用之期。兄弟想盡了辦法拖延時間，藍天義極感不滿，用盡了威逼手段，兄弟無法再拖，答應一試毒陣威力，一舉殲滅了藍天義手下七位心腹高手，藍天義雖然痛在心頭，但表面之上，又不得不展露笑容……」

「藍天義目睹十絕陣威力之後，對弟大為改觀，視做心腹，待如上賓。弟就觀察所得，藍天義對咱們這一幫武林同道，全無信任之心，縱然視為其鷹犬，亦難免遭弓藏狗烹的命運……

「目下江湖紛亂未息，藍天義似是已開始下手懲治屬下。除了役使他們和兄弟等互相殘殺之外，已開始施用藥物，逐步剝削屬下的功力和壽命。弟看其心中仗恃者，並非是被他收服的近千名武林同道，似是寄望於十二劍童和十二個飛龍童子……」

「弟所主持的十絕毒陣，由四十八位江湖高手組成，其間有出身正大門戶的武林健者，亦有江湖悍匪等輩。十絕毒降，分著四色彩衣，併此奉告，他日若遇上，還望多加謹慎……」

下面似是還有未盡之言，但卻突然中斷，想是有了事故，無法再寫下去。

王修執書沉吟了一陣，道：「這封信，似乎還未寫完？」

吳半風道：「兄弟未瞧過，不知內裏寫些什麼！」

王修道：「事情很簡單，他在說明，藍天義已開始對他的屬下下手。」

吳半風笑一笑，道：「在下也是受害之人。」
王修道：「吳兄，服下了什麼毒藥？」
吳半風道：「在下瘋瘋癲癲，所以，藍天義不忍給在下服藥。」
王修淡淡一笑，道：「吳兄這些裝瘋賣傻的神態，原來是救命保身之道。」
吳半風笑道：「在下裝瘋賣傻，騙不過你王修，同樣也騙不過藍天義。」
王修道：「這麼說來，吳兄極得藍教主的信任。」
吳半風道：「就目下情勢而言，這話倒是不錯。」
王修冷冷說道：「那麼，你吳兄到此而來，是受命而來了。」
吳半風笑道：「不錯，藍天義派我來此，察看你們虛實。」
王修道：「吳兄收獲不少吧！」
吳半風道：「差強人意而已。」
王修道：「吳兄既是那藍教主的心腹，不知是否已把懷中之信，交給那藍教主瞧過？」
吳半風道：「如若此信被藍教主看過，只怕那位君兄的腦袋，早已搬家了。」
王修道：「此信在吳兄身上，放了十日之久，君兄的死活，諒你也不會知曉了。」
吳半風淡淡一笑道：「目下麼？在下確然不知。」
王修道：「吳兄，你好耐心啊！」
吳半風微微一笑，道：「怎麼？王兄，可是有些麻煩了？」
王修道：「吳兄，咱們比試耐心，也不用互打啞謎，乾脆，咱們打開天窗說亮話，如何？」

吳半風道：「固所願也，不敢請爾。」

王修道：「那麼，吳兄到此的用心何在，可以明說了？」

吳半風突然仰天大笑，良久不絕。

王修皺皺眉頭，道：「吳兄，有什麼好笑的？」

吳半風道：「王兄號稱神算子，請算一算兄弟到此用心爲何？」

王修道：「藍天義爲人奸詐，不擇手段，苦肉計、反間計，無所不用其極，因此，我們不得不小心些。」

吳半風略一沉吟，道：「王兄，你是否要給君不語回一封信？」

王修道：「信乃有憑之據，在下不想回信了。」

吳半風道：「那麼，王兄，可有什麼話，讓在下帶給君不語？」

王修道：「告訴君兄，就說在下收到了他的信。」

吳半風道：「只這樣一句簡單的話麼？」

王修道：「我們心神相交，不用多言，一句話也就夠了……」

語聲一頓，緩步行近了吳半風，道：「吳兄，天下武林同道能否重見天日，全都在此一舉，吳兄是否願爲武林盡此心力，悉憑尊便了。」

吳半風微微一笑，道：「兄弟早有決定，咱們後會有期。」

縱身一躍，人已到了兩丈開外，接連兩個飛躍，人已消失不見。

王修望著吳半風的去向，呆呆出神。

江曉峰緩步行上兩步，低聲說道：「老前輩，那吳半風說的可是真話？」

王修道：「半真半假，其人外面故做瘋癲，其實，卻是一位才慧絕世的人物。」

江曉峰聽得心中大惑不解，訝然問道：「何謂半真半假？」

王修道：「他替君不語傳來之信，字跡顯然出自君不語的手筆，自然是真。」

江曉峰道：「那假又何在呢？」

王修道：「但他來此之時，卻是奉藍天義之命而來的。」

江曉峰道：「這個，老前輩怎能瞧得出來呢？」

王修道：「事情很簡單，他目下在天道教中職位不低。嵩山之戰，使得天道教中折損了不少高手，這吳半風本已是身當重任的人物，藍天義聞訊而來，天道教中人，必也和咱們一樣，隨時準備出動，這吳半風如是專程爲送君不語之信而來，必然是直接來見，因爲這時間對他而言十分寶貴，加上如果藍天義尋他不著，必然起疑，吳半風又怎會躲躲藏藏地在暗中窺探，神態又那般清閒。」

江曉峰點點頭，道：「言之有理。」

巢南子道：「王兄能察人所不能察，神算子之名，果是當之無愧。」

江曉峰道：「有一點，晚輩還是不了解。」

王修道：「哪一點？」

江曉峰道：「他既是藍天義遣派而來，何以還有半真之論呢？」

王修道：「他身藏君不語的書信，不但未交給藍天義，而且亦未拆閱，這證明他說的一部份確是真話。」

巢南子道：「那白絹比不得函箋，無法密封，王兄怎能斷定那吳半風沒瞧過呢？」

王修道：「這又要留心到小地方了，在下拆書之時，十分小心，料想那君不語乃非同凡響的人物，豈能不懷疑到吳半風別有用心，所以君不語用絹帕邊緣的細絲，結了兩個環扣，如若吳半風私自拆閱，必然會把細絲扯斷，但在下拆閱時，那細絲仍然完好如初。」

巢南子道：「原來如此！諸葛一生謹慎，古人早有說明，只不過，我們這些凡俗之人，不能領悟其中的奧妙罷了。」

江曉峰仍是有些不服，緩緩說道：「老前輩，照你的說法，那吳半風亦是一位才慧過人的人，細絲雖細，但那吳半風亦能感覺得到，難道不會照樣施爲？拆閱之後，再替他結上一個細絲環扣？」

王修哈哈一笑，道：「問得好，江少俠愈來愈心細了。」

語聲微微一頓，道：「那君不語所用的細絲，並非絹帕上所有，顏色相似，但卻稍有差別，縱然吳半風另結，也必然是就地取材，抽出絹帕上的細絲結扣了。」

江曉峰道：「小小一封絹帕函件，竟也有這麼多智慧，稍微粗心一些，就難免有疏忽之處。」

王修道：「奇才、大陰險的人物，都有著忍人所不能忍的氣度，吳半風懷揣密函十餘日，而不肯拆開瞧看，這一點常人就很難辦到……」

目光一掠江曉峰、巢南子，接道：「此函如若被藍天義發覺，不只君不語性命難保，吳半風也將身受株連，但他十餘日能不露聲色，一直等到藍天義遣他來此喑探虛實時，才把密函送上，這種忍耐、鎭靜的功夫，非大智或奸險的人物，豈能如此。」

江曉峰道：「聽老前輩之言，咱們這次放了他，是福是禍，全無法預料的了。」

王修道：「吳半風是一個自作主意的人，是敵是友，那要看他的想法了，不過……」突然住口不言。

江曉峰道：「不過什麼？」

王修道：「在下推想，以他的才慧，早已了然藍天義是一位不能久處的人物，因此對咱們有助的成份大過有害。」

巢南子道：「王兄這分析，貧道十分敬服。」

江曉峰突然一指按唇，低聲說道：「有人來了。」

語聲甫落，耳際突然響起了輕微的金鐵相擊之聲。

巢南子道：「自己人，帶著貴賓而來。」

提高聲音，道：「是四弟麼？」

但聽青萍子的聲音應道：「正是小弟。」

隨著應話之聲，青萍子當先由一叢樹後轉了出來，緊隨在青萍子身後的，是一位身著青衣的女子，正是笑語追魂方秀梅。

江曉峰這時快步迎了上去，含笑道：「方姊姊，久違了。」一面抱拳作禮。

方秀梅格格一笑道：「咳！姊姊兩世爲人，今天見到兄弟你，姊姊心中已有著說不出的高興。」

王修緩緩行了兩步，恭恭敬敬地抱拳一揖，道：「方姑娘，王修給你見禮了。」

他神態鄭重、語聲端莊，使得巢南子和青萍子、江曉峰都爲之愕然。

方秀梅還了一禮，笑道：「王兄，你鬍子白了。」

王修道：「在下只白了鬍子，姑娘卻跑斷了雙腿，幾度面臨死亡之際，用心良苦，仁行博大，我王修是望塵莫及了。」

突然之間，巢南子、青萍子、江曉峰等都似是受到了某種感染，個個神態莊嚴，對那方秀梅生出了崇敬之心。

但聞王修緩緩說道：「武林所謂的正大門派，俠義人士，對不起你方姑娘，不但送了你一個笑語追魂的外號，而且，還對你冷嘲熱諷，極盡污蔑之能事，一度曾有聯手除你之舉，逼得你遠離中原，獨走蠻荒，但姑娘毫無記恨，爲武林正義奔走，捨死忘生，老實說，這等氣度，我王修是望塵莫及的。」

方秀梅格格一笑，道：「王兄，過獎了，昔年小妹下手懲惡，手段大辣了一些，事後，又沒有向武林公諸內情，其咎在我，自也是怪不得別人了。」

行前兩步，抓住了江曉峰的左手，笑道：「江兄弟，聽說你連有奇遇，武功大有進境，這些消息，使姊姊心中有著無比的快樂，也給了姊姊極大的勇氣。」

她笑語如珠，舉止豪放，似全然忘記了自己是個女人。

江曉峰在眾目睽睽之下，被她牽手而行，反而有些靦腆難安之感，尷尬一笑道：「諸位老前輩，對小弟都極愛護，才使小弟有了諸多奇遇，只可惜小弟才能有限，只怕有負諸位老前輩的雅意了。」

方秀梅笑道：「土裏藏不住明珠，姊姊第一次見你面之時，就知道你非池中之物，有一天定然會一飛沖天、名動九霄。」

王修一欠身，道：「方姑娘，請入茅舍小坐吧！」

方秀梅道：「不用了，我還要去接他們。」

江曉峰道：「接什麼人？」

方秀梅道：「崑崙派的名宿多星子老前輩，帶了崑崙派中八個武功最強的弟子，還有丐幫中五位長老，四方豪雄，星散江湖，胸懷忠義的各派弟子，總數不下數十人。」

王修道：「這都是姑娘之力，不知你費了多少口舌，才使崑崙和丐幫，也遣派了高手參與此事。」

方秀梅淡淡一笑，道：「個中雖有心酸之處，但他們都已知覆巢之下必無完卵，也未對小妹有著太多的刁難。」

回顧了一眼，接道：「天色不早，我去帶他們來，但要勞王兄安排一些吃喝之物。我們兼程趕路，日夜不停，雖都是身有武功的人，但萬里長奔，也得好好的休息一下才成。」

王修道：「吃喝之物，都已準備，我這就叫他們下廚動手燒煮。」

方秀梅放開江曉峰的左手，笑道：「兄弟，姊姊去接他們，我心中有很多事，急著要和你談談，可惜咱們現在都忙得沒有時間，安排好各路赴難而來的英雄，咱們姊弟兩個再慢慢地談。」

江曉峰道：「姊姊去忙吧！小弟隨時候命聽教。」

方秀梅點點頭，轉身行了兩步，突然又回過身來，道：「王兄，藍家鳳呢？」

王修道：「現在巫山下院。」

方秀梅道：「聽說這位姑娘武功大有進境。」

王修道：「不但是武功大有進境，就是才慧方面，也是第一等人物。」

語聲一頓，接道：「方姑娘幸好晚來了片刻。」

方秀梅道：「什麼事？」

王修道：「姑娘見著群豪之時，只把武功高強的帶來此地，武功差一點的，要他們及早些離開這片是非之地。」

方秀梅道：「有些人武功雖然差些，但滿懷忠誠之心，再說天道教人手眾多，也並非個個都是一流身手。」

王修道：「現在咱們有了十二位武功奇高的人相助，單以武功實力而論，天道教也許已非咱們之敵了。」

方秀梅道：「什麼人，小妹怎麼沒有聽人說過？」

王修道：「他們都是初入江湖的新銳，姑娘回來時，咱們再仔細談吧！」

方秀梅點點頭，道：「小妹遵照吩咐行事就是。」

王修急急說道：「如是那人能代表一個門派，就算武功差一些，也要把他留下。」

方秀梅道：「小妹記下了！」轉身而去。

王修望著方秀梅背影消失，才長長吁了一口氣，道：「這位方姑娘，才真正是武林中第一等仁俠人物。」

一面轉身向茅舍中行去。

巢南子低聲說道：「王兄，貧道去召請幾個弟子來，要他們下廚去燒煮飯菜。」

王修道：「不用了，他們各有專司，在下對烹飪一道，小有心得，諸位請試試在下的手藝如何？」

巢南子、江曉峰追在王修身後，進入廚中。

王修回顧了巢南子一眼，低聲說道：「道兄，廚下的事，不用幫忙了。道兄請巡視外面，吳半風既能混入，也許還有第二個吳半風留在林中。」

巢南子道：「貧道幼年入山，習於飲食，貧道留在此地助你，江少俠請外出警戒。」

王修道：「江少俠武功雖好，但他江湖上閱歷，究竟是不如道兄，還是留在廚下助我較好。」

巢南子道：「既是如此，那就偏勞兩位了。」合掌一禮，退出廚下。

王修一面動手生火，打水洗菜，一面說道：「江世兄，藍姑娘可是和你談了很多事？」

江曉峰一面幫忙王修動手做事，一面應道：「不錯，她和我談了很多事。」

王修道：「她的言語之中，是否對你有意的暗示些什麼？」

江曉峰沉吟了一陣，道：「藍姑娘好像是有些兒變了。」

王修點點頭道：「江世兄，你知曉她的出身麼？」

江曉峰道：「她告訴我不少，只是還不夠詳盡，所以，有很多地方，我還是不夠了解。」

王修嗯了一聲，道：「江世兄，你看那藍家鳳的才貌如何？」

江曉峰笑了一笑，道：「如是要晚輩下評，只有四個字。」

王修道：「我明白了，你說她才貌雙絕，是麼？」

江曉峰道：「至少在外貌上，在下未見過比她更美的女子。」

王修微微一笑，道：「我跑了幾十年的江湖，走遍了大江南北，北地胭脂，南國佳麗，我確見過不少，但卻無一人能夠及得藍家鳳，像她那等美法，實非凡品，那是天下仙子，小謫人間，能對你用情，實是江世兄的豔福。」

江曉峰臉上微微羞紅，歎道：「晚輩亦自覺難以匹配。」

王修道：「江世兄過謙了，藍家鳳雖然確有過人之美，但環顧人間，能夠勝過你江世兄的，實也不多，兩位正是珠聯璧合，不過，藍家鳳有此美得出奇，有一句俗話說：紅顏薄命，這並非只是一句戲言，而是千百年來，累積的經驗之談，所以，江兄不能對她有過苛之求。」

江曉峰怔了一怔，道：「過苛之求？晚輩不明白言中之意。」

王修微微一笑，道：「天下沒有十全十美的事，在下奉勸江世兄一字，或許可使你們有共偕白首之能。」

江曉峰道：「願聞高論，那是一個什麼字？」

王修道：「忍！藍家鳳乃人間仙姬，迷戀她絕世美色的，自是大有人在，若江世兄如是不能忍讓一些，只怕是很難有完美的結局。」

江曉峰不便再多問，只好忍下不言，雙手繼續工作，心中卻苦苦推想。

王修似是善爲烹飪的大師傅，工作速度極快，不大工夫，已做出了六、七個菜。

這時，巢南子急急行了進來，道：「王兄，方姑娘已經帶人到此。」

王修啊了一聲，道：「他們來了幾個人？」

巢南子道：「這個貧道沒有仔細地看過，但約略一眼，應該有十五、六個。」

王修道：「好！告訴他們，咱們立時進餐，你們擺桌子碗筷去吧！」

巢南子回到廳中，擺好桌碗，王修和江曉峰已經端出菜來。

王修道：「粗茶淡飯，諸位將就著吃一點吧！」

江曉峰仔細看去，只見廳中各人，高矮肥瘦，無所不有，暗中計數，除了方秀梅，還有十八人之多。

這些人有一共同之點，那就是人人滿臉風塵，一望即知是經過了長途跋涉。

其中一個，身著道袍，白髯垂胸的銀髮老者，坐在首位，想來定是名滿武林的崑崙名宿多星子了。

這些人大都閉目養神，且無一人說話，至多是望望王修和江曉峰而已。

飯菜擺好，這些人立時動筷進食，風捲殘雲一般，舉動極快。

王修仍然在廚下工作，方秀梅、江曉峰分別上菜。

神算子準備的十分充足，魚肉雞鴨、青菜豆腐，一個葷菜，後面接著一個素菜，源源而上。

方秀梅找個機會，低聲問江曉峰道：「你瞧到那位白髯飄飄的道長麼？那就是崑崙派的名宿『多星子』，連那等功力深厚的人，都疲累難支，別人可想而知了……」

語聲一頓，道：「唉！說起來，這些人，不是一派門戶的首腦，就是武林中大有名望的人，如今竟落得這般模樣，實是出人意外。」

江曉峰道：「這麼說來，姊姊你已和天道教中人接過手了！」

方秀梅道：「苦鬥了數晝夜，上百的高手，到此地只餘三十餘人，我把另外十餘人，安排給武當門下，來此的十八位，全部是武林中身分極高的人物。」

江曉峰道：「姊姊你這一行，又是如何擺脫了那藍天義的追蹤呢？」

方秀梅道：「截殺我們的天道教中人馬，雖未完全死去，但也十傷八、九。這些人均已了解，如不奮起迎戰，最後是死無葬身之地，所以，和敵人動手相搏之時，無不是個個奮勇爭先。他們對姊姊，更是愛護極深，每次和敵人動手時，都把姊姊圍在中間，不許我出手，所以，姊姊才這般神態輕鬆……」

江曉峰道：「姊姊的仁俠之心，實也應該受武林人的崇敬、愛護。」

這時王修快步行了過來，接道：「我瞧他們大都已經吃飽，這兩個菜，不用送上去了，咱們在廚上食用，他們目下最需要的是休息，不用去打擾他們。」

方秀梅道：「我去招呼他們一聲，讓他們先休息幾個時辰，再替王兄引見。」

王修神情肅然地說道：「我見過很多的疲勞之師，但卻沒有見過像他們這樣疲勞的人，其中有幾位和在下本是相識，但他們卻似沒有瞧到我一般。目下情形，包括那多星子在內，如不經過一番安靜的休息，已完全喪失應變之能，此刻，如是有天道教中高手攻來，他們只有坐以待斃的份，咱們得妥善的安排一下，萬一有敵人來襲，也不能驚擾到他們。」

方秀梅一皺眉頭，道：「天道教中人，會在今夜趕來麼？只要給他們一夜休息，以這些人的武功成就而論，明天就可以恢復大半體能了。」

王修道：「很難說，大奸巨魔不可以常情測度。」

轉頭低聲對江曉峰道：「江少俠，你跟巢南子道兄說一下，要他召回兩個武當弟子來，分守這茅舍之處，你和巢南子道長守在茅舍竹籬外面，不可離開。」

江曉峰道：「如是發現敵蹤呢？」

王修道：「也不可追趕，防人調虎離山之計，我去安排一下。」

江曉峰點點頭，道：「老前輩可是到巫山下院？」

王修道：「不錯，我去瞧瞧，盡快回來。」隨即轉身而去。

江曉峰遵照吩咐，招呼巢南子，召來了兩個武當弟子守在茅舍外面，然後，熄去茅舍的燈火，就守在籬門旁側。

巢南子躍登上一棵大樹，留意四外的變化。

浮生子、青萍子，和另外四個靜字輩的弟子，也分守各處要隘，嚴密戒備。

這時，天色已是將近初更時分，荒野之中，一片寂然。

江曉峰掩上茅舍籬門，盤坐在門外一株大樹之下。

但聞一陣陣鼾聲，由茅舍傳了出來，不絕於耳。原來，茅舍中幾位武林高手，有些疲累過甚，已難自運氣調息，竟然睡熟了過去。

忽然，籬門輕啓，方秀梅輕步行出，直到江曉峰的身側，低聲說道：「兄弟，咱們分手近一年了，你的情形如何？」

江曉峰輕輕歎息一聲，道：「一直被天道教中人迫逼追殺。」

突然耳際微風颯然，巢南子已由大樹上飄身而下。

江曉峰若有所覺，忽的一躍而起，道：「道長，發現了什麼嗎？」

巢南子點點頭，道：「不錯，兩位請登高一望。」

江曉峰低聲說道：「姊姊不用去了。」

一提氣，縱身而起，右手攀在一株大樹枝上，打了一個翻身，人已躍上樹頂。

巢南子、方秀梅捷如狸貓一般，緊隨著攀上樹頂，視界極爲廣大。

巢南子指著東南方位，低聲說道：「那邊有些古怪，兩位仔細地瞧看。」

江曉峰凝目望去，只見東南方夜色深沉，寂然無聲，瞧不出一點變化，正待問話，突見兩團綠色光芒一閃而逝。

夜色籠罩之下，那綠色光芒，特別的清晰起眼。

江曉峰運足了目力望去，只見那流動的綠光，忽快忽慢，但卻無法瞧出內情。這一次，亮起的時間甚久，才消失不見。

方秀梅道：「有些像燃起的火摺子，只是顏色有些奇怪。」

猜測之間，又見綠光一閃，流星一般，射出兩、三丈遠，消失不見，這次綠光距離二人較近，約在二里左右。

方秀梅低聲說道：「好像是一種暗號，難道天道教中人已經追到了此地。」

她的語聲，有些輕喘，顯然內心是十分緊張。

巢南子道：「這次綠光閃動，方位不同。如若真是天道教中人，他們來人不少，而且已對咱們形成了包圍之勢。」

江曉峰突然低聲說道：「小心，有人來了。」一吸氣，飄身而下。

巢南子、方秀梅亦都已有了警覺。

方秀梅伸手握了一把毒針，凝目向下望去，夜暗中人影一閃，直向茅舍躍來。

江曉峰如閃電一般，由樹後轉出，攔住那人去路。

來人突然收住了奔行之勢，道：「江少俠麼？王修何在？」

江曉峰道：「青萍子道兄！」

青萍子接道：「正是貧道，有要事……」

江曉峰接道：「王老前輩去了巫山下院，道長有什麼事，不知可否告訴在下？」
但見人影閃動，巢南子、方秀梅，都躍落實地。
青萍子回顧了巢南子一眼，低聲說道：「有幾道鬼火般的綠光，不住的閃動。」
巢南子道：「這個，我們已瞧到了，但那綠光是何物所發？」
青萍子道：「貧道瞧不出來，也想不通那是什麼東西。」
江曉峰道：「什麼東西發出綠色的光芒呢？」
青萍子道：「貧道就是有些想不明白，特來向王先生請教。」
江曉峰突然動了好奇之心，道：「可惜王老前輩不在此地，咱們追去瞧瞧如何？」
巢南子道：「此時此情，咱們應處處謹慎，除非人家找上門，咱們最好不要再惹是非。」
青萍子一欠身，道：「師兄訓得是。」合掌一禮，轉身而去。
方秀梅道：「貴派掌門人朝陽子道長，還在天道教中聽候差遣。」
這句話突如其來，聽得巢南子愕了一愕，道：「此為我武當派，開門立戶以來的奇恥大辱……」
方秀梅道：「我們在途中遇上天道教中高手攔殺，其中一股人手，就由貴派的掌門人朝陽子道長率領。」
巢南子啊了一聲，道：「我那掌門師兄怎樣了？」
方秀梅道：「貴派掌門人劍術十分高強，曾和崑崙名宿多星子對劍百招以上，未分勝負。」
巢南子道：「我那掌門師兄沒有受傷吧？」

方秀梅道：「沒有，他安全退走。」
巢南子長長吁一氣，道：「方姑娘，貧道有一件事，想請姑娘幫忙。」
方秀梅道：「道兄言重了，什麼事，只要小妹力所能及，無不全力以赴。」
巢南子道：「敝掌門師兄，受藍天義控制，身不出己，和群豪搏鬥之中，難免有失手傷人的事，如果滅了天道教，此事或將為天下英雄所不諒解，那時，還望姑娘出面解說一下。」
方秀梅笑道：「這個，小妹願盡力，同時自當據理力爭。」
回目一顧，不禁一怔，急道：「江兄弟。」
巢南子凝目望去，哪裏還有江曉峰的影子。
原來，兩人在談話之時，江曉峰竟悄然而去。
方秀梅一皺眉頭，道：「年輕人總是除不了好奇之心。」
巢南子道：「貧道去找他回來。」
方秀梅道：「道長不用去了，這茅舍中一十八位武林重要人物的性命，都要靠道長保護。」
巢南子點點頭，道：「姑娘說得是。」
且說江曉峰聽得青萍子一番話後，好奇之念大動，暗自盤算道：「如若來的是天道教中人，這茅舍中一十八位武林重要人物，都正在無抗拒之能的休眠狀態中，處境就險惡無比，我如能把他們引開，豈不是可減少了他們的危險。」
心中念轉，藉兩人談話的機會，悄悄地溜了出去。

江曉峰穿過樹林，四下望去，只見夜色深沉，那閃轉的綠光，也消失不見。

江曉峰爬上一棵大樹，凝神回顧良久，仍不見那綠光重現，正待轉回茅舍，瞥見十丈左右處，暴射出一道綠光，直向五丈外一處草叢射去，這次，距離較近，綠光也較明亮，看得也較清楚，隱隱中，那飛起的綠光間，有一個很大的黑影。

江曉峰暗自盤算那綠光飛行的距離，約有四丈左右，如若那是一個人，其輕功已算達登峰造極之境。

奇怪的是，那綠光落入草叢之後，就像隱失一般，不再發出光芒。

一陣夜風吹來，樹梢草叢，發出了輕微沙沙之聲。

江曉峰心中暗道：「看起來，那綠光似乎是一種特殊的記號了，我得趕去瞧瞧。」

就在他心念初動，準備趕去瞧看之時，那綠光突然又暴射而起，飛向另一處草叢之中。

緊接著，響起了一陣金鐵交鳴，和一聲斷魂般的慘叫。

那慘叫聲音極爲短暫，顯是一擊而中要害，即時斃命。

江曉峰倒抽了一口涼氣，暗暗忖道：「好厲害的武功，原來，那綠光飛躍撲去之間，是在殺人，適才只是綠光閃動，不聞人呼叫之聲，可能是被殺之人無機會呼叫出口了。」

一念及此，心中大大的一震。

原來，他忽然想到了，那飛起的殺人綠光，如若是敵人，不但已近茅舍，而且武功高強得出奇。

江曉峰握著劍柄，一時間呆在當地，不知道如何處置是好。

但聞一陣窸窣之聲，那綠光最後殺人，落足的草叢之中，忽然間站起了一條人影，直向江曉峰停身之處行來。

江曉峰長劍出鞘，目注來人，暗作戒備。

這時，風吹雲散，天上星光閃爍。

借微弱的星光望去，只見來人一身羅衣，在夜風中不停地飄動。

星光的照射下，偶爾，閃起一片似是翠綠的光輝。

那人影行近江曉峰停身七、八尺處，突然停了下來，抬頭望著江曉峰隱身所在出神。

顯然，來人有著過人的目力，已然發覺了江曉峰藏身在樹上枝葉之間。

奇怪的是，他不出手施襲，似是在兩人之間，有一道分隔兩人的無形力量。

江曉峰放大了膽子，凝目向來人全身打量。

夜色中，仍見她臉上白淨的肌膚，長長披肩的秀髮，一雙白手，抱著兩尺長短的兵刃，那兵刃爲一片黑色的東西蒙遮，照不出是刀是劍。

陡然間，江曉峰心中大明，來的是十二金釵中人。

江曉峰已知那十二金釵的厲害，看上去美豔無比的麗人，事實上卻是殺人不眨眼的魔星，那等人間鬼域的生活，想起來更是叫人心生寒意。

江曉峰突然感覺到，那兩道逼射過來的目光，愈來愈強，有如冷電露刃一般。

同時，那長髮女子的雙手也開始舉動，舉起了手中的兵刃。

那是一柄寬寬的刀，藏在一個黑色的刀鞘之中。

江曉峰本能地感覺到，那女子就要攻擊，心中大爲緊張，唰的一聲，抽出了長劍。

忽然，劍芒一閃，電射而至，直撲向江曉峰的停身之處。

江曉峰暗中咬牙，手中長劍展佈一片護身的劍光。
金鐵交鳴聲中，挾著一片斷木飛葉之聲。
同時，江曉峰感覺到強大的衝擊之力，直逼過來，身不由己地從樹上跌向實地。
那力道太過強猛，有如排山倒海一般，強大的逼撞之力，使得江曉峰無法運氣穩住自己的身子，蓬然一聲直摔在地上。
那飛旋綠芒破空而下，直點江曉峰的前心。
那是人身的要害所在，如經刺中，勢非當場斃命不可。
正在危急關頭，突聽遠處傳來一聲尖哨，綠光竟立刻改爲收勢。
那綠光來勢快，收勢亦快，掠著江曉峰前胸一閃而過。
這不過一眨眼的工夫，江曉峰已兩世爲人。
定神看去，只見那長髮女子就站在他身旁，臉上帶著微笑，長髮、羅衣，在夜風中飄動。
她神態清閒，似是剛才那石破天驚的一擊，完全和她無關一般。
再看她手中的兵刃，早已返回那黑色的刀鞘之中。
只聽一聲嬌呼，傳了過來，道：「是江郎麼？」
隨著那呼聲，一個人影疾如流星一般，急撲而至。
江曉峰不用瞧看，只聽聲音，已知來人是藍家鳳。
藍家鳳靠近了江曉峰的身側，蹲下身子，道：「江郎，你無恙麼？」
江曉峰掙扎坐起，道：「毫釐之差，就要了我的性命，你又救了我一次。」
藍家鳳長長吁了一口氣，右手連搓，做了兩個奇怪的手勢。

那長髮少女笑一笑，忽的轉身一躍，人已消失在夜色之中。
藍家鳳一把抱著江曉峰，道：「好險啊！我如晚來了一步，就造成了終身大憾。」
一面說話，一面把嬌軀偎入了江曉峰的懷中。
江曉峰伸動了雙臂，把長劍還入鞘中，道：「鳳兒，你已學會指使十二金釵的方法？」
藍家鳳道：「幸好我學會了。」
江曉峰笑道：「這是我的運氣好，如是你沒有學會，我早已身首異處了。」
藍家鳳臉色一冷，道：「運氣的事，不可仗恃，你覺著很好玩麼？」江曉峰看她臉含薄嗔，微帶怒意，別有一種嬌媚之態，不禁微微一笑，道：「夜色幽暗，她們來往之間，只見一道綠光，引人奇怪……」
藍家鳳越聽越火，怒聲接道：「你還笑得出來！如是我來晚了一步，現在我抱的不是你，而是一具血淋淋的屍體，你這樣不知自惜，實在叫人痛心得很。」
忽然想到，自己很快就要為保全自己的名節，自絕而死，不禁悲從中來，放聲哭了起來。
這一哭，有如江河潰堤，直哭得哀哀欲絕。
江曉峰目睹藍家鳳哭得像淚人一般，不禁心中大急，叫道：「鳳兒，你不要哭啊！有什麼話慢慢地說，我以後不再涉險就是。」
江曉峰連呼數聲，不聞那藍家鳳回答之言，頓感手足無措，不知如何應付才好。
靜夜中，藍家鳳那嗚嗚咽咽的哭聲，淒涼哀婉，有如杜鵑啼血。
江曉峰正感六神無主之際，突聞一個柔細的聲音，傳入了耳際，道：「緊緊的抱住她，用嘴堵住她的嘴巴，她就哭不出來了。」

江曉峰怔了一怔，細辨那聲音正是由方秀梅所發，暗忖道：「方姊姊是女人，大約她出的主意總不會錯。」

心中念轉，手上就照著所教行動，右手一圈，抱住藍家鳳的柳腰，把藍家鳳整個的上半身，搶入了懷中。

藍家鳳被他用力一抱，頓覺心頭一震，停住了哭聲，還未來得及喝問，江曉峰已然照方抓藥，把嘴巴給堵了上去。

藍家鳳嗯嚶了一聲，再也發不出第二音，同時在江曉峰火燙般的雙唇堵擊下，眼淚已被擋了回去，再也哭不出來。

這位姿色絕世，人間第一美女子，感覺到江曉峰那強有力的雙臂，幾乎要抱斷了自己的柳腰，抱得她全身力脫，全無反抗之能，整個的人，軟癱在江曉峰的懷抱之中。

良久之後，江曉峰才移開雙唇。

藍家鳳眨動了一下圓圓的大眼睛，長長吁了一口氣，道：「你一點也不懂憐香惜玉。」

江曉峰尷尬一笑，道：「這是緊急的應變之法，先使你停止哭泣，以後的事，慢慢再談。」

藍家鳳望望天色，一躍而起，道：「糟了，我沒有時間和你談啦！」轉身一躍，消失在夜色之中不見。

江曉峰急急叫道：「鳳兒，鳳兒……」

遠遠地傳來藍家鳳回應之聲，道：「我有重要的事，有什麼話，我們以後再談。」

靜夜中，但聞江曉峰呼叫回應之聲傳來，卻不聞藍家鳳回答之言。

四五　金頂丹書

這當兒，突聞身後傳來了一聲嬌笑，道：「不用叫了，她已經去遠了。」
江曉峰回頭看去，只見方秀梅臉上帶著盈盈的笑意，負手而立。
江曉峰一抱拳，道：「多謝姊姊指教，小弟簡直是束手無策了。」
方秀梅道：「鳳姑娘剛才哭得如梨花帶雨，看情形，她耳目似已失了靈敏，大約她沒聽到我用傳音術告訴你的話……」
語音微微一頓，接道：「兄弟，有一件事，你要牢牢記住。」
江曉峰道：「什麼事？」
方秀梅道：「我教你的事，決不能洩漏出來，一口給鳳姑娘知道了，不但對姊姊不好，對兄弟你也有點不利。」
江曉峰感覺出她說話的心情，十分沉重，但卻不明白她的用心何在，怔了一怔，道：「姊姊，恕小弟不懂姊姊的話。」
方秀梅道：「你自然不懂，因爲我還沒說清楚……」
語聲一頓，接道：「藍姑娘，哭得很哀傷，而且我瞧到她有著一種任憑擺佈的用心，這和她的性格、爲人，都有些不大相同。」

江曉峰沉吟了一陣，道：「姊姊，小弟還是不大明白。」

方秀梅道：「那麼姊姊就再說清楚一些吧！一個人突然間，性格大變，定然有著特殊的原因，藍家鳳那哀哀欲絕的哭聲，正是她內心中有著痛苦的表現，流露出她的心意。」

江曉峰啊了一聲，道：「她的心意是什麼呢？」

方秀梅道：「就姊姊的感覺而言，那是種生離死別的感傷。」

江曉峰道：「生離死別？這個有些不太可能吧！」

方秀梅笑笑，道：「姊姊沒有神算子王修那等斷事的智慧，我只是憑藉經驗覺察所得，但姊姊的話，也並非完全是空穴來風，所以，你要多多留心一些，也許能夠找出些蛛絲馬跡來。」

江曉峰點點頭道：「姊姊既然如此說，小弟此後留心一些就是。」

方秀梅輕輕咳了一聲，道：「適才那些飛閃的綠光，是些什麼東西，你瞧到了沒有？」

江曉峰道：「瞧到了，是十二金釵，這些人武功極高，奔行如飛，那綠色的光芒，也就是她們施用的兵刃。」

方秀梅不知十二金釵的事，聽得微微一怔，道：「十二金釵？是何許人？」

江曉峰道：「十二個女人，在一種特殊的藥物，和神秘的訓練之下，打破了一個人體能的極限，有著超越的成就。」

方秀梅道：「你是否能說得更爲詳細一些？」

江曉峰略一沉吟，把十二金釵的內情，簡明扼要地說了一遍。

以方秀梅閱歷之廣，見識之多，也聽得愕然半晌，才緩緩說道：「有這等不可思議的事！」

江曉峰道：「小弟親身所歷，親目所見，自然是不會錯了。」

方秀梅道：「這十二金釵是否由藍姑娘所統率？」

江曉峰道：「原來是藍夫人留下的一支對付藍天義的伏兵，但卻因用人不當，如今已掌握在韋剛的手中，不肯交還給鳳兒，以後如何演變，現在還無法預料。」

方秀梅正待答話，突聞一陣步履之聲，傳了過來。

江曉峰橫劍平胸，喝道：「什麼人？」

但聞一個熟悉的聲音應道：「是江少俠麼！在下王修。」

江曉峰一抱拳，道：「老前輩，見過韋剛了麼？」

王修點點頭，道：「不但見過了韋剛，而且我還見過了藍姑娘……」

王修放低了聲音，接道：「兩位，我們裏面談談，我還有事情和兩位商量。」一面說話，一面轉身向前行去。

直走到池塘旁側，才在一塊空廣的地上停下，道：「我們這裏談話可以避人耳目，防人偷聽。」

王修輕輕咳了一聲，道：「你們看見那閃飛的綠光麼？」

江曉峰道：「看到了，是十二金釵用的兵刃。」

王修道：「不錯，藍天義不知道派了有好多人來，準備在暗中對我們施下毒手，但卻大部死於那十二金釵之手。」

方秀梅道：「原來如此。」

王修道：「目下情景，是那藍天義連番折損人手之後，是否會影響到他的行程。」

方秀梅道：「藍天義現在何處？」

王修道：「藍姑娘手下探得了消息，藍天義親自率領了十餘位高人，停身在二十里外，不知是在休息呢？還是等人？唉！原來擔心的是藍天義不來，但眼下又擔心他來得太快了。」

江曉峰道：「可是那韋剛還沒有準備完成？」

王修道：「十二金釵已然出動，初試銳鋒，效果奇佳，她們隨時可以出動迎敵，問題是我們……」

江曉峰問道：「我們有什麼事？」

王修道：「你方姊姊約來的人手，都還體能未復，如若藍天義突然而來，這一戰，全都要靠十二金釵之力了。」

江曉峰道：「那有什麼不對呢？」

王修沉吟了一陣，道：「個中的局勢，十分微妙。十二金釵雖然個個身負絕技，可以信託，但她們究竟是初度和人動手，能有什麼結果，連韋剛也無法預料……」

江曉峰接道：「老前輩和韋剛談過了？」

王修道：「沒有，我只是從察顏觀色中，瞧出了他心中之秘罷了。」

三人一面談話，一面起身向茅舍行去。

王修道：「最好的法子是，能使那藍天義耽誤一些時間再來……」

長長吁了一口氣，停了腳步，卻用極低微的聲音說道：「韋剛雖知十二金釵武功高強，但他並無絕對的信心，以十二金釵對付整個天道教數百高手的決戰。再說此人野心勃勃，如若全仗十二金釵之力，搏殺了藍天義和天道教中高手，韋剛趾高氣揚之下，必生變故。」

江曉峰、方秀梅，都聽出他話後有話，但卻想不出用心何在？

沉吟了片刻，方秀梅才笑一笑，道：「王兄，不用考我們了，你有話，儘管說出來吧！」

王修神情肅然，道：「我們在這一次搏鬥中，不但要對付那藍天義，而且還要對付韋剛，這是一場心機、武功並用的火併。我們殺了一個藍天義後，不能再培養一個藍天義出來，我們要在這一場混戰之中，一舉間，殲滅藍天義和天道教中高手，一方面還要想法子制服韋剛。」

方秀梅皺著眉頭道：「如若被那韋剛瞧出來，那不是逼他與藍天義聯手麼？」

王修道：「所以，此事要絕對機密，除了我們三人之外，最好不要讓別人知曉。」

方秀梅道：「如何對付韋剛，王兄想必已胸有成竹了？」

王修搖搖頭，道：「沒有，這還要臨機應變，當場決定。兩位心中明白就是！」

這時，已然接近了茅舍，巢南子由暗影中閃了出來，道：「是三位？」

王修搶前一步，道：「茅舍中群豪的情形如何？」

巢南子道：「一個個沉睡如故，身懷武功之人，睡到這等模樣，貧道還是初見。」

王修輕輕歎息一聲，道：「照說，他們能有三、四時辰的沉睡，應該能回復七成體能……」

方秀梅搖搖頭，接道：「不行，小妹曾見一睡三日不吃不喝的人。他們太累了，必得有一番好好的休息。照小妹的看法，如若要他們完全恢復到十成武功，只怕得十二個時辰以上……」

突然一聲喝叱，傳了過來，道：「什麼人？」

巢南子飛身而起，直向那喝問處撲了過去。

江曉峰道：「老前輩，我們也過去瞧瞧。」

語聲甫落，耳際間響起一個嬌滴滴的聲音，道：「我要求見江少俠。」

王修聽音知人的功夫，亦有過人之能，急急說道：「是七燕姑娘，快些請她過來。」

但聞步履聲響，巢南子帶著一個青衣勁裝的少女，緩步行了過來。

七燕此刻已和過去大不相同，她身上的禁制，已爲藍家鳳所解除，恢復了少女應有的天真、活潑，蓮步姍姍地行近了江曉峰道：「姑娘吩咐小婢，交給少俠一物。」

江曉峰道：「什麼東西？」

七燕道：「小婢不知。」

舉手伸入懷中，摸出了一個薄薄的白綾小包，遞向江曉峰。

江曉峰接過白綾包裹，在手中掂了一掂，覺著分量甚輕。

七燕微微一笑，道：「這東西剛由藍姑娘遣派之人送來，姑娘囑咐小婢，要江相公善爲保存。」說完話，也不待江曉峰答語，轉身大步而去。

江曉峰心中奇怪，隨手打開。

王修想待阻止，已自不及。

巢南子、方秀梅，都有著同樣的好奇之心，忍不住低頭看去。

星光雖很微弱，但這幾人都有著過人的目力，仍然看得十分清楚。

只見兩本絹冊，重疊而放，第一本羊皮封面上，寫著「金丹頂書」四個金字。

江曉峰萬萬沒有料到，藍家鳳竟然會把金頂丹書送來，不禁為之一呆。其實，愣然一愣的，何止那江曉峰一人，就是巢南子、方秀梅連同王修，陡然目睹到這本武林奇書，亦不禁為之一呆。

巢南子心頭震動，右手一鬆，手中長劍，突然落地，口中喃喃自語，道：「金頂丹書！那下面的一本冊子，難道是天魔令？」

王修輕輕咳了一聲，雙手齊出，包好了白綾，道：「道長，方姑娘……」伸手把白綾包裹，交給江曉峰收好，沉聲說道：「兩位已然都看到了，但在下希望兩位都能夠守口如瓶，不能把此事洩露出去。」

方秀梅道：「這一點，王兄可以放心，小妹決不會漏出一字。」

巢南子伸手撿起長劍，還入鞘中，道：「貧道突見這禍害天下的奇書，一時無法控制激動之情，還望三位見諒，至於這件機密，貧道定會嚴格遵守，如若由貧道口中洩漏出去，要我死於亂劍之下。」

江曉峰道：「道長不洩此機密，也就是了，用不著立此重誓。」

王修笑一笑，道：「此刻，我們需愈冷靜愈好，須知，現在我們再走錯一步，又可能為武林帶來了後患風波。」

江曉峰突然接道：「老前輩，這東西放在我身上，使在下有著如負千斤、舉步維艱的感覺。」

王修沉吟了一陣，道：「那你準備如何處置呢？」

江曉峰雙手舉起白綾布包，道：「老前輩和方姊姊，都是最可信託之人，這東西就給兩位保管吧！」

王修也不推辭，伸手接過，道：「在下暫時代你收存，俟過了這場大戰之後，在下原物奉還。」

語聲一頓，接道：「三位請入茅舍小坐，在下隨後就到。」

巢南子、方秀梅都知曉他要找地方藏起金頂丹書，應聲舉步向茅舍行去。

三人行入茅舍，只見室中群豪，全部仍沉沉昏睡不醒。

片刻之後，王修已自行了回來，低聲說道：「巢南子道兄，室外的防守如何？」

巢南子答道：「貧道調來了三個弟子，分守三個方位。」

王修道：「好，我們還有時間，可以商討一下對敵之策。」

方秀梅道：「用不著商討了，王兄一個人想，我們照吩咐行事。」

王修道：「諸位這麼相信在下，在下只好多用一些心思了。」

語聲一頓，接道：「首先，這室中有一十八位高手，方姑娘把他們分做三隊，每隊六人，盡量實力平均。」

方秀梅道：「這一點小妹負責，不勞王兄費心。」

江曉峰似是突然想起了，十二金釵手中的那閃動綠光的兵刃，插口說道：「兄弟想請教王老前輩一事，那十二金釵用的什麼兵刃，何以會閃動綠色光芒？」

王修道：「在下也無法具體說出，不過，可以想到那種綠光和兵刃的本身無關，可能是韋剛故意設計的。」

只聽一陣哈哈大笑之聲，傳了過來，道：「王兄素有神算子之稱，這一次，怎麼沒有算對了？」

笑聲起自遠處，說話時，人已到了茅舍門口。

江曉峰、巢南子雙雙躍起，道：「什麼人？」

王修急急攔住兩人，道：「是韋兄麼？快些請進。」

只見人影一閃，韋剛已出現室中。

只見他穿著一身黑衣，手中拿著一柄兩尺以上，比一般刀劍稍寬一些的兵刃。

那兵刃套在一個黑鞘中，再加黑色的把柄，不注意，就很難看得出來。

江曉峰一眼之間，已瞧出韋剛的兵刃，正和十二金釵施用的一般模樣，急急說道：「就是這樣的兵刃。」

韋剛揚了揚手中兵刃，道：「不錯，就是這種兵刃，這兵刃，世間只有十三件，十二金釵各執一件，區區也用此物。」

王修神情凝重地道：「這兵刃是韋兄設計的了？」

韋剛笑一笑，道：「這是兄弟設計打造而成。」

王修道：「定然是一種傑出的兵刃，不知這兵刃叫什麼名字？」

江曉峰、巢南子、方秀梅，陡然間都想到了那「金頂丹書」的事，這韋剛不早不晚地趕來，也許和「金頂丹書」有關。

韋剛揚手笑一笑，道：「這叫翠玉刀，用一塊堅硬的翠玉，鑲上鋒利的鋼鐵刀刃，兄弟又在刀刃上塗了綠色螢光和劇毒，夜晚刀刃出鞘，就自會生出一種閃動的綠光。」

王修啊了一聲，道：「原來如此。」

韋剛呵呵一笑道：「白晝之間，施用這種翠玉刀，另有妙用。明日，諸位就可以看到，恕在下不再多解說了。」

他雖然把翠玉刀解說得十分詳細，但卻始終未把刀刃拔出，給幾人瞧看。

韋剛目光轉到了王修的臉上，笑道：「王兄，兄弟想請教一件事。」

王修道：「不敢當，韋兄只管指教。」

韋剛說道：「藍姑娘身側有個丫頭，似乎是剛剛來過。」

江曉峰、方秀梅、巢南子都聽得一怔，心中暗道：「要來的終於來了，不知王修準備如何應付。」

但見王修淡淡一笑，道：「來過，她叫七燕。」

韋剛沉吟了一陣，接道：「他是來找王兄的麼？」

王修道：「正是來找在下。」

韋剛道：「王兄可否告訴在下，她和王兄說了些什麼？」

王修道：「轉達藍姑娘兩句話，藍姑娘說，要在下設法使這些人早日恢復體能，以便相助韋兄一臂之力。」

韋剛哈哈一笑，道：「藍家鳳當真會這樣的關心我麼？」

王修道：「那七燕姑娘是這樣轉達藍姑娘的話，至於是真是假，在下就不清楚了。」

韋剛臉色一變，冷冷說道：「王修，你如再說一句謊言，我立刻取你性命。」

王修冷冷一笑道：「在下說的是十分真實之言，韋兄不信，那就只好請你去問問藍姑娘了。」

源。」

韋剛乾笑兩聲，道：「就算你說的是真話吧！」

目光轉動，掃掠了多星子等群豪一眼，接道：「但在下用不著這些人參加助拳了。」

王修微感意外地怔了一怔，道：「那麼，韋兄的意思呢？」

韋剛道：「武林中之所以紛亂，就是因爲人多之故，多殺一個人，就可能消滅去一個亂源。」

王修眉頭微皺，默默不語。

韋剛繞著沉睡的群豪走了一圈，道：「在下之意，把他們全部殺了。」

方秀梅大吃了一驚，道：「什麼？」

韋剛道：「在下說得很清楚，方姑娘應該聽得很清楚。」

哈哈一笑，道：「不過，區區再說一次也不要緊。在下覺著這些人活在世上，不但未能對武林大局有助，而且日後很可能在江湖上搗亂生事，不如趁他們此刻無抗拒之能，下手把他們一鼓而殺，以絕後患。」

方秀梅搖搖頭，道：「這些人，都是武林中的仁義之士，他們爲了抗拒天道教，傾家蕩產，轉戰經年，能夠留下性命，百不得一。他們未死於藍天義所率領的天道教中高手，而是要死在自己人的手中，而且殺他們的時機，又是在他們全無抗拒之能的環境，實叫他們死難瞑目。」

韋剛冷笑一聲，道：「就算他們死爲厲鬼，也是找我韋剛報仇，和諸位關係不大，諸位請聽在下之命。」

王修、巢南子、江曉峰都聽得心中又驚又怒，但幾人亦明白，小不忍則亂大謀，不到非要動手不可的情景，就忍著不動。
方秀梅覺著這些人，都是隨同自己而來，他們的安全，自己自是責無旁貸，當下說道：「如是我活著，決不容許閣下殺人。」
韋剛道：「那簡單，區區先殺了姑娘，再殺他們不遲，姑娘爲保護他們而死，這些人也可死得瞑目了。」
這等殘忍、冷酷之言，從他口中說出，輕輕鬆鬆，數十條人命，似乎是一點也不算回事。
方秀梅淡然一笑道：「閣下如是非殺他們不可，那只有先取我之命了。」
韋剛冷笑道：「姑娘慷慨赴死的精神，叫在下好生佩服。」
口中說著話，右手早已緩緩舉起，大有立刻動手之意。
方秀梅後退一步，唰的一聲，拔出長劍。
韋剛神情冷漠地道：「讓你三招，出手吧！」
王修一拱手，道：「韋兄……」
韋剛道：「怎麼了，你也準備插一腳麼？」
王修道：「不是這意思，大敵當前，勝負難料，咱們正是同仇敵愾之時，如今還沒和敵人動手，先鬧一個自相殘殺，實爲不祥之兆。」
一面暗中示意方秀梅多多忍耐。
韋剛道：「對付天道教，包在區區一人身上，用不著他們幫手，再說，這些人也無能爲力，實是留之無益，殺之也不可惜。」
王修道：「韋兄統率的十二金釵，個個身負絕技，在下等都已見識過了，不過，一場決戰之後，傷亡累累，必須要有人清理戰場，這些人可勝任愉快。」

韋剛道：「這些事，自有藍家鳳手下巫山門中人料理，用不著他們。」

王修笑一笑道：「這些人的武功，在韋兄的眼中，何堪一擊，等他們清醒之後，如若確有可疑之處，那時，只要韋兄一聲令下，片刻之間，就可以全數殲滅，實也用不著現在殺他們。」

韋剛沉吟了一陣，道：「這話倒也有理！」

王修道：「韋兄大度，在下十分感激。」

韋剛笑一笑，收了掌勢，道：「好！就暫時放過他們！」言罷，轉身而去。

方秀梅目睹他離去之後，才長長吁一口氣，還劍入鞘。

王修雙手示意，不要他們講話，舉步行出室外，抱拳說道：「韋兄慢走，恕兄弟不送了。」

只聽一陣哈哈大笑之聲，道：「不敢有勞王兄。」

笑聲逐漸遠去，消失不聞。

王修回身入室，淡淡一笑，道：「方姑娘身處矮簷下，不能不低頭，希望姑娘忍耐些。」

方秀梅道：「我是久歷滄桑的人了，這一點委屈又算得什麼呢？」

江曉峰怒形於色地道：「這韋剛如此狂妄，實是叫人難以忍受。」

王修道：「不能忍受也得忍受，目下情景，咱們是非得忍受不可，江少俠，需知心懷大謀者，必得忍受小氣。」

江曉峰道：「在下明白，如是在下忍受不下，剛才早就出手了。」

這時突聞一個低沉的聲音，傳入耳際，道：「韋剛這人變得如此桀驁，必有所恃了。」

群豪轉頭看去，只見那說話之人，竟是崑崙名宿多星子。

這時，室中已經點起一支火燭，火光下看得十分清楚。

只有他臉上微泛紅光，疲累之容，竟已完全消失。

王修一抱拳，道：「是的，韋剛所仗的是十二金釵。」

多星子疑惑地道：「十二金釵？那是些什麼樣子的人物？」

王修道：「十二個女人，個個身負絕技，不過，個中內情十分複雜，一時之間無法說得清楚，來日方長，以後有便，在下自會詳爲奉告。」

言下之意無疑是說明，不讓那多星子問下去。

多星子點點頭，重又閉上雙目。

燈光下，只見他臉色紅光，逐漸消失。

顯然，他的疲倦並未完全消失，只是他內功深厚，已然清醒過來，暗自運氣調息，適才臉上的紅光，是暗中運氣戒備之故。

如若剛才，方秀梅真的和韋剛打了起來，多星子必然將起而相助。

王修輕輕咳了一聲，道：「方姑娘，有沒有一種辦法，能使他們提前恢復體能？」

方秀梅道：「小妹無法。」

王修道：「藍天義已在附近，隨時可以率人攻來，韋剛只要不下令十二金釵保護，我們這些人就用不著他下手了。」

方秀梅愣了一愣，道：「王兄，那得想個法子，延遲藍天義的攻勢才成。」

王修搖搖頭，道：「沒有法子，目下，咱們的死亡成份很大，韋剛雖然一時之間，被我拿話扣住，但他如若真有殺咱們的用心，他可以設法引藍天義殺了咱們，他再下令十二金釵替咱們報仇，這是一石兩鳥之計，那時天下自然無力再反抗韋剛了，藍姑娘也會不責怪他了。」

巢南子道：「王兄高見不錯，那韋剛有先殺咱們以除後患之心，很可能設法引來天道教中人，咱們縱無十二金釵相助，非其敵手，但也不能坐以待斃啊，總該想一個拒敵的法子才成。」

王修微微頷首，卻默默不語。

江曉峰從王修和方秀梅的言語之中，已了然了部份內情。觸類旁通，使得江曉峰突然回想到，藍家鳳那人生苦短、尋樂及時的暗示，猜測剛才她那等傷心欲絕的悲痛，難道她是爲形勢所迫，答應了韋剛什麼條件，卻又先和自己神前交誓，先證嫁盟，準備日後殉情盡節？

心念及此，頓覺心神震顫，冷汗淋漓而下。

王修似是一直在暗中留神著江曉峰的舉動，看他忽然汗水滾滾，身軀也微微抖動，立時搶先說道：「江少俠，藍姑娘的處境十分爲難哩！」

江曉峰心中有千言萬語想問王修，但王修搶先說話，及時搶盡了先機主動。

江曉峰道：「我明白了。」

王修道：「那很好，江少俠能夠體諒到藍姑娘的處境，就應該成全她。」

江曉峰怔了一怔，道：「成全她什麼？」

王修道：「挽救武林危亡的博大心願。」

江曉峰長長吁了一口氣，道：「唉！老前輩覺著我該……」

王修看他的激動情緒，逐漸地平復下來，低聲說道：「暫時不可和韋剛衝突，見著韋剛和藍姑娘同處一起，必需忍耐心中的痛苦，裝出若無其事的神態。」

江曉峰道：「這很難。」

王修接道：「我知道，所以，在下要先和你說個明白，使你心裏早已準備，臨場之時，才能夠保持著鎮靜。」

江曉峰道：「老前輩，那韋剛和藍姑娘之間，可有些什麼承諾？」

王修輕輕咳了一聲，道：「這個麼？在下也不太清楚，不過，有一點十分明顯。」

江曉峰道：「哪一點！」

王修道：「韋剛苦追藍姑娘，那是不會錯了，藍姑娘爲了目下的處境，不得不應付韋剛，所以，江少俠必須要多多忍耐……」

語聲一頓，低聲說道：「江少俠，咱們要保存這十八個人的性命，也要維持著和韋剛的關係，眼下是三方面的力量，咱們這一方面的力量最弱，所以，現在咱們的處境，不是比武功，也不是比機智，而是比忍耐功夫……」

江曉峰道：「藍姑娘她是哪方面的人呢？」

王修道：「藍姑娘是咱們的人，表面上裝起來，她和韋剛更近一步。」

江曉峰沉吟了一陣，道：「我有些明白了。」

王修道：「明白了，那就好，有很多事，只能意會，不談言傳。」

輕輕歎息一聲，接道：「目下的情形很明顯，也很微妙，如若是咱們錯了一著，不但我們的生機渺茫，而且連這十八位武林高手，和這些代表武林正義的力量，都將於旦夕之間，毀滅淨盡。也許現在這些人，還不是武林中最後一批的正義之士，但他們已是江湖中僅餘的代表性人物，再想找這一批人來，只怕是千難萬難。再說，除了藍姑娘、我們、韋剛之外，天下再沒有任何一個武林幫派，能夠勝過天道教的了。」

江曉峰黯然接道：「晚輩明白了，老前輩不用再解說下去。」

王修道：「那很好，江少俠能夠忍耐，咱們就成功了一半……」

神情突然間，轉變得十分嚴肅，慢慢說道：「在這次搏鬥之中，誰也無法預料到生死的事，如若在下不幸死去，諸位請找到我的屍體，仔細地查看一下。」

江曉峰、方秀梅、巢南子，心中都明白王修言中之意，說明他在身上某一處，必指明了那丹書、魔令的收藏之地。

方秀梅輕輕咳了一聲，道：「我們都明白了，不過，我們最好是不要死，所以，眼下最重要的事情是，設法防止那韋剛的詭計得逞，別讓藍大義率人到此。」

江曉峰道：「在下的看法，那十二金釵確具有無與倫比的威力，如若韋剛存心防止，必可拒擋住藍天義提前到此。」

王修點點頭道：「不錯，諸位小心一些，在下再去求見藍姑娘，只有藍姑娘有能力影響韋剛。」言罷，轉身而去。

方秀梅目睹王修去後，熄去室內火燭，低聲對巢南子道：「道兄請前去安排一下，約束貴派中的人，要他們多多小心謹慎。」

巢南子點點頭道：「不錯，咱們現在不得有一點錯誤，任何一點小錯，都可以鬧得全軍覆沒。」舉步向外行去。
方秀梅輕輕一扯江曉峰的衣袖，道：「兄弟，咱們也到外面談談。」當先向外行去。
江曉峰緊隨在方秀梅的身後，行到室外，道：「姊姊，你要和我談什麼？」
方秀梅坐下身子，拍拍身邊的草地，道：「你坐下來。我問你，你是不是很難過？」
江曉峰搖搖頭，道：「藍姑娘爲了武林正義，她應該和韋剛結成夫婦，小弟也已想通了……」
方秀梅道：「你想是想通了，但你卻想錯了。」
江曉峰道：「兄弟哪裏錯了？」
方秀梅道：「藍姑娘對你的情意，姊姊已親耳聽到，親眼看到，不用你說了。不過，這中間還有一點問題，姊姊要和你仔細地談談。」
江曉峰怔了一怔，道：「什麼問題！」
方秀梅道：「姊姊是女人，對女子，自然是了解得深刻一些。一般的女人，依靠男人，所謂妻隨夫貴，嫁雞隨雞，但藍家鳳這樣的女孩子，就不能以常情來測度了。」
江曉峰道：「小弟洗耳恭聽。」
方秀梅道：「就姊姊所見，藍家鳳對你用情極深，所以，她在苦心求全。至於她詳細的打算，姊姊無法預測，不過原則如此，大約是不會錯了，兄弟，如把你和藍家鳳之間的事情，說給姊姊聽，姊姊也可以做一些細節上的推斷。」
江曉峰道：「好！小弟盡告內情。」
當下，把藍家鳳帶他到廟前立誓，甚至把藍家鳳挑逗之意，都講了出來。

他說得很詳細，方秀梅也聽得很入神。

直待江曉峰說完了全部經過之後，方秀梅才笑一笑道：「我的傻兄弟，她那般明顯的示意於你，你難道還不懂。」

江曉峰道：「事後小弟想一想，自然是明白，但小弟縱然是很明白，也不能傷害到藍姑娘貞操。」

方秀梅道：「藍家鳳對你傾心相愛，這也許是一個重要的原因。如是換了一個輕薄浪子，說不定你早被藍姑娘視做了陌路蕭郎……」

神情突然間轉變得十分嚴肅，接道：「兄弟，你知道藍姑娘的打算麼？」

江曉峰道：「小弟不明白。」

方秀梅道：「姊姊告訴你，唉，這些話姊姊本也不好出口，好在姊姊這一生也不準備嫁人，如若在這場搏鬥之後，我還能活著，吃過了你和藍姑娘的喜酒，姊姊我就要剪落三千煩惱絲，遁入佛門，過後半世清靜的生活。」

江曉峰怔了一怔，道：「姊姊，你這又是何苦？」

方秀梅道：「姊姊是苦命人，中間的原因很多，但這無關緊要，咱們以後再談，目下要緊的是藍姑娘，她帶你小廟立誓，山神爲媒天作證，下了必要時殉情之決心，剛才差小婢送過來丹書、魔令，更證明她此心極堅。」

江曉峰道：「這……」

方秀梅長長吁一口氣，道：「聽姊姊把話說完，至於她沿途示意於你，雖非是深作思量的決定，但也是一片真心，她不會讓自己在人間白走一趟，所以，要把清白之身奉獻給她心目中的情郎，你們既已訂下終身，縱然先行開張，也不算太過逾禮。」

江曉峰歎息一聲，道：「這是否和韋剛有關？」

方秀梅道：「自然是有，韋剛以控制十二金釵之力，威脅藍家鳳屈從於他，如若藍家鳳不允此事，他只要置身事外，藍天義就可一鼓作氣，消滅了武林中僅存的正義之士。那時縱然有一位天生才人，能夠搏殺藍天義，恢復武林大局的平靜，但武林中仍將留有後患。所以，藍姑娘必須借重韋剛。」

江曉峰道：「鳳妹本有殺死韋剛的機會，但她卻輕輕放過。」

方秀梅道：「那就更得佩服她了。她小小年紀，不以自己的好惡爲念，能以天下大局爲重，這等明月胸懷、松柏風標，更應爲武林同道敬重。」

神情忽然間，變得十分嚴肅，接道：「兄弟，你也應該這樣想，眾體爲重，個人爲輕，你要幫助藍姑娘，成就她的心願。」

江曉峰道：「如何幫助她？」

方秀梅道：「裝聾作啞，視若無睹。須知藍家鳳委身從賊，胸腹滿是悲憤怒火，兄弟你再在旁邊一加油，勢必要引出一場大火併，不論你們勝或是韋剛勝，藍天義是坐收漁人之利，整個武林，卻要淪入那藍天義的控制之下。所以，你一定要幫助她，使她能夠平心靜氣，運籌帷幄。」

江曉峰道：「那韋剛也不是一個好人，搏殺藍天義，擊潰了天道教，扶起一個韋剛，對武林又有何益。」

方秀梅道：「兄弟，你難道還沒有瞧出來麼？王修已經說得很明顯，目下有三股力量，藍天義、韋剛和我們，而以我們這一環最弱。幸好我們有一個王修，用才智填補了武功上的均勢，但我們還須配上一個忍字，敵強我弱，非忍不可。也幸好有了一個美麗絕倫的藍家鳳，挑起兩惡相搏，以毒攻毒。」

談話之間，響起了一陣步履之聲。

江曉峰一躍而起，道：「什麼人？」

耳際間，響起了王修的聲音，道：「我。」

江曉峰道：「見過了藍姑娘麼？」

王修道：「見過了，藍姑娘要我轉告江少俠幾句話。」

江曉峰道：「什麼話？」

王修道：「貴相知己，白璧無暇。如遭無辜，緣結來生。」

江曉峰黯然一歎，淚水奪眶而出。

方秀梅轉過話題，道：「王兄，藍姑娘可有阻延藍天義攻襲之策？」

王修道：「藍姑娘答應設法，叫我們放心，並且賜贈我一瓶丸藥，俟這些沉睡之人清醒之後，立時服用。」

仰臉望天長長歎息一聲，道：「我們已盡了人事，能不能挽救這次武林大劫，那只好仰諸天意了，咱們也該休息一下了……」

方秀梅笑一笑道：「王兄，難道神算子也到了計窮之境麼？」

王修苦笑一下道：「在下實在到了山窮水盡疑無路的時刻，能不能柳暗花明又一村，要看藍姑娘和江少俠了。」

江曉峰道：「我……」

王修道：「不錯，除了十二金釵之外，世間再也找不到任何一股力量，可以和藍天義抗拒。但十二金釵，卻控制於韋剛之手，能夠影響韋剛的，只有一位藍姑娘，但你江少俠卻能影響藍姑娘。」

江曉峰道：「老前輩放心，在下已得方姊姊的開導，決不會以私人喜惡，影響大局。」

王修微微一笑，道：「那就好了。藍姑娘似是已能抑制著心中的悲憤，只要江少俠不打擾到她，她還可以保持著清醒，自保救人。不過，她究竟還是個小姑娘，一旦情難自禁，必然會一步錯著，滿盤皆輸。」談話之間，巢南子匆匆來到。

王修一皺眉頭，道：「道兄，有事情？」

巢南子點點頭，道：「貧道門下一位弟子適才歸報，藍天義似已有出動的準備。」

王修吃了一驚，道：「當真麼？」

巢南子道：「本派中那位弟子，乃本地之人，爲了大局，貧道要他穿著俗裝，暫回家中。藍天義等率人手來到此處，正好在他們的村中歇腳，敝門弟子，在叔伯堂兄等掩護之下，瞞過了藍天義的耳目。適才，他冒死歸來，報說內情，藍天義似是已決定天亮時分，攻打巫山下院。」

王修沉吟了一陣，道：「這消息確實麼？」

巢南子道：「敝門中那位弟子，智勇兼備，大致不會有錯了。」

王修道：「藍天義遣來的暗探，全傷在十二金釵之手，不知是否有歸去之人？」

巢南子道：「貧道亦會問過他了。」

王修道：「他怎麼說？」

巢南子搖搖頭道：「藍天義入村之後，全村派有大道教中人戒備，村中之人，不能隨便出入，他雖盡了心力，仍是所知有限。」

王修道：「關鍵在此了，如是藍天義全然不知內情，縱然率人攻來，亦必爲十二金釵所阻，他們停身之處，距那巫山下院，還有數里之遙，小心一些，還可避過此劫，如若他暗探早有回報，那就情勢危殆了，只要他分遣出部分人手，咱們就難免有殺身之禍。」

方秀梅道：「王兄，藍姑娘給你的藥物，可有清神之效？」

王修道：「藍姑娘未說清楚。」

方秀梅道：「如若有清神之效，可以讓他們提前服用……」

王修接道：「藍姑娘交代過，要他們清醒之後再行服用，提前服用，只怕是有害無益。」

方秀梅道：「王兄，打開玉瓶，拿一粒出來。」

王修道：「幹甚麼？」

方秀梅道：「小妹服下一粒試試。」

王修緩緩取出玉瓶，打開瓶塞，道：「在下試試，也是一樣。」

倒出一粒藥物，正待放入口中，江曉峰突然一揮手，道：「慢著。」

王修道：「甚麼事？」

江曉峰道：「有動靜。」

王修凝神傾聽了一陣，詫道：「在下聽不出一點徵象。」

江曉峰道：「是鳥羽劃空的聲音。」

王修道：「宿鳥夜飛，定然是受到震動，有人來襲，咱們準備拒敵。」
江曉峰道：「不像是受驚的聲音。」
王修奇道：「不像受驚的聲音？那麼爲甚麼牠們要夜晚飛翔？」
江曉峰道：「好像是牠們自願飛起的一般。」
王修道：「爲甚麼？」
江曉峰道：「個中道理，在下無法說出來。」
這當兒，突聞一聲鳥鳴聲傳入室內。
緊接著群鳥爭噪，一片鳴聲傳入室內。
巢南子道：「大批敵人來襲，只怕今宵難免一場血戰了。」
江曉峰搖搖頭，道：「這些鳥不是受到驚駭。」
方秀梅道：「那是甚麼回事？」
江曉峰道：「好像是在歡迎甚麼……」
王修接道：「鳥王呼延嘯是否授了你很多役鳥之奇術？」
江曉峰道：「晚輩得義父傳授了不少的役鳥之術，但晚輩才智愚昧，記不得許多，實負了義父一番苦心；但此刻群鳥鳴叫之聲，在下可以斷言，並非是受驚而起，而是唱和之鳴。」
呼延嘯以役鳥術，名動天下，其役鳥之能，前無古人，江湖上，不少人仰慕此技，千方百計，謀求呼延嘯傳授一二，但呼延嘯卻是一直隱技自珍，不肯輕易授人；江曉峰得他垂青，破例傳技，王修早已知曉，輕輕咳了一聲，道：「深夜中群鳥和鳴，大背常情，難道是那鳥王呼延嘯到了麼？」

江曉峰搖搖頭道：「如是我義父到此，不會讓群鳥和鳴。」

王修道：「不是鳥王到此，天下還有何人，能使群鳥在夜中飛起，和唱歡迎？」

江曉峰道：「這個，晚輩就不知道了。」

突然間，響起一聲悅耳長鳴，吵雜的鳥鳴聲，頓然停了下來。

剎那間群鳥寂然，靜得聽不到一點聲息。

巢南子傾耳聽了一陣，道：「那一聲長吟，是何鳥鳴，貧道記憶之中，從未聽過。」

方秀梅道：「果然是有些奇怪，我是不懂役鳥之術，但我走遍了名山大川，也曾聽聞過各種各樣的鳥叫，卻從未聽過那聲音，那不是鵬叫，也不是鷹……」

王修接道：「一聲長鳴，群鳥靜伏，定然是鳥中之王了。」

巢南子道：「龍吟鳳嘯。」

王修道：「不錯，那應該是鳳凰的鳴叫，才能使群鳥停下了鳴叫聲。」

方秀梅道：「我見過千奇百怪的鳥兒，就是沒有見過鳳凰，咱們出去瞧瞧。」

王修道：「夜色幽暗，縱然是真的有鳳凰到此，咱們也無法瞧到，再說群鳥復宿，咱們進入林中尋找鳳凰，極可能又把宿鳥驚起。」

方秀梅道：「放棄這一次的機會，只怕這一生中再沒有第二次機會了。」

王修道：「可惜得很，鳥王呼延嘯如在此地，定可把那隻鳳凰引過來給咱們瞧瞧。」

巢南子突然說道：「這地方並非深山大澤，一隻鳳凰，突然飛來此地，豈是無因？」

王修沉吟了一陣，道：「不錯，只怕是鳥王呼延嘯遣牠至此。」

突然一陣山洪暴發的轟轟之聲，傳入耳際。

這聲音來得十分突然，四人都被嚇了一跳。

凝目看去，夜色中隱隱可見無數的鳥影，展翼而飛，直向西去。

只見鳥數眾多，蔽天遮地，無數隻鳥翼搧風而飛，羽翼破空之聲，有如不息春雷。

夜暗之中，鳥數眾多，有不少撞在大樹之上，跌落地上死去。但奇怪的是，竟不聞哀鳴悲叫，似是鳥類中亦有著視死如歸的豪氣。

這一陣驚人的龐大鳥群，足足過了有一盞熱茶工夫，才消失不見。

王修長長吁了一口氣，道：「好大的聲勢。」

方秀梅奔入林中，拾起了一大一小兩具鳥屍，道：「王兄瞧瞧。」

王修凝目望去，只見那是一隻烏鴉和一隻小畫眉鳥兒，都撞得頭上出血，早已死了過去。

方秀梅道：「王兄，這是怎麼回事？」

王修搖搖頭，道：「方姑娘的問題，普天之下，大約只有鳥王或能回答，今宵之事，咱們暫時記在心中，日後見到呼延兄時，再向他請教一下。」

只聽身後傳來了一個低沉的聲音道：「在下身上帶了藥物，已分給他們服用了。」

三人吃了一驚，急急轉頭望去。

只見那說話之人，白髯垂胸，正是崑崙名宿多星子。

王修一抱拳，道：「老前輩，幾時醒過來了？」

多星子道：「我醒來甚久，諸位談話，貧道都已聽到了！因此，才把身懷的十七粒靈丹，分別餵給他們服下。」

王修道：「慚愧得很，在下等竟不知老前輩已給他們分別的服下藥物。」

多星子輕輕地歎息一聲，道：「這十七粒丹丸，都是貧道費時數十年冶煉的靈丹，服下之後，可增人勇旺之力，貧道已傾盡所有，分給他們服下了。」

方秀梅接道：「十八個人，你只有一十七粒靈丹，那是何人沒有服用了？」

多星子道：「貧道未曾服用。」

語聲一頓，接道：「貧道經這一陣坐息，已恢復大部體能，對諸位維護武林正義的用心，更是敬佩不已，才盡出靈丹給他們服下，諸位適才為群鳥飛行的聲音所掩，並非是諸位耳朵不靈！」

江曉峰道：「這些人幾時可能清醒過來？」

多星子道：「很難說！貧道的靈丹，有解毒清神之能，但對過度疲勞之人是否有用，就難說了。」

輕輕咳了一聲，接道：「有一件事，貧道要告訴諸位，適才你們聽到的鳥鳴之聲，正是鳥中之王的鳳凰之聲……」

方秀梅道：「老前輩見過鳳凰？」

多星子道：「見過，但只是匆匆一瞥，不過對牠們的鳴叫之聲，貧道卻記得十分清楚。」

行近王修，低聲接道：「王兄，咱們得做一點準備才成，萬一藍天義突然掩至，咱們也可以有個迎敵之對策。」

王修笑道：「在下相信，老前輩是早已經胸有成竹了。」

多星子道：「若論用計施謀，天下無人能出王兄之右……」

沉吟了片刻，叫道：「讓他們集中於此，倒不如把他們分散開去。」

方秀梅道：「分散何處？」

多星子道：「前面這片樹林之中，把他們分別放置樹上，如是藍天義找到此地，也許可以少一些傷亡，咱們也可放開手腳迎敵。」

王修點點頭道：「辦法很高，明天咱們如再全力保護這幢茅舍，必將更引藍天義的懷疑。」

巢南子道：「好法子，咱們立即動手，把他們放在樹上，夜風一吹，也許可以使他們早些醒過來，那時，他們可以看情形，自作打算，或是逃走，或是助戰。」

幾人分頭動手，把室中之人，分放於枝葉很密的樹上，放入之處，都選擇枝幹交錯之處，既隱密，又安全。

王修一面動手，一面留心林中的動靜。

原來，這林中集有很多宿鳥，但此刻，卻飛走得一隻不剩，幾人上上下下，樹搖葉動，竟然沒有一隻飛鳥驚起。

顯然，這林中的宿鳥，都已隨著適才那聲長鳴振翼而去。

幾人雖然武功高強，但也足足化了將近一頓飯的時光，才把室中的十七人全部放藏於樹上。

這時，十七人中已有幾位內功較為精深的人，清醒過來，都覺得睡眠不足，索性裝著仍在昏睡之中，任憑江曉峰把自己移放樹上。

方秀梅長長吁一口氣，低聲對多星子道：「老前輩內功，想必早已體能盡復了。」

多星子搖搖頭，道：「這一場睏倦，乃老夫一生之中從未有過的，當真是已到了人快死的境界，以老夫的內功，都支持不住，何況他們了……」

語聲微微一頓，道：「老夫目下還有著十分睏倦的感覺，但我已可以支援，一旦敵人來襲，亦可勉強動手，但敵人未來之前，貧道要利用這段時間，好好的小息一下。」

方秀梅道：「老前輩請去坐息，有事情，我們會通知你。」

多星子點點頭，道：「貧道去休息了，諸位請多多費神！」緩步行入茅舍。

江曉峰突然對方秀梅說道：「姊，這樹林中所有的宿鳥，都已飛得蹤影不見了。」

方秀梅道：「被那一聲鳳凰的鳴叫，帶走了林中所有的鳥兒，兄弟是否還記得一些役鳥之術？」

江曉峰道：「小弟唯一記得清楚的，就是招呼鳥兒之法。」

方秀梅道：「那很好，你試試看能否招來一、兩隻鳥兒來。」

江曉峰點點頭，道：「好，小弟試試看。」

仰臉發出幾聲若鳴若嘯之聲音，靜夜中，聲音傳出老遠。

良久之後，仍沒有任何回音。

江曉峰搖搖頭，道：「小弟這呼鳥之術，自信學得十分道地，如是牠們能夠聽到我這呼叫之聲，定然會應聲趕來。」

語聲甫落，突然間一聲清嘯傳了過來，王修低聲說道：「這嘯聲不是鳥鳴，顯然是人發出。」

話剛說完，耳際中已響起了沉重的步履之聲。

四六　勢難兩全

巢南子唰的一聲，抽出長劍，道：「果然有人，在下去瞧瞧。」

王修低聲說道：「不用急，咱們守在這裏等他，這人的腳步聲，有些奇異。」

巢南子道：「哪點怪異？」

王修道：「一個學過武功的人，步履之聲，不會這麼沉重，這人的腳步聲來得如此之重，分明是想叫咱們聽到了。」

但聞那腳步聲愈來愈沉重，已到了幾人不遠之處。

江曉峰想到這場大禍，是由自己招來，忍不住高聲說道：「什麼人？」

隨著喝聲，突然向前行去，同時，拔出長劍，擋住了去路。

只聽一個低沉的聲音道：「孩子，是你嗎？」

江曉峰一聽那聲音，已知來人是呼延嘯，只覺心中一陣激動，叫道：「義父。」放步奔了過去。

王修、方秀梅、巢南子，齊齊行了過去，道：「呼延兄！」

來人正是呼延嘯，但他穿的一身衣服，卻是十分怪異，如非從他的聲音聽出他的身分，任何人也無法瞧出他的身分。

呼延嘯緩緩推開江曉峰，道：「孩子，我還有事情未完，原來不準備和你見面，但聽到你的呼嘯之聲，忍不住走了過來。」

王修道：「呼延兄，你怎麼穿了這樣一身衣服？」

原來，呼延嘯穿著一件黑色的長衫，頭上也戴了　頂黑色的帽子，而且把頭、臉都遮了起來，只露出兩個眼睛來。

呼延嘯道：「為了避人耳目，藍天義千算萬算，算不到我呼延嘯會穿著這樣一身衣服……」

王修接道：「怎麼樣，呼延兄見到了藍天義？」

呼延嘯點點頭，道：「藍天義派出了一些暗樁，就穿著這麼一身怪模怪樣的衣服，他只想予人古怪、詭秘之感，卻忘記這一來，也留給人以可乘之機。我傷了他一個暗樁，脫下這身衣服，混了進去。」

王修道：「藍天義在做些什麼？」

呼延嘯道：「藍天義帶領著不少人，在一廣場之中，似乎是在排演一座陣圖……」

王修道：「十絕陣。」

呼延嘯道：「大概是吧！我因為不知曉他們的通話暗記，不敢直往裏混，悄悄退了出來。」

王修道：「藍天義演練十絕陣，分明是也覺得情勢嚴重，大約他們已吃了十二金釵不少的虧。」

呼延嘯道：「十二金釵？是些什麼人？」

王修道：「呼延兄，一言難盡。藍天義既然在排十絕陣，一時之間，大約是不會到這裏來了，咱們到茅舍中談談。」

方秀梅道：「呼延兄來得正好，小妹正有著一件事，悶在心中，除了你呼延兄外，這世間再也無人能夠解答了。」

呼延嘯道：「什麼事？何不請教王修兄。」

巢南子道：「王兄雖然是博古通今，但這件事也無法答覆。」

方秀梅道：「這件事，大約只有你呼延兄可以答覆，你如果不能回答，世間再也無人知曉此事，而且，這也將成爲千古懸案了。」

呼延嘯微微一笑，道：「這樣重大麼，姑娘請說說看。」

方秀梅道：「你號稱鳥王，天下各種各樣的鳥，大約你都見過了？」

呼延嘯道：「就算我沒有見過，也應該知道，你說說看，什麼樣的怪鳥？」

方秀梅道：「鳳凰，不知呼延兄是否見過？」

呼延嘯沉吟了一陣，道：「沒有見過，不過在下倒見過不少種彩羽巨禽。」

方秀梅道：「連你鳥王也沒有見過鳳凰，那是鳳凰這種神禽，已經絕種了。」

呼延嘯沉吟了一陣，道：「也不盡然，鳳凰乃鳥中之王，棲息深山大澤，如是牠不肯飛入兄弟役鳥術範圍之內，兄弟也是沒有法子見到。」

語聲一頓，接道：「方姑娘這等問法，不但要問得我無法回答，而且姑娘也問得很辛苦，乾脆你說明白吧，你見到了什麼樣的怪鳥？」

方秀梅道：「小妹也沒有見過，但卻遇上一件不可思議的事！」

當下把經過之情，很仔細地說了一遍。
呼延嘯道：「也許世間真的有鳳凰這種鳥，此件事完之後，在下定要查個明白。」
王修微微一笑，道：「事完之後，此事定要查個水落石出，咱們進入茅舍中坐坐吧！」
群豪魚貫入室，坐息一陣，天色已經大亮。
王修表面上和群豪談笑如常，內心之中卻是焦慮萬分。
因為目下情形，雙方面已成了短兵相接的情勢，兩大相對，自己已失去了運用之能，雙方是否已打了起來，何時動手，如何一個打法，自己已是完全不知道了。
方秀梅望望天色，道：「王兄，天色已亮，雙方似乎是已動上了手。」
王修道：「在下亦在想這件事。」
方秀梅道：「如是韋剛和藍天義聯起手來，咱們就死無葬身之地了。」
王修道：「這個不至於吧……」
談笑之間，突聞步履之聲，傳了過來。
這時，因昏睡群豪已作安排，王修心中安穩很多，只是暗中自己運氣戒備，並未出言喝問。
但見人影一閃，七燕直入茅舍。
江曉峰神情肅穆，沉聲說道：「七燕姑娘，鳳姑娘好麼？」
七燕點點頭，未回答江曉峰的問話，卻出聲對王修說道：「王老前輩，藍姑娘請你去一趟。」

王修從七燕神色之間，已瞧出有些不對，事情可能有了意外的變化，藍家鳳遣人來此，卻不肯說明內情，這事情的變化，自然是不想讓別人知道。

心中念轉，口中應道：「好，咱們立刻動身……」

正待回身吩咐江曉峰等幾句話，七燕卻又開口說道：「有一位方姑娘麼？」

方秀梅站起身子，笑道：「是我，小妹子有什麼吩咐？」

七燕道：「藍姑娘吩咐，要我請姑娘一同前去。」

回身行到江曉峰身前，福了福，道：「江公子，姑娘說，請王先生和方姑娘去研究一下和藍天義動手的謀略，公子不便同行，所以，不請你去了。」

江曉峰點點頭，道：「我明白。」

七燕轉過身子，道：「我們姑娘正在候駕，咱們走吧。」舉步向前行去。

王修卻回顧了巢南子一眼，低聲說道：「道兄，咱們要準備一下最壞的變化，設法把另外一批人手集中於此，以這茅舍做防守之點，屋外樹林，用做爲抗拒藍天義的戰場。但是不可輕舉妄動，不論外面變化如何，只要他們不找上門來，都不可擅自出戰。呼延兄及時而至，實力增強不少，有什麼變化，道兄請和多星子老前輩及呼延兄研商而行。」

巢南子點頭道：「這個貧道知道，但望王兄早去早回。」

王修道：「我盡快趕回來。」

兩人談話之間，方秀梅和七燕已經快步行出樹林。

王修大步追了上去，直奔巫山下院。

只見韋剛和藍家鳳，對坐於敞廳中，彼此相對默然。
六燕手捧長劍，站在藍家鳳的身後。
七、八個身著灰衣的大漢，分守在庭院之中。
七燕帶著方秀梅和王修舉步入廳。
藍家鳳立時起身相迎，道：「方姊姊，久違了。」
突然一眨大眼睛，滾下兩滴淚水。
方秀梅怔了一怔，道：「鳳姑娘，你怎麼啦！」
藍家鳳勉強一笑，道：「我很好。」
目光轉到韋剛的臉上，接道：「你請出去吧！我要和方姊姊、王先生商量一下。」
韋剛緩緩站起身子，對王修拱手笑道：「王兄，在下奉告一句話，藍天義率領高手，屯住十餘里外，隨時可能率人攻來，事關武林正邪存亡，王兄多多考慮。」
王修道：「在下自當小心。」
韋剛道：「那很好，記著我一句話，大局爲重。」轉身出廳而去。
方秀梅目睹韋剛去遠，才皺皺眉頭道：「怎麼回事？」
藍家鳳黯然說道：「他逼我……」
突然住口，回頭對六燕、七燕悄聲道：「你們守在門口，小心韋剛偷聽。」
六燕、七燕應了一聲，轉身出廳。
這時，廣敞的大廳中，只餘下了王修、方秀梅和藍家鳳。
方秀梅道：「他要逼你獻身，是麼？」

藍家鳳淒然道：「方姊姊不是外人，王老前輩一直是參與內情、了然經過的人，我也不用顧慮顏面和羞恥了……」

長長吁一口氣，接道：「在這場武林正邪大搏鬥中，晚輩個人，生死榮辱，只不過是皓月之下的一點螢火之光，實是算不得什麼了。」

王修道：「姑娘錯了，你是這場大搏鬥的關鍵人物，也是這一場正邪決鬥中首腦人物。」

藍家鳳苦笑一下，道：「這就是晚輩爲難之處，我自知憑藉幾個巫山門中人，難以抗拒那藍天義龐大的實力，勢非要借重十二金釵不可，所以晚輩正因此苦不堪言。」

王修道：「韋剛不是和姑娘談好了條件麼？」

藍家鳳道：「韋剛也是看準了這一點，所以，才突然變卦，迫我獻身。」

這件事，一方面關係著藍家鳳的貞操，一方面關係著天道教霸業的成敗，才智如王修者，亦難想出一個很妥善的辦法，沉吟不語。

方秀梅重重咳了一聲，道：「王兄，你有神算之譽，現在，應該動動心機了。」

王修道：「鳳姑娘，這些話，在下本來不該問的，但事情關係太大，所以，在下只好問一下了。」

藍家鳳道：「形勢逼人，你也不用有太多的顧慮，只管講就是。」

王修道：「姑娘可否把韋剛突然變卦的詳細經過，告訴在下。」

藍家鳳一點頭，道：「天亮時分，他突然直闖我休息的室中，告訴我，藍天義正在演練一種陣法，顯然是昨夜之中，爲十二金釵出動的威力所鎭懾，不敢輕舉妄動。我勸他，何不借此機會，先出動十二金釵，一鼓作氣，破了藍天義的天道教，先發制人。」

方秀梅接道：「韋剛怎麼說？」

藍家鳳道：「他說，他已查看過四面的形勢，只要十二金釵出動，四個時辰之內，可以擊敗藍天義率來的高手。不過，他不相信藍天義潰亡之後，我真會嫁給他。」

王修點點頭，道：「當年韋剛未爲令堂羅致，正因爲他行走江湖之上，是以多疑聞名江湖，姑娘如何應付他？」

藍家鳳道：「我說，咱們早已談好了條件，等滅了天道教之後，我要在天下各大門派的祝賀之下，和他完成大禮，是何等風光、榮耀的事，責問他何以會中途變卦，自毀諾言……」

方秀梅道：「應付極好，他應該感到慚愧才是。」

藍家鳳搖搖頭，道：「他毫無慚愧之感，強詞奪理的說，他爲我已然決心放棄了稱霸武林的願望，如是他在剿滅藍天義後，我或自絕而死，或是私人暗中逃走，豈不是要空歡喜一場，他說從我神情中，瞧出我都是說的違心之言。他不能相信我，也不能冒這個兩頭落空的險。」

王修道：「他可曾說出他作何打算？」

藍家鳳道：「他說，他如不能得到我，就要取得武林至尊之位，他要建一個萬花宮，把天下所有的美女都藏在宮中，要役使天下武林同道，遍走天下，替他尋找美女，他不讓暴君秦始皇專美於前，用千萬個美麗的處女，代替我……」

語聲一頓，道：「最後，他要我與你商量商量，他說，我如真的有嫁給他的誠心，現在，就應該獻身於他，他才能夠全心全意的對付藍天義，並限我午時前給他一個肯定的答覆。」

方秀梅道：「如是你不答應呢？」

藍家鳳道：「我如不答應，午時一過，他就要立刻動手，先把江曉峰抓來，當我之面殺了。」

方秀梅接道：「然後再殺你？」

藍家鳳道：「他不會殺我，也不會再殺別人，他要通知藍天義，十二金釵已退出了這場紛爭，要他率人來攻。他說我母親代我訓練的一批巫山門中人，或可和藍天義搏殺一陣，但決無法勝得藍天義，他要看到我戰到筋疲力盡，死於藍天義的手中，然後，再替我報仇，指命十二金釵，一舉間，搏殺了藍天義的精銳，迫使藍天義交出統制屬下的方法，然後，他接收天道教，成爲武林至尊身分。」

王修道：「姑娘相信他說的話麼？」

藍家鳳道：「我相信，這人好言好事不算數，但惡言毒謀，只怕是定可做到。」

王修道：「姑娘推斷的不錯。惡言毒謀，他定可件件做到，何況，目下情景，正給了他一個千載難逢的機會。」

藍家鳳道：「晚輩亦有此感，所以，才覺著十分爲難。」

方秀梅望了望王修，見王修沉吟不語，只好開口說道：「妹妹呀！這話叫王先生很難於啓齒。」

藍家鳳道：「姊姊有何高見麼？」

方秀梅道：「這關係你的貞操，主意你自己拿。」

藍家鳳道：「小妹方寸已亂。」

方秀梅神色一整，道：「江曉峰是我兄弟，我對他視作同胞手足……」

藍家鳳接道：「我知道，姊姊一直待他很好。」

方秀梅輕輕咳了一聲，道：「妹子啊！姊姊和你那心上人江郎，可只是姊弟情誼……」

藍家鳳道：「姊姊想到哪裏去了，小妹也不用隱瞞了，我對江郎，情意極深，但決不自私。能有姊姊這樣的人疼他，照顧他，小妹感激還來不及。」

方秀梅道：「挑開心幕，大家坦誠相見，反而好談多了。我不想江曉峰死。」

藍家鳳點點頭，道：「小妹願意受千刀碎屍之苦，也不願江郎受點滴傷害。」

方秀梅道：「所以姑娘，應該想法子救他。」

藍家鳳抬頭望天，輕輕歎息一聲，道：「不要這樣問我，我的處境，已經說給姊姊聽了，江湖上正邪存亡，也不是小妹我一個人的事情……」

目光一掠方秀梅、王修，接道：「我藍家鳳只不過是個無知少女，請姊姊和王先生來，就是要請教兩位，我應該怎麼辦？」

王修道：「在下可以斷言，就算把世間所有才智高強的謀士，全集於此，在這樣的情形下，就算研究了三天三夜，也是無法想出妥善的辦法。」

藍家鳳道：「這麼說來，你們是準備眼看著要那韋剛殺死江曉峰麼？」

王修搖搖頭，道：「還有別的辦法。」

藍家鳳道：「什麼辦法？」

王修道：「集合咱們所有的人，以疲累之師，先和韋剛一戰。」

藍家鳳道：「想勝過十二金釵？」

王修道：「自然勝不過，但咱們全體戰死，倒也是一樁轟轟烈烈的大事，或可名傳千古。」

藍家鳳道：「咱們不死在與藍天義的決鬥中，卻死於十二金釵之手，實是椿意外的事。」

王修道：「正義消沉，最後餘下了韋剛和藍天義兩個惡魔，也難並立江湖，兩人之間，必將也有一番惡鬥。」

藍家鳳道：「就算兩人有一番惡鬥，但不論何人得勝，對我們有何益處？你號稱神算子，武林中人人稱讚你的才慧，依我看來，從此以後，你這神算子之名，可以取消了。」

王修苦笑一下，道：「姑娘，世上有很多事，不是才慧可以解決。所謂人算不如天算，正如有很多事，常使人空有絕世武功，一樣無法解決一般。咱們利用韋剛統率的十二金釵對付天道教，這是謀略，屬於才慧，但他中途變卦，屬於意外，而目前，在下又無能改變他變卦的決心，才慧只能找出原因，但才慧卻不是無往不利……」

「何況，現下的處境，都是上代才智之士，累積下的錯誤，數十年積存的大錯，今日成了面對面的決鬥形勢，令堂想以毒攻毒，訓練了十二金釵，但她智者千慮，卻有一失，忽略了藍天義的惡毒，在十二金釵未成氣候之前，把她殺死……」

藍家鳳突然叫道：「不用說下去了……」

方秀梅輕輕歎息一聲，道：「鳳姑娘……」

藍家鳳放下蒙在臉上的雙手，兩腮之上，盡都是晶瑩的淚珠，一顆接一顆，滾落在胸前羅衣上。

也許，淚水沖出她心中不少悲忿，語氣變得平靜一些，接道：「我明白你們的意思，我應該替母親安排的後果負責，何況，藍天義又曾是我的繼父，責任應該由我一人承擔。」

方秀梅搖搖頭，道：「妹子，話不是這麼說，你年紀輕輕的有什麼錯，錯的是我們這年紀較長的！而且，以姑娘的才慧聰明，自然是能夠聽出，王兄不是說該你姑娘負責，因爲，在目前處境下，你是唯一能挽救武林劫難的人。」

藍家鳳道：「要我以女兒家清白身軀，保存武林正義？」

王修道：「姑娘，在下只是分析目下情形，並無逼姑娘捨身之意。」

藍家鳳道：「目下情景，我又應該如何？」

王修道：「要姑娘自行決定，但在下可以奉告姑娘幾句話。」

藍家鳳道：「你說吧！」

王修神情凝重，緩緩地說道：「不論姑娘做什麼樣的決定，都沒有錯，都將會名留千古，受後世萬人尊仰。」

藍家鳳眨動兩下大眼睛，拭去頰上淚痕，說道：「王先生，兩個決定，極端相反，爲什麼會只有一個結果呢？」

王修道：「形勢迫人，雖然是兩個極端相反的決定，卻只有一個結果。姑娘如不信，在下願做詳細的解說。」

藍家鳳沉吟了一陣，道：「我不順從韋剛，害你們全部死於十二金釵之手，武林中將永陷於黑暗之中，後人爲什麼還要尊我？」

王修道：「姑娘貞烈凜然，爲了保清白之身，雖刀劍加身，也不願清白玷污，自然是留下了貞德之名。」

藍家鳳道：「我如從了那韋剛心願，救了你們，自然要被後人視爲蕩婦淫娃，遺臭萬年了。」

王修搖搖頭，道：「這又不然，姑娘屈己從賊，來挽救了武休的大難，這一代二十歲以上的武林同道，都算欠了你姑娘一筆債，而且是無法償還的。姑娘的清白是毀於救人救世之下，活在這一代的人，心中這份慚愧，自是無法形容，自然會把姑娘視做仙人一般的敬重了。」

藍家鳳長吁了一口氣，道：「本是兩個極端不同的決定，但兩面話卻都給你們說完了。」

王修道：「在下所說的都是實話，希望姑娘能夠相信。」

藍家鳳道：「我相信、不相信，似乎已經無關緊要了，目下要緊的是，我應該怎麼辦！」

王修道：「這要姑娘決定了，利弊得失，我們已為姑娘分析得很清楚了。」

藍家鳳黯然歎息一聲，道：「好吧！犧牲我，救你們！」

王修臉上突然泛現出一片痛苦的神情，口齒啓動，欲言又止。

藍家鳳道：「我答應韋剛，你們也該回去準備一下了。」

王修輕輕歎了一口氣，道：「姑娘，在下等慚愧得很。」

藍家鳳淒然一笑，道：「你們這一代武林人物，都應該準備慚愧，是麼？」

王修臉色赤紅，青筋跳動，但卻強忍著激動，一語不發。

他心中明白，此時此情之下，必得忍受著最大的屈辱，任何一句話說錯了，都可能使得藍家鳳突然改變主意。

方秀梅看王修強忍著一語不發，也不敢輕易說話，欠欠身，道：「藍姑娘，我們告辭了。」

藍家鳳緩緩轉過身去，低聲說道：「方姊姊，小妹求你一件事，好麼？」

方秀梅道：「只管吩咐，赴湯蹈火，決不推辭。」

藍家鳳道：「好好照顧江郎，想法子叫他忘了我，從今之後，我再無臉見他了。」
王修沉聲說道：「兩位談談，在下先走一步了。」
藍家鳳道：「王先生好走，恕我不送了。」
王修抱拳說道：「姑娘珍重，在下告辭了。」轉身大步而去。
一面暗用傳音之術道：「方姑娘，想法子勸勸她，別要她死。」
方秀梅微微頷首，緩步行近藍家鳳，道：「藍姑娘，我年紀長你幾歲，對人對事，也許比你稍微知曉多一些。」
藍家鳳道：「什麼話，直截了當的說吧！用不著再轉彎了。」
方秀梅道：「姑娘，這件事，不但王修等七尺男兒，覺著有些慚愧，就是我這女流之輩，也覺著有些不安得很。」
藍家鳳道：「你不要安慰我了，我決定了，就不曾再改變。」
方秀梅道：「姑娘，別誤會我的意思，我是說，你要好好保重。」
藍家鳳突然轉過臉來，滿頰淚痕，滿臉哀傷，道：「我還要保重什麼？」
方秀梅正色道：「爲天下武林保重，爲你心上江郎保重。」
藍家鳳道：「保重什麼？」
方秀梅道：「含汙忍辱的活下去，妹妹，你該明白，你受汙的只是軀體，你的靈魂，更爲潔白，姊姊會盡我最大的力量，設法幫你的……」
藍家鳳如被針扎了一下，急急道：「千萬不要告訴他……」
舉手掩面，接道：「我無面見人，等我死去之後，你們再告訴他吧……」

方秀梅心裏一震，暗道：「果然，她已存了獻身之後，以死明心的念頭。」

心中念轉，口中說道：「妹妹，你獻身救人救世，應該是人人都對你感激不盡，你唯一愧對之人，只有江曉峰一個了，是麼？」

藍家鳳點點頭，道：「細細想來，確也如此。」

方秀梅道：「這就是了，如是江曉峰對你失身一事，不放在心上，你也就不用以死表明心跡了，對麼？」

藍家鳳道：「我知道江曉峰爲人，他決不會諒解我失身之苦。」

方秀梅道：「再說，你現在還是清白之身，韋剛沒有玷污之前，你還是有逃避的機會。」

藍家鳳呆了一呆，道：「哪裏來的逃避的機會？」

方秀梅淡淡一笑，道：「移花接木，或可保得妹妹的清白。」

藍家鳳道：「當真麼？」

方秀梅道：「自然是當真了，不過還要有很多的條件。」

藍家鳳道：「說出來聽聽，小妹是否能夠做到？」

方秀梅道：「最重要的條件，是要韋剛肯聽你的話。」

藍家鳳道：「我如應允他願意獻身，他也許會聽我的，但條件不能太苛。」

方秀梅沉吟了一陣，道：「等一會兒你見他之後，要好言相慰，告訴他，你已經想通了，對他溫柔一些，使他相信，你已經回心轉意，真的準備做他之妻。」

藍家鳳點頭道：「這一點自然可辦到。」

方秀梅道：「第二件，要他應允，你獻身之意，只是在取得他的信任，只此一次，下不爲例，此後敦倫，必得結成夫婦之後才行。」

藍家鳳道：「這第二件，我想他可以答應，但如小妹已被他玷污了清白，一次和十次，又有什麼不同？」

方秀梅道：「大大的不同了，移花接木的把戲，只能用一次，不能常常用啊！」

藍家鳳啊了一聲，道：「還有什麼條件麼？」

方秀梅道：「還有第三條，要他進入你臥室，上床之晚要蒙住眼睛。」

藍家鳳道：「蒙住眼睛？」

方秀梅輕輕咳了一聲，道：「戲法就在蒙住眼睛上了，如是要他睜著一對大眼睛，咱們這移花接木的戲法，就變不通了。」

藍家鳳點點頭，道：「我明白了，但還要有一個人才成。」

方秀梅神色肅然，道：「不錯，還有一個，是你的替身。」

藍家鳳道：「姊姊可是準備由六燕或七燕，替代小妹麼？」

方秀梅搖搖頭，道：「她們都是十五、六歲的小姑娘，這事她們無法代替你，而且她們也不可能代替你，韋剛是何樣人物，一旦被他察覺，反會把事情鬧大。」

藍家鳳道：「那麼要到哪裏去找一個代替小妹的人呢？」

方秀梅道：「姊姊我。」

藍家鳳道：「你？」

方秀梅笑一笑，道：「不錯，除了姊姊之外，還有什麼人能夠代替你？」

藍家鳳沉吟了一陣，道：「姊姊，這又何苦呢？」

方秀梅道：「妹子，事情已到了這地步，你也不用考慮了，至於姊姊我，你可以放心。」仰起臉來，長長吁了一口氣，接道：「姊姊在江湖上的名譽，聽起來，也許不太好，但姊姊可以告訴你一句話，到現在我仍是處子之身。」

藍家鳳啊了一聲，道：「姊姊，爲了小妹的事，讓姊姊清白玷污，這和小妹的清白受汙，又有什麼不同？」

方秀梅道：「大大的不同了。」

淒涼一笑，接道：「我笑語追魂方秀梅，在江湖上，聲名很壞，說我仍然是處子之身，只怕你藍姑娘也不會相信的。」

藍家鳳眨了一下圓圓的大眼睛，望著方秀梅，道：「姊姊既然這樣說了，小妹豈有不信之理。」

她說話的神情和語氣之間，顯然是有些不信，但方秀梅既然說出來了，藍家鳳也只好裝作相信的樣子了。

方秀梅道：「這是一樁很重大的事，姊姊豈能等閒視之，如若姊姊不是處子之身，難道還能冒充不成！」

藍家鳳道：「小妹真的相信！」

方秀梅接道：「這檔子事，很快就可以證明，眼下要緊的是，咱們兩個人必須有熟練的配合，才能不讓韋剛瞧出破綻……」

藍家鳳道：「姊姊，小妹覺著，這件事和姊姊無關，怎能讓姊姊付出如此重大的犧牲！」

方秀梅道：「怎麼和我無關，目下雲集在這裏的人，大都是被我說服而來，而且是武林中僅存的精英人物，他們本可逃亡天涯，徐圖起事，只因爲信了我幾句話，才趕奔來此，如若被藍天義一網打盡，姊姊是死難瞑目了……」輕輕歎息一聲，道：「走，到你臥室瞧瞧，只要咱們能嚴密的配合，相信不至於露出馬腳。」

藍家鳳雖站了起來，口中仍然說道：「姊姊，這件事，小妹越想越不妥，這些事我應該承當，怎麼讓姊姊替我清白玷污。」

方秀梅道：「妹子，此時何時，你豈能還拘於此等小節，再說，姊姊我這樣做，也並不是完全爲了你。」

藍家鳳道：「這是小妹的事，不是爲我，又是爲了哪一個呢？」

方秀梅道：「一半爲了妹子，一半是爲了江兄弟，何況像你如花朵般的人兒，叫韋剛玷污了，姊姊看在眼裏，也是心疼得很。」

藍家鳳輕輕歎息一聲，道：「姊姊，你對小妹這份情意，不知要小妹如何報答。」

方秀梅道：「掃平了天道教，來日正長，你如不嫌棄姊姊，咱們多親近親近就是。」

談話間，行入了藍家鳳的臥室之中。方秀梅目光轉動，只見這是一間很敞大的臥室，一張檀木雕花大床，擺設得很典雅、豪華。

方秀梅大步行近床前，雙目神凝，望著床出神。

藍家鳳道：「姊姊，你在想什麼？」

方秀梅道：「我在看這張床，計算咱們如何配合，才能天衣無縫。」

藍家鳳道：「配合什麼？」

方秀梅道：「妹子，韋剛進來時，看到的是你，初度肌膚接觸時，也是你，然後姊姊代替你，所以，這張床，要先佈置一下，先能把姊姊藏起來。」

藍家鳳啊了一聲，道：「姊姊，可以藏麼？」

方秀梅點點頭，道：「可以，不過，要稍作佈置，現我從大門出去，然後再溜進來，你要設法掩護我，別讓韋剛發覺我去而復返。」

藍家鳳道：「十二金釵，都還在休息，這巫山下院中，都是我的人。」

方秀梅道：「那很好，你交代他們，放我進來。」

藍家鳳道：「小妹還能替姊姊如何效勞？」

方秀梅道：「不用了！你出去應付韋剛，盡量和他拖延時間，我佈置這間臥室，堵上兩個窗子，室內光線就黑暗下來。」

藍家鳳道：「不知要多少時間？」

方秀梅道：「半個時辰，應該夠了，但爲了時間充裕一些，最好能在半個時辰以上！」

藍家鳳道：「小妹有數了。」

方秀梅道：「走吧！咱們到廳裏去。」

兩人回到大廳，方秀梅又囑咐藍家鳳一些話，才告辭而去。

方秀梅臨出門時，只見韋剛站在門口，背負著雙手，仰臉望天，神態倨傲，不可一世。

方秀梅停下腳步，沉吟了一陣，舉步向前行去。

韋剛輕輕咳了一聲，道：「方姑娘。」

方秀梅停下腳步，回頭說道：「什麼事？」

韋剛道：「你勸說藍姑娘了？」

方秀梅冷漠地說道：「勸過了。」

韋剛態度突然間變得溫和起來了，緩緩說道：「方姑娘和王修兄，都是顧全大局的人，想來定已有所成就了。」

方秀梅道：「幸未辱命！」

韋剛心中一喜，道：「幸未辱命，那是說方姑娘說服了藍姑娘了。」

方秀梅道：「藍姑娘會派人請閣下去談……」

韋剛接道：「方姑娘如此幫忙，在下感激不盡，定會對姑娘有以報答。」

方秀梅道：「我們為了大局著想，對你韋剛談不上幫忙。」

話聲微微一頓，接道：「不過，我要警告閣下幾句話。」

韋剛道：「在下洗耳恭聽。」

方秀梅道：「藍家鳳花枝人樣，仙品絕俗，世間的美人不少，但如和鳳姑娘一比，都變成庸俗脂粉了。」

韋剛微微一笑，道：「這個，我知道。」

臉色突然一整，接道：「有一件事，在下想先說明白。除了藍姑娘之外，舉世之間，再也無人，能使在下甘願放棄武林霸權。」

方秀梅道：「但藍姑娘付的代價夠大，她以絕世無比的美色，要陪你一生……」

語聲微微一頓，接道：「以你韋兄的武功，想佔有幾個女人，輕而易舉，但如你想佔有世間第一美女，那比謀求武林霸主的身分，還要難上千倍、萬倍。」

韋剛啊了一聲，道：「是麼？」

方秀梅接道：「怎麼？你可是不相信我的話麼？」

冷笑一聲，接道：「藍家鳳說你不守信約，答應她的話，又變了卦，因此，決心以死相報，不要你沾汙她的清白。」

韋剛吃了一驚，道：「姑娘沒有勸勸她麼？須知她死了之後，對諸位都是有害無益。」

方秀梅道：「這個，我們知道，所以，才苦苦勸告、哀求，使她改變心意。」

韋剛急急說道：「她改變了主意麼？」

方秀梅沉吟了一陣，道：「改變了。」

韋剛哈哈一笑，道：「那很好，王修和方姑娘都是顧全大局的人，在下相信，一定能夠勸服藍姑娘的。」

方秀梅神情肅然地說道：「她改是改變了，但她會不會再作改變，賤妾就不知道了。」

韋剛凝目思索片刻，道：「方姑娘能夠說服那藍家鳳，必是曉以武林大義，要她屈己救世，既然說服了她，想來她決不會再變卦了。」

方秀梅道：「這也很難說，須知她已答應了你，在滅去天道教之後，她要和你堂堂正正成爲夫婦，而你……」

韋剛接道：「在下思索之後，覺著有些難信，所似才改變主意。」

方秀梅輕輕歎息一聲接道：「唉！這些事都已成過去，藍姑娘爲了武林大局，在我和王修苦口勸說之下，已答允讓你佔有她清白的身子，不過，這在她的想法裏，是爲了拯救武林同道付出的代價和犧牲，所以你要小心一些。」

韋剛輕輕咳了一聲，道：「在下一向做事，多是獨斷專行，從未爲人多想，此番得請姑娘指點一下了！」

方秀梅略一沉思，道：「好吧！為了能使整個武林得救，我就指點你一、二，鳳姑娘是黃花閨女，你們又未行婚禮，這等事自然使她羞愧難當，所以你要順著她一些。」

韋剛點點頭，道：「這個自然。」

方秀梅道：「她是正含苞待放的年紀，你不可狂風暴雨般地恣意摧殘。」

韋剛一抱拳，道：「多謝方姑娘的指點。」

方秀梅道：「最後一件事，最為重要，你要千萬記下。」

韋剛本待轉身而去，聽得方秀梅之言，重又停下腳步，道：「姑娘請說。」

方秀梅道：「處處陪加小心，使她消失驚懼之心，不可拿出一副急色兒的樣子。」

韋剛道：「在下自當遵照姑娘指教。」

方秀梅道：「你可以去了。」

韋剛微微一笑，道：「事成之後，在下當會厚報姑娘。」

方秀梅道：「倒不用厚報於我，只要你遵守諾言，搏殺藍天義，掃平天道教，那你就對得起鳳姑娘和賤妾了。」

韋剛道：「方姑娘放心，十二金釵一旦出手，多則一口夜，少則六個時辰，必可盡殲藍天義和天道教中的高手。」言罷，轉身行入巫山下院。

方秀梅目睹韋剛身形消失，才黯然嘆息一聲，繞向側面，飛身而起，重入巫山下院，她早已看好了出入之路，極順利的行入了藍家鳳臥房之中。

且說韋剛快步行近大廳門口，停下腳步，長長吁了兩口氣，才緩步行入廳內。

抬頭看去，只見藍家鳳羅帕掩面，獨坐在一張太師椅上，兩個隨侍小婢，早已不知躲向何處。

韋剛緩步行到藍家鳳的身前，抱拳一禮，道：「委曲姑娘了。」

藍姑娘早已和方秀梅研商好了對付韋剛的步驟，緩緩取下掩面羅帕，抬起頭來。

只見她淚痕滿腮，目光中滿是幽怨。

她本是天下絕美姿色，輕顰淺笑，都能自成一種動人之態。

此時，滿臉輕愁薄怨，有如雨中搖顫的一株海棠，兼具一種動人惜憐的味道。

韋剛輕輕咳了一聲裝出無限溫柔之狀，道：「鳳姑娘，在下之意，只是想早償心願，咱們也好合力對敵，並無他意……」

藍家鳳突然一整臉色，道：「你一定要蹧蹋了我，才肯安心，是麼？」

韋剛道：「反正我們已定夫妻名份了，早晚有何不同？」

藍家鳳道：「你既然知道我們已有了夫妻的名份，爲什麼不能多等上十天半月，等你剿滅了天道教之後，再行成親？偏要強我所難，在未行結婚大禮之前，就要沾污我的清白？」

韋剛道：「快成夫婦，何能算得沾污……」

藍家鳳雖已和方秀梅早有計議，但想到方秀梅要犠牲自己的清白，代她保下處子之身，故而希望能用言語打動韋剛，懸崖勒馬，改變心意，以保方秀梅的清白。當下接著說道：「女孩子家貞德爲先，未行大禮，而行洞房之實，日後叫我有何顏見人？」

韋剛笑道：「這等閨房之事，你我不說出口，何人能得知曉？」

藍家鳳道：「縱然能瞞得過人，但卻在我心中，永留下一片陰影，難道你就全無感受麼？再說，目下已有兩人知曉……」

韋剛道：「甚麼人？」

藍家鳳道：「王修和方秀梅。」

韋剛道：「這事容易解決，咱們度過春宵，我立別把王修和方秀梅殺死，不讓他們有傳說出去的機會。」

藍家鳳萬沒有想到，韋剛會說出此語，心中暗道：「此人之毒，果真是尤過蛇蠍。」心中念轉，表面上卻極力保持鎮靜，道：「他們爲你，苦口婆心，勸我半天，你竟然毫無一點感激人家的情意。」

韋剛笑一笑，道：「他們是爲了整個武林大局，想借我之刀，以除藍天義，並非是對我韋某人，有甚麼情意，殺之何惜？」

藍家鳳道：「唉，你有此想法，實叫人寒心。」

韋剛道：「哪裏不對了？」

藍家鳳道：「王修和方秀梅也幫了你的忙，他們用盡了說詞才使我回心轉意，但你竟要殺了他們。這麼看來，你在佔有我清白之後，一樣可以殺我了。」

韋剛急急說道：「姑娘不要誤會，在下惜愛姑娘還來不及，怎的會下手殺你，殺王修和方秀梅，也全是爲你，不讓他們把事情傳佈開去。」

藍家鳳道：「除了王修和方秀梅外，我兩個貼身女婢，也一樣無法瞞過，難道你也要把他們殺了不成？」

韋剛道：「那倒不用殺了，在下另有法子……」說了一半，突然住口不言。

藍家鳳心中暗罵道：「這人不知又要想出甚麼惡毒之策？」急急追問道：「甚麼法子，你怎麼不說了。」

韋剛道：「說出來，又怕惹你生氣。」

藍家鳳道：「你說吧，我不生氣就是。」

韋剛道：「我把她們先行收房，她們自然不會說出去了。」

這一次藍家鳳卻未生氣，反而淡然一笑，道：「藍天義訓練了七個少女，個個貌美如花，將來，我準備把她們全部收來，幫我做內宅雜事，一旦咱們成爲夫婦，我的內宅之中，不許有三尺童子入內，你如是有興致，七個女婢，都可讓你收房。」

韋剛微微一怔，道：「怎麼，你一點也不忌妬？」

藍家鳳道：「妬忌甚麼，英雄豪傑，大都有三妻四妾，你內功精湛，多收幾房妾婢，也不會傷了身體。」

韋剛微微一笑，道：「這話當真麼？」

藍家鳳道：「我自幼熟讀烈女事跡，爲人之妻，自當遵守三從四德，這些事情，自然是不會管你的了。」

韋剛道：「姑娘果然是一位賢淑女子……」

語聲一頓，接道：「你既然同意了，自然用不著多此一慮了。」

這時藍家鳳已心中明白，無法說動他改變心意，口氣一轉，道：「看來，你如不先蹧蹋了我，決然不會甘心了。」

韋剛道：「姑娘既然已答允了，還望能成全在下，也好讓我全心對敵……」

長長歎息一聲，接道：「在下實有自知之明，我韋剛這副德行，雖非太醜，但卻實難和姑娘匹配，一旦滅去天道教，姑娘可能悄然逃走，也可能以保護清白，那時，在下的心願，豈不是永無得償的機會了麼？再說，江曉峰那小子，似乎也對姑娘有情……」

藍家鳳接道：「他救過我的命，我對他只是有一份深深的感激。」

韋剛道：「看上去，你們卻也是一對金童玉女，珠聯璧合，這也是在下改變心意，先要得到姑娘身體的原因之一。」

藍家鳳道：「唉！我如對江曉峰有情，難道你佔有我身體之後，我就會對他無情了麼！」

韋剛道：「至少你不能嫁給他，也不能在我對付天道教時和他私奔，你如非完整之身，決不敢嫁給江曉峰，他知道了也不會娶你。」

藍家鳳道：「好吧，我答應你，不過，這是你逼我如此，以後，你不要後悔。」

韋剛道：「在下也未指望姑娘日後真的對我情愛深重，只期望你成我的妻子，我已經很滿足了。」

藍家鳳一整臉色，神情冷肅地道：「事已至此，再談無益，我既為人說服，只好先行獻身於你，不過你需答應我幾件事！」

韋剛道：「只要我能夠辦到，無不答允。」

藍家鳳道：「進入閨門之後，不准你看我的身體，你要蒙上眼睛。」

韋剛道：「閨門只有你和我，自然可以。」

藍家鳳道：「第二件，只此一次，下不為例，鴛夢再溫，必須等到正式花燭之夜。」

韋剛道：「好！在下遵守此約。」
藍家鳳道：「你說了不算，很難叫人相信，必得立下重誓。」
韋剛道：「我如不守此約，死於亂劍之下。」
藍家鳳歎息一聲，道：「其實你立下誓言，亦是不算，這不過，聊盡人事罷了。」
韋剛笑了一笑，道：「這一次一定算，決不變卦！」
藍家鳳道：「還有第三件，你雖然教會我役使這十二金釵之法，但我不能役使她們攻擊敵人，一旦動起手來，藍天義必然對我痛下殺手，如若他追殺於我，縱然有十二金釵在側，我也無法使她們助我了。」
韋剛微微一笑，道：「這事簡單，咱們有了夫妻之實，我會傳給你役使十二金釵的殺人之法。」
藍家鳳暗中算計，拖延的時間已到，方秀梅應該已經佈置好了，當下站起身子，解下身上佩劍，放於木案之上，轉身向臥室中行去。
韋剛略一沉吟，也解下了身上的兵刃，緊隨在藍家鳳的身後，兩人先後行入臥室。
室中光線很暗，但兩人目力過人，仍然可清晰的瞧清楚室中的景物。
這間臥室並不很大，除了一張檀木雕花的大床之外，只有一座古雅梳粧檯，上面放著一面銅鏡。
藍家鳳想到了方秀梅，就要為自己犧牲了清白的身子，不禁一陣黯然，冷冷說道：「你看清楚了沒有？」
韋剛道：「看清楚什麼？」

藍家鳳道：「看清楚這房中是否還有別人，或是有什麼埋伏。」
韋剛道道：「姑娘說笑了。」
其實，韋剛在進入室內之後，已然流目四顧，早已瞧清楚了室內的景物。
藍家鳳道：「那麼，你去關上門吧。」
韋剛想不到這位絕世美女，立時之間，就要把清白身子，交給了自己，從此之後，將常陪在自己身側，再也不會轉別的念頭，不覺間心頭狂喜，應著轉身，關上了木門。
藍家鳳緩緩說道：「上了門栓。」
韋剛心中驚喜過甚，手指也有點抖動起來，來回了兩次，才把木栓拴上，他回過身子，道：「鳳姑娘，在下已上了木栓。」
藍家鳳緩緩上了雕花木榻，道：「韋郎，我早晚都是你的人了，爲什麼你一定要讓我感覺到身受傷害，不能等到洞房花燭之夜？」
韋剛搖搖頭，道：「姑娘原諒在下吧！目前在下的處境，有如箭在弦上，不得不發了。」
藍家鳳道：「好，你脫了衣服。」
韋剛應了一聲，匆匆地脫下外衣，只餘下一條內褲，直向木榻上撲去。
藍家鳳厲聲喝道：「站住！」
韋剛人已經撲近了木榻，聽聲驚覺，右手一按床沿，身子倒退五尺。
藍家鳳冷冷說道：「你守不守約言？」
韋剛道：「什麼約言？」
他全身上下，只穿著一條內褲，臉上被欲念燒得一片通紅，看上去形狀十分狼狽。

藍家鳳心中卻是充滿著悲哀，一切都遵照著事先商好的計畫行事，放下了木榻上的紗帳。

爲了誘使那韋剛的慾念高張，她也大膽地脫下了身上的衣服，露出大部分嬌身，道：「不許你瞧著我，木榻有一條束腰汗巾，你要把兩隻眼睛蒙了起來。」

這時，韋剛早已被綺念撩起了焚身欲火，別說要他蒙上眼睛，就算是要他用火漆糊上兩隻眼睛，他大概也會答應，伸手取下木榻上汗巾，蒙起了雙目。

這都是方秀梅先行做好的設計，那條汗巾，是黑緞子做成之物，十分綿密，任何人勒上了眼睛，也無法瞧到外面的景物。

韋剛蒙上雙目，撲上木榻，卻被一隻柔弱無骨的手，擋住了向前撲進的身軀，道：「韋郎，深閨相對，孤男寡女，寬衣解帶，肌膚相觸，這和夫婦已然相差有限，我仍然希望你改變心意，希望我在婚禮之前，仍然保持著我的清白。」

韋剛搖搖頭，道：「在下無法答應。」雙手輕拂藍家鳳玉臂，只覺凝如羊脂，滑膩異常。

藍家鳳歎息一聲，道：「對自己未來的妻子，你竟也這樣的狠心自私，現在，你傳我役使十二金釵之法，事完之後，你要立刻離此，不許在房中停留。」

韋剛道：「在下件件依從。」

當下便把一些役使十二金釵的方法，授給藍家鳳。話說完，人立時向床上擠去。

藍家鳳輕輕一掌推開韋剛，道：「慢一點，我要瞧瞧你的眼睛綁緊了沒有。」

韋剛無可奈何，只好轉過頭去，讓藍家鳳查看。

藍家鳳看他綁得很緊，而且連兩面的耳朵也各綁了一半，但又伸手在緞帶上結了個花結，才滾入床內。

四七　移花接木

就這一瞬工夫，藍家鳳已和藏在木床一側的方秀梅換了過來。

原來，方秀梅早已在木榻一角處，打了一個洞，人早已藏在洞中，外面鋪上平整的墊被、床單，外面瞧去，全無痕跡。

但聞韋剛輕輕咳了一聲，道：「藍姑娘，在下可以上去麼？」

藍家鳳本已躲了起來，聞言不得不伸出頭來，說道：「你一定要糟蹋我，那就上來吧！」

下面的事，有汗筆墨，不談也罷。

一切事情，都按照著方秀梅和藍家鳳的計畫進行。

犧牲的是笑語追魂方秀梅，但她卻緊咬櫻唇，忍受破瓜之苦。

低婉的呻吟聲，卻發自藍家鳳口中。

一陣風暴過後，方秀梅推開了韋剛，利用棉被的阻遮，又換上來藍家鳳。

巧妙的配合，使得這移花接木之策，進行得天衣無縫。

但韋剛非好與人物，適才，雖被慾火燒暈了頭，但事後，卻突然恢復了冷靜，對藍家鳳要求他蒙上眼睛一事，動了疑心，略一沉思，突然伸手拉下了蒙面黑巾。

眨眨眼，凝眼望去，只見藍家鳳雙手掩面，正自嚶嚶嬌啼。

這一代魔頭，面對著人間絕色的美女，突然間，生出了歉疚之心，輕輕歎息一聲，慰道：「姑娘不用哭了，在下必盡我之力，助姑娘君臨天下，使武林人人臣伏。」伸手去拉藍家鳳掩面右手。

藍家鳳右手一甩，道：「不要碰我。」

韋剛道：「在下心中不安得很，姑娘心中怒氣難消，你打我幾下消消氣吧！」

藍家鳳想到他適才糟蹋方秀梅的氣勢，不禁心頭火起，右手一揮，左右開弓，打了韋剛兩個又脆又響的耳刮子道：「快些給我走，別再瞧著我。」

這兩掌勢倒不輕，打得韋剛雙臉都微微腫了起來。

韋剛目光微轉，看看大木床上，只有自己和藍家鳳，微微一笑，道：「打得很好，但願你消去了心頭一口氣。」

藍家鳳道：「你快出去。」

韋剛道：「我走，我走。」躍下木榻，穿上衣服，打開房門。

藍家鳳突然失聲喝道：「等一等。」

嘶的一聲，撕下了一片床單，道：「拿去這個。」

呼的一聲，投了過去。

韋剛伸手接過，只見一片白單上，點點殷紅，那正是一個少女貞節的標誌。

藍家鳳道：「你好好的收著……」

韋剛道：「在下當視它珍逾生命。」

藍家鳳道：「快給我滾出去。」

韋剛微微一笑，帶上房門而去。

藍家鳳等候一陣，穿好衣服，悄然下床，開門一看，韋剛真的已去，呼出方秀梅，拜伏於地，道：「你救了小妹，但卻害了自己！」

方秀梅雙目中淚光盈盈，臉上卻是一片肅穆，緩緩說道：「鳳妹妹，你起來……」扶起藍家鳳，黯然接道：「不用太感激我，我是爲了天下武林同道，也是爲了江兄弟，我方秀梅才把保留數十年的處子之身，做了這一件有益武林的事，我一點沒有痛悔，也不會爲此傷心。」

藍家鳳黯然淚落，道：「姊姊當真是人間奇女子，外面對你的誤會太多，但這都將成爲過去，小妹一旦有出頭之日，必將昭告天下，使武林都知道姊姊的真正爲人。」

方秀梅黯然一笑，道：「妹妹，快些去前面瞧瞧，咱們費盡了心機安排，姊姊我也犧牲了清白，如是事後因一些小節疏忽，被韋剛發覺了，那可是大大失悔的事。」

藍家鳳點點頭道：「多謝姊姊指點……」轉身向外行去。

行到門口時，突然又停了下來，回頭說道：「姊姊，藏在室中等我，小妹心中有很多事要和姊姊商量。」

方秀梅笑道：「此時，不是咱們暢敘情懷的時候，你要去見韋剛，想法子催他動手，姊姊也想法子離開這裏，我早走一刻，就少一刻被韋剛發現的危險。」

藍家鳳道：「小妹一切從命，我這就去見韋剛。」

方秀梅道：「慢著。」

藍家鳳道：「姊姊還有什麼吩咐？」

方秀梅道：「你不能就這樣去見他……」

藍家鳳道：「那要怎麼樣？」

方秀梅道：「你要猶抱琵琶半遮面。記著，在韋剛面前，破瓜的是你，所以，你要用黑紗遮面，舉動之間，常常要流露出心中的疼和恨。」

藍家鳳道：「小妹知道了。」

取出一方黑帕，蒙在面上，緩步向外行去。

目睹藍家鳳離開之後，方秀梅突然間變得十分脆弱，兩行淚水，奪眶而出，匆匆整理好床褥，悄然而去。

且說藍家鳳行入大廳，瞥見韋剛正大步入廳而來，立時喝道：「站往！」

韋剛停下腳，雙目盯注在藍家鳳蒙面黑紗之上，道：「你是鳳姑娘。」

藍家鳳道：「你忘性很大，似乎已記不得我了。」

韋剛道：「爲什麼用黑紗蒙面？」

藍家鳳道：「你糟蹋了我，要我何顏見人，只好蒙起臉了。」

韋剛道：「姑娘差矣！咱們早晚要成夫妻……」

藍家鳳接道：「至少，咱們現在還名份未定，大禮未行，我說過你要在婚典之前蹂躪我，就別想在婚禮之前看到我……」

韋剛微微一笑，接道：「可是目下事務繁多，咱們的事必要常作商量，如何能夠不見呢？」

藍家鳳道：「所以，我想了這麼一個辦法，用黑紗蒙起臉來，在我們未舉行婚典之前，我要用黑紗蒙面。」

韋剛輕輕歎息一聲，道：「姑娘如此貞烈，在下實是有些慚愧。」

藍家鳳冷冷說道：「如不是爲了武林大局著想，我寧可自絕一死，也不會讓你在未婚之前，先糟蹋了我的身體。」

韋剛道：「事情已經過去，希望你別放在心上。」

藍家鳳道：「我二十年的清白，已被你玷污，放在心上又有什麼法子……」

語聲一頓，道：「你又進來幹什麼！」

韋剛道：「找姑娘。」

藍家鳳吃了一驚，暗道：「如非那方秀梅催促我早些離開臥室，正好要被他撞上，露了隱密。」

心中念轉，口中卻說道：「你找我有什麼事？」

韋剛道：「我來請示賢妻……」

藍家鳳道：「不許這樣叫我，要叫我，也等咱們行了婚禮之後。」

韋剛微微一笑，道：「好！我是一切從命，咱們何時動手？」

藍家鳳道：「自然是越早越好。」

韋剛道：「咱們一個時辰之後出動，姑娘傳諭你的屬下，要他們早些準備一下。」

藍家鳳沉吟了一陣，道：「韋郎，咱們要不要通知王修一聲！」

這聲韋郎，叫得輕柔婉轉，動人至極。

只聽得韋剛身上的骨頭突然一輕，笑道：「這可由賢……」

突然改口道：「由姑娘作主了。」

藍家鳳溫柔地說道：「我想應該通知王修一聲，剛才他告訴過我，他們那邊還有很多的人手。」

韋剛笑一笑，道：「姑娘可是準備要他們相助？」

藍家鳳道：「多幾個人，總是好的。」

韋剛笑道：「好！你通知王修一聲，要他們在一個時辰之內，把所有之人集中巫山下院，聽候調遣。」

藍家鳳搖搖頭，道：「這樣不行！」

韋剛奇道：「為什麼？」

藍家鳳道：「聽說他們的人手，大都是疲累不堪之身，須要好好的休息一下，才能恢復體能和人決戰，如若要他們出手，那就只有看他們的休息時間了。」

韋剛道：「其實，那些人，一點武功，實在無法幫助咱們什麼，要不要他們，都無關緊要。」

藍家鳳心中暗道：「這韋剛生性陰沉，喜怒難測，要對他來點手段才成。」心中念動，輕輕歎息一聲，道：「以十二金釵的武功而言，自然是用不著別人幫忙，再說，別人也幫不上忙，不過，要他們到場瞧瞧，那也是一樁十分重要的事情。」

韋剛道：「當今之世，除了姑娘之外，再也無一人，放在區區眼下。」

藍家鳳道：「你此刻的處境，和過去不同，所以，在做人處事方面，不能和過去一樣了。

他們雖不能幫助你，但卻一定要他們在場，你現在是在幫助武林同道，要他們目睹實情，他們才會把此事廣為傳揚。此事過後，你即將是受武林敬重的人物，行進所至，凡是武林中人，都將倒屣相迎。」

韋剛道：「原來如此，在下從未想過這點。」

藍家鳳道：「這些敬意，乃是由人心底自發而出，比起統率武林、號令江湖的武林至尊，還要榮耀上千倍、萬倍。」

韋剛哈哈一笑，道：「好啊，我如有此榮耀，你也將一般的受他們崇敬了。」

藍家鳳道：「妻以夫貴，我是你的一份子，自然也能分享到你的榮耀。」

韋剛輕輕歎息一聲，道：「當年我在江湖之上，惡跡太多，兩手血腥，縱然我拯救了武林大劫，只怕他們也未必會對我崇敬。」

藍家鳳心中暗道：「我還道你不知道自己的惡跡，想不到竟是明知故犯，實是死有餘辜了。」

但情勢迫人，藍家鳳不得不設法軟言相慰，柔聲說道：「雖然你過去殺了很多人，但那只是少數人的事情。目下你救的是整個武林，相比之間，那是不可同日而語了。」

韋剛道：「好吧，一切都聽你的安排，我去找王修來。」

藍家鳳道：「不用勞動你了，目下已和藍大義形成兩陣相對之局，咱們可以主動攻襲對方，人家也可以先行下手，攻來巫山下院。此事不可不防。」

韋剛道：「不錯啊！姑娘足智多謀，日後對在下必有大助！」

藍家鳳道：「希望你能聽我的話。」

韋剛微微一笑，接道：「我不是件件事都依你了麼？」

藍家鳳伸出手去，輕輕地握住了韋剛的右手，柔聲說道：「我去見王修，你也要準備一下，我盡快趕回來，決定咱們動手的時刻。」

韋剛只覺那滑膩柔綿的玉指，觸在肌膚之上，頓覺綺念泛動，心跳加速，左手一彎，把藍家鳳攬入懷中，藍家鳳暗裏咬牙，本待讓他溫存片刻，但見他目光中暴射出欲念之火，急急推開了韋剛，道：「快些走吧！咱們分頭辦事。」

韋剛道：「你要小心啊！最好多帶幾個人同去。」

藍家鳳點點頭道：「我會爲你珍重。」

這句話情意款款，聽得韋剛哈哈大笑，帶著滿心歡愉甜蜜，轉身而去。

藍家鳳招呼來六燕、七燕，匆匆趕向王修等的停身之處。

再說方秀梅悄然由後窗溜出，趕回茅舍，行至途中，只見王修早已在林邊等候。

這位號稱神算子、胸羅萬有的人物，正獨自站在道旁一株老榆之下，臉上是一片凝重憂慮，呆呆出神。顯然，事情的發展，已出了他智慧之外，使得這位江湖上公認的智多星，亦有智窮無力的傷感。

方秀梅停下腳步，道：「王兄，什麼事，想得這樣入神。」

王修似是根本未瞧到方秀梅，但又似早已料到她會來一般，緩緩移動目光，盯住在方秀梅的臉上瞧了一陣，語氣沉重地說道：「藍姑娘好麼？」

方秀梅了然這句話的含意，目下武林正遇前所未有的劫難，而且，又正向面臨著最後的存亡機會，情勢的險惡，使智計已無能爲力，唯一的解決之法，是一場面對面的生死之搏。

方秀梅感覺到王修那一句簡單的問話，字字如鐵一般，錘打在自己的心上，但她卻強自忍著心中劇烈的創痛，緩緩說道：「藍姑娘很好！」

她雖然盡力想抑制著內心的激動，但她的聲音，仍然有些顫抖。

王修雙目突然一亮，臉上的憂苦，也似是消退了不少，沉聲說道：「藍姑娘可是爲了大局，已犧牲了自己的清白……」

他本想說犧牲了清白的身子，但話到口邊，又覺著不好出口。

方秀梅只覺鼻孔一酸，無法忍耐，兩行熱淚，奪眶而出，急急別過臉去，拂拭去淚痕。

王修長長吁了一口氣，道：「難得啊！她小小的年紀，竟有著這等博大的胸懷，實是叫人感動的流淚。」

方秀梅一咬牙關，忍下心頭的酸楚，輕輕歎息一聲，道：「她是個聰明絕世的姑娘，王兄自不能以常情測度。」

王修接道：「她加惠了這一代武林同道，雖然她的身軀受到了玷污，但她的靈魂和氣度，將永爲武林中百世敬仰的人物。」

方秀梅嗯了一聲，道：「是麼？」

王修正色說道：「自然是了，姑娘難道不覺著，藍姑娘犧牲清白，是救世慈航，普渡眾生麼?這中間也有你我。」

方秀梅淡淡一笑，道：「說得也是，不過……」

方秀梅道：「不過，咱們不能使這件事，傳入江曉峰的耳中。」

王修道：「那自然。」
方秀梅道：「而且王兄必然要設法說服江曉峰，無論如何，要他忍耐，王兄最好能安排，不讓他同時的瞧到藍家鳳和韋剛。」
王修點點頭，道：「我明白，姑娘放心，在下會作防範。」
方秀梅歎息一聲，道：「我有些累了，希望能休息片刻！」
王修道：「咱們回茅舍中休息一下……」
一面舉步向前走，一面接道：「說服藍家鳳犧牲清白，實是一件極爲困難的事情，但姑娘竟然辦到了。」
方秀梅有苦難言，嗯了一聲，未再接口。

沉默中，行近了茅舍。
江曉峰大步迎上來道：「兩位見著藍家鳳了麼？」
王修道：「見到了，她很好。」
江曉峰道：「咱們要幾時動手？」
王修道：「大概快了吧！」
江曉峰目光微轉，只見方秀梅臉色黯然，獨自向茅舍一角行去，不禁心中一動，暗道：「方姊姊的行動，有些反常，往日見我之面，不管何時何地，均極親切，這一次卻似有意的要避開我。」
心中念轉，人卻跟著行了過去，低聲說道：「方姊姊，你不舒服麼？」

方秀梅道：「我只是有一點累，很想休息一下。」

江曉峰道：「姊姊，你的臉色不好，可是鳳姑娘苦了你了！」

方秀梅心如刀割，但她盡了最大的氣力，抑制著激動的心情，忍著不讓淚水落下，道：「不要胡亂猜想，藍姑娘對我很好，唉！她應付韋剛，費盡心機，日後，你要好好待她。」說罷，閉上雙目。

她雖然有著鋼鐵一般的堅強，但此時此情之下，也難忍受，一閉雙目，擠下來兩點淚水。

江曉峰怔了一怔，道：「姊姊，你哭什麼？」

方秀梅還未來得及答話，王修搶先說道：「江少俠，請這邊來。」

江曉峰緩步行了過去，道：「老前輩，我方姊姊有些不對？」

王修笑道：「她這幾年來，到處奔走，希望能挽救武林危難，此刻已面臨最後關頭，心中倒是有些沉重和感傷，難怪她心情激動了。」

這理由很勉強，江曉峰皺皺眉頭，哦了一聲，未再多問。

王修望望天色，道：「江少俠咱們談談如何？」

江曉峰道：「與君一席話，勝讀十年書，老前輩有什麼指教，晚輩洗耳恭聽。」

王修笑一笑，道：「咱們年來，不但是身處逆境，而且一直是在危亡艱難中，隨時可能被天道教中人所追殺。」

江曉峰道：「這個晚輩明白。」

王修道：「武林已到了道消魔長的極峰，而唯一能保存武林正義的，只有十二金釵的反擊之力，但能夠役使十二金釵的人，舉世之間，只有一個韋剛。」

江曉峰點點頭，道：「所以咱們要對他百般遷就了？」
王修笑一笑，道：「是啊！一個人如果要成大功、立大業，爭取千秋美名，必須有一個很重要的條件。」
江曉峰道：「什麼條件？」
王修道：「付出很重的犧牲。」
江曉峰淡淡一笑，道：「老前輩可以放心，晚輩早已有了必死之念，但望能和藍天義，放手一搏，雖死何憾。」
王修道：「江老弟豪氣干雲，不過，有很多事，在小人奸雄眼中看來，雖然不算什麼，但在英雄豪傑的心目之中，卻是比死亡更爲重要。」
江曉峰道：「千古艱難唯一死，什麼事會比死亡更重要呢？」
王修沉吟了一陣，道：「割愛……」
江曉峰道：「割愛？」
王修道：「不錯，割愛是豪傑人物的大苦之一，自然我舉說的例子，也未必十分恰當。」
江曉峰輕輕歎息一聲，道：「寶劍送與烈士，紅粉贈與佳人，如果割愛是値得的，那也就沒有什麼痛苦可言了。」
王修搖搖頭，道：「世上之事，偏有很多難如人意之處。」
江曉峰眨動了一下星目，道：「老前輩，我不懂你的意思，可否說得明白一些。」
王修長長吁一口氣，道：「也好，咱們好好商量一下。」
江曉峰精神肅然地說道：「老前輩請說吧！晚輩自信還可以承受得起。」

王修沉聲說道：「那很好，大丈夫應該能提得起，放得下。」語聲微微一頓，接道：「韋剛控制著十二金釵，但他有一個條件，才肯幫咱們對付那藍天義。」

江曉峰道：「要藍家鳳嫁他為妻，才肯幫咱們對付天道教麼？」

王修道：「正是如此。」

江曉峰整個臉變成了慘白之色，人也在微微的發抖，但他仍然強自忍了下去，道：「這件事，要問藍姑娘了。」

王修雖然瞧到江曉峰的激動之情，但此情景之下，只好裝作沒有瞧到，淡淡說道：「自然要問藍姑娘，問題是在下想先請教江少俠，對此事的看法如何？」

江曉峰道：「只要藍姑娘同意了，在下並無反對之意。」

王修道：「藍姑娘是在犧牲自己，為挽救天下武林同道，她犧牲自己一生，如是我的看法不錯，事成之後，她可能自絕一死。」

江曉峰黯然歎息一聲，道：「你們去說服藍家鳳吧，在下……」只覺一陣心酸，熱淚奪眶而出。

王修似乎是忽然間變得十分冷酷，瞧也不瞧江曉峰一眼，打鐵趁熱地說道：「如是藍家鳳不答應這件事，咱們還要麻煩你江少俠了。」

江曉峰道：「麻煩我什麼？」

王修道：「麻煩你江少俠從中幫忙，說服藍家鳳答應韋剛。」

江曉峰感到王修之言，字字如刀，刺入心中，不禁怒火直往上沖，冷冷喝道：「老前輩，我江曉峰一向尊重你，但老前輩你可知道藍家鳳是我的什麼人？」
王修道：「不太清楚。」
江曉峰道：「她已與我私定終身，可以說是我的妻子。」
王修道：「哦！所以，江少俠不贊成這件事了。」
江曉峰道：「在下不反對，也就是了，若要我去說服自己的妻子，改嫁他人，要我姓江的如何啓齒呢？」
王修苦笑一下，道：「江少俠，滔滔人間，能夠說服藍姑娘嫁給韋剛做妻子，恐怕只有江老弟一個人，你如撒手不管，這件事，豈不是很難有功成之望了麼？」
江曉峰道：「你被江湖上稱作神算子，也自負胸羅玄機，學究天人，沒想到你只會在女人身上打主意。」
這幾句話說得很重，但王修卻鎮靜如常，淡淡一笑，道：「犧牲一、二人，挽救千萬人，難道這也是一種罪惡麼？」
江曉峰道：「你爲什麼不犧牲自己呢？」
王修神情肅然地說道：「武林大劫過後，如是江少俠、我、鳳姑娘還活在世上，區區願在兩位面前，橫劍自絕一死。」
江曉峰冷冷道：「爲什麼？」
王修道：「今天在下勸說江少俠，轉勸藍姑娘答應下嫁韋剛，是爲了天下武林同道，等大事完成之後，在下在兩位面前自絕一死，以謝愧對兩位之疚。」
江曉峰冷笑一聲道：「你認爲我會被你說服麼？」

王修道：「江少俠如不答允……」

江曉峰厲聲接道：「不答允你又怎樣？」

王修道：「區區不會停下，一直要說服到你答允為止。這時刻，不得有一點錯誤，因為，我們已沒有補救的時間了，一個處理不當，今後的武林同道，都將淪落於一片暗無天日的黑暗中，不但是我們這一代死無葬身之地，今後百年之內，也怕難有翻身的機會了……」

「少林、武當等九大門派，都將成為讓人憑弔的一個名詞，天下所有的門派幫會，都將全被消滅，那時武林中只有一個藍天義，只有一個天道教，天道教統制了武林。但幫助藍天義打天下的人，在藍天義藥物控制之下，都將很快地老邁，逐漸地失去了武功。就算是藍天義網開一面，不會殺他們，他們也將會很快地死亡……」

江曉峰似是被王修說動了，忍不住接口問道：「藍天義總不能一個人唱獨腳戲。」

王修道：「不錯，他不會一個人獨存江湖，但有一批人將代之而起，這些人，都是他從小訓練的人手，對他無不言聽計從，像十二劍童，和十二飛龍童子，才是他日後真正要用的人。」

江曉峰道：「韋剛統率的十二金釵，難道能和藍天義並存武林麼？」

王修道：「兩個魔頭自然不能並存，但那是另外一件事……」

江曉峰道：「兩人如若要發生火併，豈不是對我們十分有利，怎能說是另外一件事？」

王修道：「兩人火併一仗中，設若藍天義勝了，其中悲慘情形，已如上述，如是韋剛勝利，必亦起稱霸江湖之心，他沒有藍天義那一套計畫周密的方法，只有採取一個殺字，殘餘的一些武林同道後果如何？不言可喻了。」

江曉峰長長吁一口氣，神色間一片黯然，終於，流下來兩行淚水。
誰說丈夫有淚不輕彈，只爲未到傷心處。
江曉峰和王修大約都在心情激動之時，竟未能率先聽得步履之聲。
兩個人轉頭望去，只見來人正是藍家鳳。
藍家鳳目光一掠王修，接道：「老前輩這防守太過鬆懈了。一路上，竟然沒有人阻止於我，如若來的是韋剛，豈不全部聽到你們的談話。」
王修神情莊肅，緩緩說道：「藍姑娘來了好久了？」
藍家鳳道：「我剛剛到，聽到你們最後兩句話。」
江曉峰站起身子，道：「鳳妹妹來得正好，我們正在談你。」
藍家鳳道：「我的時間不多，還有要事和你們商量，江郎有話，簡要說明。」
口中說話，目光卻掃掠了靜坐在茅舍一角的方秀梅一眼。
江曉峰黯然說道：「王修在勸我。」
他似有難言之苦，說了一句又停了下來。
藍家鳳道：「勸你些什麼？」
江曉峰道：「他要我奉勸姑娘，在目下情勢之中，咱們應該犧牲。」
藍家鳳沉吟了一陣，道：「我有些明白了，你可是勸我答允韋剛之求，嫁給韋剛。」
江曉峰道：「小兄細想王修之言，卻也是至理，犧牲咱們拯救世人，這死法，也是值得了。」
藍家鳳道：「你同意麼？」

江曉峰道：「男子漢大丈夫，要自己勸告自己的妻子，去嫁給他人，還有何顏面能夠立足於天地之間？……」

藍家鳳也變得一臉肅然，接道：「你不同意？」

江曉峰道：「我同意，你去嫁給韋剛，借十二金釵之力，先消滅藍天義。」

藍家鳳淡淡一笑，道：「江曉峰，你果然是大仁大義的英雄。」

江曉峰苦笑一下，道：「你別譏諷我，我內心中痛如刀割。」

藍家鳳道：「但你還是同意了王先生的勸告，讓妻救世，在武林之中，大約還是江少俠創下此例，難道還不夠當得大仁大義的英雄麼？」

江曉峰道：「但我心中明白，自己無法忍受下這一份刻骨的相思，也無顏再見天下英雄，如能戰死在這一仗之中，固然是好，就算我沒有戰死，剿滅了藍天義之後，我也要自絕而死。」

藍家鳳道：「你有讓妻與人的雅量，爲什麼沒有活下去的勇氣？」

江曉峰搖搖頭，流下淚來，道：「鳳妹，不要再逼我了，我已經將到崩潰之境。」

藍家鳳緩緩行近江曉峰，柔聲問道：「那是你真的很喜歡我了？」

江曉峰道：「小子無能，連自己的妻子，也保護不住，而且還要哀勸她下嫁別人，天啊，我江曉峰究竟是一個什麼人啊？」

突然雙手一抬，插在臉頰之上。

他落手很重，掌指到處，不但指痕宛然，而且，口角處，汩汩地流下鮮血。

藍家鳳無限憐惜地說道：「江郎，不要這樣折磨自己……」

江曉峰兩手蒙住雙目，鮮血從指縫中流了出來。

他心中痛苦到極處，也慚愧到極處，竟是不敢望藍家鳳一眼，說道：「鳳妹，咱們犧牲吧！希望你振作起來，挽救一次武林大劫。」

藍家鳳道：「若是我不答應呢？」

江曉峰突然放下雙手，滿臉淚痕、鮮血，悲壯地說道：「鳳妹，我求你答應吧！爲了拯救世人，也爲了替武林保留一分元氣，也是爲了我……」

藍家鳳道：「爲了你？」

江曉峰道：「不錯，爲了我。」

藍家鳳道：「爲武林保留元氣，爲蒼生保平安，這些我都明白，但爲了你，恕我有些不明白了，爲了你什麼？」

江曉峰道：「爲了我這份衷心的請求。」

藍家鳳沉吟了一陣，道：「你明白點說，是不是真的要我嫁給韋剛？」

江曉峰回顧了王修一眼，只見王修的臉上，肅然中透出一片渴望，不覺一呆，咬咬牙，道：「句句實言，由衷而發。」

藍家鳳淡然一笑，道：「如是我應付韋剛，失去了清白身子，你要怎麼對我？」

江曉峰怔了一怔，問道：「你成了韋剛夫人之後，是麼？」

藍家鳳搖搖頭，道：「我不是韋夫人，此心已許江郎，你要我應付韋剛，救救武林同道，在我的感覺之中，那只是奉了丈夫之命行事……」

江曉峰接道：「你怎麼這樣說了？」

藍家鳳道：「你可是有些怕了，這茅舍中沒有外人，恕我說話放肆一些。事實上，這件事已如弦上之箭，咱們不得不談個清楚了，江郎，有一句小童子都明白的話，是說，既要馬兒好，又要馬兒不吃草，辦得到麼？你怕我白璧玷污，辱了你們江家的門楣，是麼？」

江曉峰道：「鳳妹，好女不嫁二夫，烈馬怎配雙鞍，我……」

藍家鳳接道：「但我是好女啊！應付韋剛，拯救武林同道，都是你給我出的難題，你是讓我違抗夫命呢？還是要我捨身救世？別人要我如此，你可以責怪我不守婦道，紅杏出牆，但我卻是遵從了丈夫之命，難道也有錯麼？」

江曉峰愣住了，他似是未想到藍家鳳竟會有如此尖銳的反應，一時間，竟然不知如何回答才好。

王修突然高聲說道：「江兄弟，如是藍姑娘為了救人救世，縱然玷污了清白，不但未損風標，且將更為後世人所敬仰，當年西施為國捨身，傳誦千代，江兄弟，你……」

江曉峰冷冷地說道：「王先生，我們夫妻的事，用不著你管。」

王修輕輕歎息一聲，低聲吟道：「座中泣下誰最多，江州司馬青衫濕。」

這是白居易《琵琶行》最後兩句，充滿著同是天涯淪落人的傷感，王修吟來，備覺傷感，話聲未住，淚水已滴落胸前。

江曉峰突然抱拳一揖，道：「王老前輩，晚輩明白了。」

勉強一笑，接道：「鳳妹，你去吧！靈犀一點春常駐，雨不打花花不豔。」

藍家鳳道：「江郎，你真能忍得下這些屈辱麼？」

江曉峰道：「為武林同道，天下蒼生，我江曉峰認啦！」

王修道：「蟬噪林松靜，夜黑燈更明，江兄果不愧一代英傑。」

藍家鳳口齒啓動，欲言又止，卻緩緩轉過身子，和王修約好了動手時刻，才匆匆而去。

方秀梅一直靜靜地坐在茅舍一角，直待藍家鳳離去之後，才緩步行了過來，沉聲說道：「王兄，藍姑娘可是和你約定了動手的時刻？」

王修道：「不錯，咱們也該好好準備，這是江湖中正邪存亡的一搏，咱們不能有絲毫的疏忽。」

方秀梅淒然一笑，道：「但願這一戰，仗憑十二金釵之力，和王兄的臨敵智謀，一鼓而平天道教，再要拖延下去，我們都已經筋疲力盡，無法再支撐下去了。」

王修神情肅然地道：「事實上，這也是最後一個機會……」聲音突然放低，接道：「英雄豪傑，誰甘願綠巾壓頂，方姑娘，你要好好勸勸江少俠，爲了大局……」轉身而去。

茅舍中，只餘下了江曉峰和方秀梅兩個人。

方秀梅緩緩行到江曉峰的身側，低聲說道：「兄弟，兄弟……」

江曉峰不知想什麼，想得十分入神，竟然未聽到方秀梅呼叫之言。

方秀梅只覺一陣心酸，淚水滾滾而下，高聲叫道：「江兄弟！」

江曉峰抬頭望去，只見方秀梅滿臉淚水，不禁一呆，黯然說道：「姊姊，你是爲小弟哭麼？」

方秀梅搖搖頭，道：「不是。」

舉起右手，拂拭一下臉上的淚痕，嫣然一笑，道：「兄弟，咱們談談藍姑娘的事。」

江曉峰道：「不用談了吧！我江曉峰要雙手捧妻，送給他人，這……」

方秀梅淡然一笑，接道：「兄弟，我瞧不會這麼嚴重吧！」

江曉峰聽得眼睛一亮，道：「姊姊的意思是……」

方秀梅道：「我瞧那藍家鳳聰明得緊，必有奇策應付韋剛，決不會讓韋剛佔有了她的處子之身，玷汙她的清白。」

江曉峰道：「姊姊，你還不明白麼？王修先已替那藍家鳳打好了底子，他們早已設計好了，逼我戴上一頂綠帽子就是。」

方秀梅道：「這些事，藍姑娘怎好和王修商量，要商量她也會和姊姊我商量！」

江曉峰道：「姊姊和王修同去巫山下院，姊姊卻回來得晚些，想必是在和藍姑娘商量這件事。」

方秀梅道：「對，藍家鳳和姊姊談到韋剛的事，但她說得很有把握。」

江曉峰道：「她怎麼說？」

方秀梅淡淡一笑，道：「她若能夠活著，就會爲你保持清白的身子。」

江曉峰道：「反過來說，如若她失去清白，她就會以身相殉。」

方秀梅道：「不錯，聽她的口氣，斬釘截鐵，全無商量餘地。」

江曉峰道：「姊姊沒有勸勸她麼？」

方秀梅淡淡一笑，道：「既然讓姊姊趕上了這件事，決不能讓兄弟吃虧，也不會讓一個殘花敗柳的藍家鳳陪你一輩子。」

江曉峰一臉茫然之色，緩緩說道：「姊姊，對付韋剛，你能有什麼法子？」

方秀梅沉吟了一陣，突然抬頭來道：「兄弟，你先不要再追問下去，姊姊保證藍家鳳會爲兄弟你留下清白的身子……」

微微一笑道：「你現在要靜下心來，咱們一面要和天道教做生死之戰，一面也要防備韋剛和十二金釵，咱們的人手，雖然不算太少，但真正能和人動手一拚的，確已不多，兄弟，你也是這一場搏鬥中的主力人物，因此，你必須振作起來，說不定，你要肩負著極重大的責任。」

江曉峰心中雖然仍極懷疑，但也不便再多追問，點點頭道：「小弟一切從命就是。」

這時，王修匆匆行了進來，一拱手，道：「群豪都已陸續醒過來，這一場好睡，已使得大部分人，恢復了體能，江少俠，這大概是正邪存亡最後一次的決戰了，江兄要身負大任。」

江曉峰點點頭，說道：「在下定當全力以赴，死而無憾。」

目光轉動，回顧了一眼，接道：「我義父何在？我要和他談談。」

王修道：「他去辦一件事……」

方秀梅急急接道：「王兄，呼延嘯武功高強，武林中人人皆知，小妹又親自見過他，役用群鳥攻擊人的威力，那當真是排山倒海，前仆後繼，王兄遣人辦事，也該遣派別人前往，何以竟派了呼延兄這等高手他去？」

王修輕輕歎息一聲，道：「別人也辦不了，而且，兄弟覺著，此時此情，咱們應該未雨綢繆，不能不先作準備。」

方秀梅道：「什麼事，這等重要？難道呼延兄要辦的事，是和對付十二金釵有關？」

王修微微一笑，道：「其實，這件事和江少俠的關係最爲密切……」

江曉峰聽得一怔，道：「又和在下有關？」

王修頷首道：「是的，不但是有關，而且關係密切至極。」

江曉峰道：「在下實在想不明白。」

王修道：「江少俠和呼延兄，在一座山谷停留練武之事，總還記得吧！那谷中有一座很深的水潭……」

江曉峰道：「啊！可是和那潭中的一條紅色奇魚有關？」

王修點點頭，道：「不錯，你義父能夠辨識天下千百種不同的鳥，卻無法認出那潭水中的奇魚，但他對此事，卻念念不忘，曾和我談過山谷小潭水中發生的諸般奇事……」

「如果我推斷的不錯，那谷中的小潭，乃是地底洪流的水眼，它深不可測，和地下藏水觸接，那條紅魚，也很像書中記載的成形火鯉，此物有如深山中的靈芝，儘管是書有記述，繪聲繪影，但人世間，卻是難得一見。」

方秀海道：「成形靈芝，人間仙品，傳說食得此物，功能白日飛升，肉身成仙，不知是真是假。」

王修道：「成形何首烏、萬年老參王，以及靈芝、雪蓮，都為人間的極品，功能起死回生，延年益壽確然不錯，但如說食用後能夠肉身成仙，則是無憑之論，但這等自然界孕育的靈奇之物，卻有著助長功力，衝破體能極限的妙用了。」

方秀梅道：「王兄把靈芝、火鯉，相提並論，想必兩物有相近之處了。」

王修笑一笑道：「火鯉不成形，只不過能飽人口腹之欲，但如一旦成形，其名貴價值，則尤過靈芝了。」

方秀梅啊了一聲，道：「貴在何處？」

王修道：「貴在腹中火丹，那地藏靈氣，天蘊精華之物，如若能夠取得，可使江少俠數日之間，成為天下第一奇人。」

江曉峰道：「我……」

王修接道：「不錯，是你，我已轉告了你義父取丹之法，那成形火鯉，雖然能夠翻江倒海，但如失去了內丹，片刻之後，即將枯血而死。」

方秀梅道：「盜取火鯉內丹，如是不成，那將如何？」

王修道：「咱們是什麼處境，仍將是一個什麼樣的處境，也許會更為險惡一些，那也算是武林劫難未了，擺脫了天道教的控制，又將置身於韋剛的魔掌之下，只有憑藉機智，走得一步算一步了。」

方秀梅接道：「韋剛已答應過藍姑娘，不再危害江湖。」

王修沉吟了一陣，道：「也許他說出這番話時，是出於至誠之意，但最使人擔心的，正是十二金釵。」

方秀梅道：「十二金釵完全由韋剛控制，只要他不存心為惡，十二金釵怎會無故害人？」

王修搖搖頭，道：「方姑娘，你明白玩火自焚這句話吧！從邪門歪道上訓練出的十二金釵，如何能夠靠得住？據我觀察，韋剛已經改變了十二金釵的訓練方法，那韋剛自作聰明，付予了她們一些靈性，在他想來，想把十二金釵和自己結合在一起，別人就算知曉役使十二金釵之法，但也難得心應手……」

長長吁一口氣，接道：「也許韋剛還在自鳴得意，卻不知道在這些邪惡方法中，訓練出來的魔女，在長時清醒搏殺後，很可能逐漸地恢復智力，那時會成一個什麼樣的局面，想也不敢想了。」

一席話，直說得方秀梅和江曉峰由心底泛生出陣陣寒意，相顧愕然。

方秀梅道：「王兄的高論，實叫人如聞晨鐘，小妹實是由衷的折服，但不知王兄有何計畫？」

王修道：「說穿了，並不稀奇。昨夜中十二金釵出動，搜殺天道教的暗樁，卻未誤傷咱們一人，當時，夜暗如漆，韋剛勢不能追隨十二金釵，指揮她們出手，憑什麼能使那些借重藥物、突破體能極限、形同殭屍的十二金釵，按他心意，分頭行事，而又未出一點差錯？」目光轉注到江曉峰的臉上，道：「江少俠，你幾乎吃了那十二金釵的大虧，想來，對十二金釵中人物的舉動，記憶十分深刻。」

江曉峰道：「王先生要問什麼？」

王修道：「江少俠和十二金釵對陣之時，她們臉上是否有所表情？」

江曉峰沉吟了一聲，道：「似乎是有表情。」

王修道：「那就對了，我想的並非多慮。」

方秀梅道：「所以王兄遣呼延嘯盜取那火鯉內丹，定然是有所根據了。」

王修道：「兄弟武功有限，不知那十二金釵的招術變化，但就所見十二金釵的訓練之法推斷，她們練的應是陰柔之功。」

方秀梅道：「即使她們練的是陰柔一類的武功，但與火鯉內丹何干？」

王修凝重地道：「那火鯉雖然生於水，長於水，但卻是水中之火，火鯉內丹，更是陰中至陽，以學理上言，它能不畏陰寒，克制至陰，十二金釵雖然突破了體能極限，但卻是至陰之功，一旦遇至陽之武，破去了賴以護身的至陰之功，其內功必將頓然消失，那時，其體能也必將歸一還元，縱然還知劍招變化，實已不足畏了。」

這一席話，乃爲博學之見，江曉峰、方秀梅，都聽得頻頻點頭，心中大爲佩服。

王修輕輕歎息一聲，道：「這只是在下的推想，但我相信距離事實，並不會太遠，不過……」突然住口不語。

方秀梅一皺眉頭，道：「王兄，此時何時，咱們的時間寶貴得很，你怎麼賣起關子來了？」

王修搖搖頭苦笑道：「不是在下賣關子，實是下面的話，難聽得很，很難啓齒。」

方秀梅道：「小妹走南闖北，足跡偏及大江兩岸，黃河上下，什麼樣的怪人怪事，全都見過，王兄但說不妨。」

王修道：「那火鯉內丹，乃陰中至陽，服用之時，必須配合壓制陽火之藥，統歸百經奇脈，才能增長至陽功力，用於克敵，但其中過程，難免有所失誤，服用內丹之人，如不能及時洩走心火，很可能要火走遍經，形成走火入魔之危。」

方秀梅微微一笑，道：「說得很含蓄，但卻不够清楚。」

王修道：「解救之道，必須要調和陰陽，也就是道家的合藉雙修。」

江曉峰聽得有點明白，但又不太明白，心中正自納悶，方秀梅卻微笑說道：「我明白了，但是這件事，並非太難，小妹可以和藍姑娘商量一下，他們已經私訂了終身，妻子捨身救丈夫，自然是天經地義的事。」

王修點點頭，說道：「這件事，就要仗憑你方姑娘了。」

方秀梅道：「你不用爲此發愁，這件事包在我身上，人無遠慮，必有近憂，那火鯉內丹還未取到，倒是目下咱們如何對付天道教，王兄是否已胸有成竹。」

這時，江曉峰已完全明白了那火鯉內丹服後的反應，急急插口接道：「王先生，在下不想服用火鯉內丹，目下人才濟濟，王先生另選一位吧！」

王修怔了一怔，道：「江少俠，你似是和在下有了成見。」

江曉峰道：「晚輩不敢。」

王修道：「需知目下咱們是一個同舟共濟，生死同命的局面，縱然人與人之間，有一些見解形成的隔閡，也必須爲大局相互忍耐。」

江曉峰道：「除了服用火鯉內丹之外，晚輩願聽從任何遣派，自擋銳鋒，死所不惜。」

王修道：「唉！江兄弟，那火鯉內丹，雖是人間奇寶，但也不是人人都可能服用，天賦、年齡、武功根基，有著重重的限制，閣下實是服用內丹的最佳人選。」

方秀梅道：「兄弟，你不用多說了，大丈夫要提得起，放得下，王兄統籌全局，不論他如何決定，你都該聽從才是。」

江曉峰輕輕嘆息一聲，道：「姊姊說的是。」

王修略一沉思，說道：「藍姑娘給咱們的時間很充裕，照在下的算計，屆時，集中於此間的武林精英，都可以清醒過來，在下準備把所有的人手，五人編作一組，合組數之總，分成兩隊……」

方秀梅接道：「分成兩隊，豈不是分散了實力，這番的搏鬥，以十二金釵爲主，咱們似是用不著過份的賣力。」

王修道：「兩隊固然要合在一處，而且分編的五人一組，亦屬機密，此乃備而不用，萬一十二金釵不敵天道教，咱們就要以組爲主，分途逃命。」

方秀梅道：「果然是萬全之計。」

江曉峰道：「咱們之中有幾位不編入各組之內？」

王修道：「多星子、方姑娘，和你江少俠，以及區區在下。」

江曉峰道：「爲什麼呢？」

王修道：「因爲咱們幾人，都是天道教急於捕殺之人，一旦十二金釵不敵藍天義，咱們只有捨命拒敵，讓其他之人有逃走的機會。」

方秀梅奇道：「小妹並非是貪生怕死，不過，我覺得王兄的安排十分奇怪。」

王修道：「哪裏不對了？」

方秀梅道：「如若說咱們要爲武林中留下精銳之師，至少江少俠應該要逃走。」

王修道：「在下這等安排，有兩個原因，一則是，咱們幾人如若合力施爲，至少可抵擋一陣，便於別人逃走，二是我們幾人逃走，藍天義必將傾盡全力搜殺，他坐上武林盟主之位，下令整個的武林中人動員，全面搜捕，不論是否能够把我們搜出來，至少它將波及到心存正義，星散於江湖的各大門中後繼人才……」

江曉峰接道：「王老前輩之意，可是說江湖之上，還潛伏有名門大派之人。」

王修道：「江湖上雖然門戶衆多，但每一個門派，大多有一段光輝的史實，至少在開山鼻祖那一代中，有一段創業的輝煌經過；能够傳延下去，亦必有它們的生存條件。就在下所知，各大門派，都有著緊急應變的準備，藍天義手造的江湖大劫，雖然來勢如洪流狂焰，各門派無能挺身而鬥，但也必有保存門戶，不讓它永絕江湖的安排，因此，在下相信，也許在深山大澤，或者在市井漁村之中，必然隱著有許多身負著重光師門大任的年輕人才。」

方秀梅道：「不錯，小妹相信王兄的推斷，既能在武林中，成為一大門戶，豈能計不及此。」

王修道：「不過，這安排屬於各大門派絕對機密的事。除了掌門人，和一兩位參與其事的重要人物之外，別人不會知曉，那身負大任的弟子，也未必是各大門派的出名人物。」

江曉峰接道：「如是老前輩說的不錯，咱們可以放心戰死了。」

王修神色肅然的說道：「話也不是這麼說，那些人只能說是希望，未必能有成就，而且，他們的準備，只是光復他們一門一派的事，不能夠互通聲息，結合為一個龐大的力量，人事變幻，滄海桑田，數十年後的景象，如何能夠預料，也許他們逸於安樂，壯志消磨，他們也可能自知力難匹敵，永生都不會發動，成為市井屠夫的俠隱人物，但這是播散在江湖上的種子，也不能不寄於希望，一旦我們到了山窮水盡之境，也只有設法保護，咱們都是殉道者。」

他義正詞嚴，一番話分析的使方秀梅和江曉峰兩個大為佩服。

方秀梅點點頭道：「王兄的神算之名，果非虛傳，當真是算無遺策。」

王修微微一笑，道：「智者千慮，必有一失，但常常因一著失錯，敗壞全局，在下適才所說的一番話，只是萬一之變，其實，以十二金釵的潛力，這萬一的機會，也是少之又少……」

江曉峰道：「王先生這番話是別具用心了。」

王修道：「最重要的是要說服你江少俠，能夠和在下密切合作。」

江曉峰淡淡一笑，道：「我有些不太明白。」

王修道：「我明白，此刻，江少俠心中似是對我王某人有了一點誤會，這誤會在江少俠心中，已然結成一個不解之結；在下不敢希望江少俠諒解我王修，只望江少俠能在這千鈞一髮之中，爲了江湖大局，不要意氣用事。」

江曉峰輕輕歎息一聲，道：「老前輩，但請放心，別說在下心中，對你王老前輩並無很大的誤會，縱有一點私人不滿之處，也決不會因私誤公，危害了武林大局。老前輩對在下有甚麼指派，但請吩咐就是。」

王修神情肅然，道：「那很好，有了你江少俠這句話，在下就放心了不少……」語聲微微一頓，接道：「目下，咱們人手之中，以你江少俠、多星子、呼延嘯武功最強，也只有你們三位可當大任，能和藍天義手下的一級高手放手一搏。」

江曉峰接道：「好極了，晚輩亦希望能給我一個全力拚搏的機會，這幾日中，我已思索出運用『奪命金劍』之法，好歹也要天道教付出極大的代價。」

王修道：「江少俠錯了。」

江曉峰一怔，道：「晚輩又錯了？」

王修道：「你們三人武功最強，但卻不是要你們去拚命，拚命的是十二金釵，咱們的人，只是從中助威截擊，主要對敵之人，還是要憑仗十二金釵。」

江曉峰道：「那要晚輩如何？」

王修道：「你要多多和藍姑娘接觸，給她信心。」

江曉峰茫然問道：「甚麼信心？」

王修道：「在下也不知道是否已發生了些甚麼事，但江少俠心目中已該明白，藍姑娘對這場決戰，有著很大的影響力量，她已瞭然了自己的身世，也知道藍天義是殺她母親的兇手，她心中對藍天義應該是充滿著恨意，不過，這是在正常的情勢下而言，如是一旦她心中有了激變，情形如何，那就很難預料了，正如人性本善、本惡，全在一念之間。」

江曉峰點點頭，道：「我明白，但我又如何能給她信心呢？」

在王修的想像中，韋剛突然間答允出手，藍家鳳定然已付出了極大的代價，極可能已把清白的處子之身，交付給韋剛！這是個慘酷的交換條件，藍家鳳在這等重大的打擊之下，身心都受了重傷，那可能使她的心情和對事看法，有了很大的改變。

要知神算子王修，不但是一位足智多謀，料事如神的人，而且也是個讀書萬卷、深解心理變化的高人。他知道，藍家鳳忍痛犧牲清白，是為了要替母親報仇，也是為了武林大局，但她對韋剛不但是全無愛意，而且是充滿了恨意，在她小小的年齡中，這負擔是何等的沉重。唯一能夠補償她的，該是江曉峰的款款深情，如若江曉峰再對她冷若冰霜，只怕激起她心裏變化，突然間改變決定，把醜惡視作美好。

王修沉思了良久，道：「江兄弟，如若藍家鳳為大局付出了一些代價，那並不會有傷她的清白……」

江曉峰只覺如突然被人打了一拳，接道：「晚輩明白，老前輩不用再說了。」

王修道：「那就好了，江兄弟，你要使她感覺到這一犧牲已獲得了你無比的敬重，比過去更加關心她。」

江曉峰苦笑一下，道：「好！晚輩答允，我將盡力使她鎮靜，完成對付藍天義的艱苦一戰。」

方秀梅道：「此戰之後呢？」

江曉峰道：「大局既定，餘下的就是小弟私人的事了，用不著別人再問。」

方秀梅笑一笑，道：「以後的事，有姊姊解決……」

目光轉到王修的臉上，接道：「王兄，江兄弟的事，由我承擔，決不會出錯，其他的事，王兄也該準備一下。」

王修道：「人手我都已做了適當的調配，多星子老前輩也同意了在下的意見，兩位請坐息一下，在下進去瞧瞧他們是否準備妥當。」大步行出了茅舍。

這時，室中只有方秀梅與江曉峰兩個人。

江曉峰長長歎了一口氣，道：「姊姊，小弟想問姊姊一件事。」

方秀梅道：「你說吧！什麼事？」

江曉峰道：「藍姑娘她是不是已經……」

只覺下面的話，很難出口，只好忍住不說。

方秀梅轉眼望去，只見江曉峰的臉一陣陣紅，雙目中卻是一片焦急之色，不禁嫣然一笑，道：「看起來天下的男人，都是比女人要自私一些，你明知藍家鳳是目前唯一能救武林大劫的人，但你卻不能容忍她犧牲自己，以挽救天下眾生。」

江曉峰接道：「姊姊，我……」

他覺得心中有千言萬語要說，但話到口邊時，卻又感覺到一句也說不出來。

方秀梅笑一笑，道：「你一定要娶一個冰清玉潔的妻子是麼？……」

神色突然轉變為十分嚴肅，接道：「兄弟，藍家鳳太美了，除非她甘願枯守金屋，日後，總難免要常給你無窮煩惱……」

江曉峰急急接道：「姊姊之意是……」

方秀梅道：「你不要想到邪裏去，藍家鳳雖然是容色絕世，但她眼高於頂，一般的男人，決不會放在她的眼下，但她對你，確然是一片真情，不過，姊姊我有一個奇怪的感覺……」

江曉峰接道：「什麼感覺？」

方秀梅道：「所謂絕色傾國、紅顏薄命，所以，姊姊感覺藍家鳳是人間仙子，也是世間禍水，兄弟，你如沒有容忍的雅量，日後，只怕是難免有很多的痛苦。」

江曉峰沉吟了一陣，道：「小弟已有了決定，如若那藍家鳳真的為挽救武林大劫，使清白的身子玷污，小弟實也不能怪她。」

他神情突然間變得開朗起來，顯然，他心中已確實有了決定，不再為此事困擾。

方秀梅心中暗驚，忖過：「如若不給他一點明顯的暗示，說不定這位傻兄弟，真的會以卵擊石，自取滅亡。」

當下說道：「兄弟，姊姊知道，藍家鳳仍為你保留下清白身子。」

江曉峰道：「有這等事？」

方秀梅道：「相信姊姊，我幾時騙過你了？」

江曉峰還待追問，王修又匆匆行了進來，道：「藍姑娘派七燕姑娘走告，藍天義似是搶先發動，要咱們趕往巫山下院。」

方秀梅霍然站起身子，道：「咱們要幾時動身？」

王修道：「要立刻趕往巫山下院，巢南子已率領武當弟子動身了。」

方秀梅道：「好！我和江兄弟先走一步，王兄率領大隊隨後。」

王修道：「在下正是此意，方姑娘先到一步，可先和藍姑娘商量一下。」

方秀梅道：「我明白……」

回顧江曉峰一眼，道：「兄弟，咱們走。」當先行出茅舍，向前奔去。

江曉峰緊追身後，直奔巫山下院。

七燕身著勁裝，背插長劍，在兩個身穿灰衣大漢的護衛之下，還在大門口處等候。

一見方秀梅、江曉峰匆匆而來，急急迎了上去，道：「方姑娘、江相公兩位來得正好，姑娘正在等候。」

江曉峰回目一顧，只見較近巫山下院外的樹木都已全部伐去，院牆外，十丈左右的距離內，亂草亦都除盡。

行入大門，只見一個面蒙白紗的女子，卓立院中。

巫山門中，十六高手，都已集齊。

四八　劍拔弩張

方秀梅低聲對江曉峰道：「那面蒙白紗的少女，就是藍姑娘。」

其實，不用方秀梅解說，藍家鳳已迎了上來，道：「王修呢？」

方秀梅道：「率領大隊，即刻就到。」

藍家鳳道：「藍天義突然會提前發動，似是得到一些機密內情……」

方秀梅道：「怎麼回事？」

藍家鳳道：「這時刻，正是十二金釵休息時間……」

方秀梅奇道：「十二金釵還要休息嗎？」

藍家鳳道：「日正中天，陽氣太重，對十二金釵行動不便。」

江曉峰突然道：「十二金釵害怕陽光，到底是人是鬼？」

藍家鳳道：「是人，不過她們受的是鬼一般的訓練，她們的雙目，在夜暗中，見物如同白晝，但在強烈的陽光下，視線就模糊不清。」

方秀梅吃了一驚，道：「那是說十二金釵，已經無法用來對敵了？」

藍家鳳道：「那倒不是，不過，這時刻，不能憑仗十二金釵衝鋒陷陣，所以，咱們要改攻爲守，盡量不讓十二金釵暴現於日光之下，和藍天義的屬下動手。」

方秀梅道：「我明白了，韋剛要把這座巫山下院，做爲拒擋藍天義攻勢的戰場。」

藍家鳳道：「是的，他這樣說過，我無法分出真假，也無法真正了解他的用心，所以，我希望王修能快些來。」

江曉峰道：「王修來了，就會明白一切麼？」

藍家鳳道：「至少，他會比我們知道的多一些，何況在十二金釵沒有出現之前，藍天義如是率人攻來，我們必須要憑仗自己的力量拒擋，以待十二金釵援手了。」

方秀梅道：「巢南子帶了武當門下到此，姑娘是否已經見過了？」

藍家鳳道：「見過了，武當三子率了六名弟子，一共九個人，我已把他們安排在右面偏廳之中，這樣萬一有什麼變化時，他們也好合力同心的應付。」

談話之間，王修已帶領著多星子、鐵面神丐李五行、生死判官公孫成等數十人，進入了巫山下院。

原來，李五行、小叫化子常明，和天下各方英雄聯絡，準備會聚天下各門派實力，以和藍天義對抗，但藍天義發動快速，群豪互被隔絕，幾人只好各隨著約聚一起的各路英雄，到處逃避藍天義的圍殺，幸得幾人，都還保下性命。

常明一見江曉峰，急急奔了過來，道：「江兄弟，還能瞧到你，實出了小要飯的意外，」

江曉峰握住常明的手，道：「常兄弟，咱們大半年沒有見了吧！」

常明哈哈一笑；道：「算時間，還要長一些，不過，這段時間之中，小要飯的日夜都是在奔逃中生活，當真不是味道，希望這一戰，小要飯寧可戰死，也不願再逃來逃去了。」

江曉峰道：「常兄弟，這一次也許能如你之願。」

他語聲說得甚高，王修也聽得十分清楚，回顧江曉峰一眼，正待詢問，藍家鳳已快步行了過來，低聲說道：「王老前輩，事情有了變化。」

王修呆了一呆，道：「什麼變化？」

藍家鳳道：「藍天義搶先發動……」

王修道：「韋剛怎麼說？」

藍家鳳道：「韋剛說，中午時光，陽氣特盛，不宜出動十二金釵。」

王修道：「這麼說來，十二金釵不能出動了？」

藍家鳳道：「他雖未說不能出動，但也未說要她們勉強出手。」

王修心頭一震，但卻極力保持著外形的鎮靜，緩緩說道：「藍姑娘，這時刻，唯一能影響韋剛的，只有你姑娘了。」

藍家鳳點點頭，道：「我明白，不過，我們不能不做最壞的打算，我已調集了巫山門下十個武功最強的人，準備要他們先擋銳鋒，但王先生也要早做準備。」

王修望了藍家鳳身後八個大漢一眼，只見他們都穿著一色的灰色長衫，灰巾包頭，衣著一樣，而且臉型也似是大部分相同，心中大感奇怪，低聲說道：「姑娘，這些人……」

藍家鳳接道：「這中間有隱密，但此刻無暇詳談，請先生把這些人手，布守在巫山下院中。大廳內有二十張強弓，五百支淬毒的長箭，都是我娘遺留在此地之物，我想它必有作用，先生快些去分配他們，我去見韋剛。」

她說話聲音很低，說完話就轉身而去。

王修急急道：「姑娘留步。」

藍家鳳回身道：「什麼事，現在咱們寸陰如金……」

王修道：「在下只請教姑娘一件事，你手下十個身著灰衣的大漢，如何才能指揮他們？」

藍家鳳道：「六燕、七燕，已得我傳授了指揮他們之法，她兩人神智已經完全清醒，決不會有背叛之意，你指令六燕、七燕就成了……」

語聲一頓，接道：「告訴方姊姊，照顧江曉峰。」

王修道：「我明白……」

一句話答出口，那藍家鳳已奔出兩丈開外了。

王修目光轉到七燕的臉上，道：「姑娘……」

七燕接道：「我家姑娘已交代過了，要我和六燕聽從先生的指令。」

王修道：「好，藍姑娘可是準備和藍天義，在這巫山下院之中決戰？」

七燕道：「是的，姑娘說這巫山下院，如不是搏殺藍天義的場地，就是我們埋骨之處，退離此地，將死無葬身之地，我和六燕姊姊，口中都含了自絕的藥物，就算失手被擒，他們也只能抓到一具屍體。」

王修點點頭，道：「那很好，姑娘請守住大門，藍天義人手如若趕到，姑娘和六燕率人進入院中左廳，不用和他們硬拚。」

七燕點頭一笑，帶著幾個灰衣大漢趕往大門口處。

王修卻率領群豪，奔入大廳。

果然，大廳中放了二十張強弓，和五百支長箭。

弓和箭，都是上佳的材料做成，雖然隔了甚久年代，但仍然保持著強度和犀利。

王修分配了弓箭，又分派了他們埋伏的所在，以及拒敵和互相策應之法。

群豪依言，各歸方位，王修才舉步向院中行去。

原來，江曉峰和方秀梅仍站在院中，不停地交談，似是在商討什麼，又似是在爭論什麼。

王修行近兩人時，兩人已停住爭論，轉過臉來。

江曉峰冷冷說道：「王先生，這一仗，如若沒有十二金釵相助，會是一個怎麼樣的結果？」

王修本想勸他退入廳中，想不到江曉峰先發制人，當先提出了問題。

王修怔了一怔，道：「如是咱們佈置得好，加上藍夫人留下的強弓和利箭，咱們可以多支持一些時間，如是佈置不對，很快就爲藍天義手下搏殺。」

江曉峰道：「快有多少時間？慢要多少時間？」

王修道：「藍天義如若盡出屬下高手，一擁而上，咱們支持不過半個時辰，就要十死八、九，如是咱們布置恰當，還可支持上兩個時辰。」

江曉峰道：「如若咱們死定了，這早兩個時辰，和晚兩個時辰，實也沒有什麼分別。」

王修道：「大大的不同，此時此情，每一刻時光，都可能有極大的變化……」

江曉峰接道：「如那韋剛不讓十二金釵出動，咱們已決定了命運，沒有變化，也沒有奇蹟。」

王修道：「在下的看法，和你江少俠大不相同……」

語聲一頓，接道：「就算你的看法對了，但日下大眾生死與共，江少俠也不能獨行其是。」

江曉峰道：「先生之意呢？」

王修道：「返回大廳，聽我王修之命行事。」

江曉峰抬頭望望右廳，道：「武當門下弟子，師徒九人，獨守右廳，人單勢孤，在下到右廳，助他們一臂之力如何？」

王修略一沉吟，道：「好，不過，那裏由巢南子道長負責，江少俠在那裏，也不能獨斷獨行。」

江曉峰：「在下會聽巢南子道長之命行事。」

王修一揮手，道：「請方姑娘陪他同去。」

方秀梅點點頭，低聲道：「王兄，他似是已有些神經失常……」

兩人低聲交談時，江曉峰已舉步向右廳行去。

王修道：「我瞧得出來，所以，我不和他爭辯，也未多勸說他，唉！他太年輕了，像他這樣年齡，誰又能忍得下綠巾壓頂的痛苦呢？他能夠使外在保持一分鎮靜，已經很難得了……」

語聲微微一頓，接道：「我要你先來，就是讓藍姑娘有機會和他解釋幾句，想不到局勢突然有變，藍姑娘也亂了方寸，無暇和他解說了。」

方秀梅點點頭，道：「我會勸他，王兄不用為此事擔憂，主持大局要緊。」

王修道：「今日之戰，變化如何，已非我們能夠掌握。但我將盡力支撐，我相信藍姑娘必可說動韋剛。」

方秀梅嗯了一聲，道：「小妹的看法，韋剛早已屈服在藍家鳳的石榴裙下，但十二金釵可能還未竟全功，所以對過強日光有所畏懼。」

王修道：「方姑娘的看法，必有所本，不過一事有其弊必有其利，非形勢所逼，只怕韋剛也不會暴露出十二金釵的缺點，咱們可以舉一反三……」

他是自知失言，突然停口不語。

方秀梅微微一笑，道：「但願我們能度過今日之危。」轉身向前行去。

王修急急說道：「姑娘留步。」

方秀梅回過身去。

王修已行到身前，把手中一物，塞入方秀梅手中，道：「方姑娘，如若事情變化得不可收拾，設法勸江曉峰離開這裏，江曉峰知道距此不遠處，有一座古柏聳立的墓園，你們到那裏躲起來，呼延嘯會派巨鳥去接迎逃入墓園的人……」

語聲微微一頓，接道：「小心保管手中之物。」

方秀梅道：「王兄給我的是什麼？」

王修道：「丹書、魔令存處的圖，姑娘謹慎的收著，不要告訴江曉峰，萬一姑娘為人生擒，無法毀去秘圖時，就把它吞入腹中。」

方秀梅接道：「我明白，王兄但請放心。」

王修笑一笑，道：「照在下的判斷，情形不會壞到哪裏去，但有備無患，咱們有這一步準備，亦可從容應變。」

方秀梅道：「王兄顧慮得很周到。」

王修微微一笑，轉身而去。

方秀梅迅快地奔入右廳，只見巢南子還在指揮二個師弟和六個弟子，依廳中形勢，佈設對敵之陣。

王修卻已遣人送來了兩張強弓和五十支長箭。

方秀梅細查長箭，只見箭弦顏色不同，有的淡紅，有的深藍，亦有一種墨黑之色，不禁皺了眉頭，道：「道兄，王修可曾說明這箭頭上的顏色，代表什麼？」

巢南子道：「送箭的人只說這箭頭上的顏色，代表著不同的作用，但未說明作用何在。」

方秀梅沉吟了一陣，道：「據常情而言，這藍色的長箭，似是淬毒之物，至於淡紅和墨黑的箭頭，定有著奇怪作用，這三種顏色之內，以黑色最少，可能也最珍貴，希望道兄珍重施用。」

巢南子數了一數，藍色箭頭的長箭，有三十支之多，淡紅色的十四支，黑色的只有六支，分配在兩張弓上，每弓只有三支。

當下點頭說道：「姑娘分析得很正確，貧道決定派遣兩位師弟施用弓箭，黑色的箭，到最危險時再施用……」

語音微微一頓，接過：「王兄請江少俠和方姑娘幫助敝派中人，守衛右廳，貧道十分感激。」

方秀梅笑一笑，道：「道兄言重，王兄特別吩咐過，這右面廳中守衛之人，以道兄爲首，道兄如有什麼遣派，只管吩咐我們。」

巢南子道：「姑娘既如此說，那在下就恭敬不如從命了。」

這時，突聞一聲號角，傳了過來，聲音歷久不絕。

方秀梅道：「藍天義就要發動了。」
巢南子抽出長劍，高聲喝道：「咱們武當派，已受覆巢之辱，今日之戰，寧爲玉碎，不作瓦全，寧可戰死，不能爲人生擒。」
浮生子、青萍子、六個靜字輩的弟子，齊齊欠身一禮，各奔方位。
六個武當弟子，齊齊抽出長劍，目注大門口處的變化。
浮生子、青萍子，卻各自取過強弓，隱於窗後。
方秀梅快步行近江曉峰，道：「兄弟，藍天義就要發動了。」
江曉峰點點頭，木然地應道：「小弟會和他們決一死戰。」
方秀梅輕輕歎息一聲，道：「兄弟，藍姑娘清白無瑕……」
江曉峰啊了一聲，接道：「姊姊，決戰之下，小弟的生機不大，這些事，小弟已不放在心上。」
方秀梅聲音十分低微，低微的只有江曉峰可以聽到，道：「兄弟，聽我說！不過，聽過之後，你不能說出去。」
江曉峰道：「姊姊說吧……小弟洗耳恭聽。」
他口中雖然答應著洗耳恭聽，但神情卻是一片冷漠，似乎在這世界上，再沒有任何事情，能夠提得起他的興致。
方秀梅黯然、低微地說道：「犧牲的是姊姊，我用移花接木之計，保住了藍姑娘的清白。」
江曉峰淡淡地應了一聲：「是麼？……」

突然心神一震，俊目放光，急急說道：「姊姊，你說什麼？」
方秀梅低聲道：「小聲一些。」
江曉峰道：「啊，姊姊說的……」
方秀梅接道：「簡單得很啊！犧牲了姊姊的清白，救了你的妻子，替她保下處子之身。」
江曉峰呆了一呆，道：「這個怎麼可能？」
方秀梅道：「自然，這中間要有一番安排，一番費盡心機的安排……」
江曉峰道：「但姊姊……」
方秀梅接道：「怎麼了？你可是覺著姊姊爲人放蕩麼？告訴你，姊姊我雖然年近三十，但還是清白身子，這一次，讓韋剛糟蹋了，雖然是心有不甘，但想到保存了世間第一美人的清白，也保存了咱們姊弟的一場情意，姊姊心中快活得很……」
微微一笑，接道：「想不到姊姊保了三十年的處子之身，竟也派上了用場。」
她雖盡量想使自己的語聲，變得輕鬆一點，但雙目中卻滿含了晶瑩的淚水。
江曉峰只覺心頭大震，臉上盡是慚愧和驚訝混合的神情。
方秀梅舉手拭去臉上的淚痕，歎道：「兄弟，這些事都已經過去了，你要振作起來，應付大局。」
江曉峰流下淚來，道：「姊，小弟太自私……」
但聞蓬然一聲，緊閉的大門，突然被人撞開。
原來，那號角聲音過後，王修立時以緊急的傳訊之法，示意六燕、七燕，率領巫山門中高手，撤回院中。

王修早已暗自做了決定，非萬不得已，不和對方正面拚搏。
因爲，時間對王修等十分有利，十二金釵可能會隨時出現。
六燕在撤退時，隨手關上了大門，而且下了木栓。
大門被撞開之後，藍福當先而入。
這時，他穿了一身藍色的勁裝，白髯飄飄，手中提著一把特製的長劍。
緊隨藍福身後的，是太湖漁叟黃九洲、奇書生吳半風。
兩人身後是二十個黑色勁裝，手執兵刃的大漢，魚貫進入。
方秀梅道：「兄弟，快些擦乾眼淚，準備迎敵。」
江曉峰滿懷慚愧、悲哀，但也激起了他萬丈豪氣，舉袖拭去臉上淚痕，舉步向外行去。
方秀梅正待阻止，但江曉峰已然舉步衝出了廳外，不禁心中大急，叫道：「江兄弟，決不可孤身涉險。」
江曉峰停下腳步，方秀梅也追出廳外。
江曉峰抬頭看去，只見藍福拿著一把奇大的長劍，不禁爲之一呆，道：「姊，瞧那藍福的兵刃，似有些古怪。」
方秀梅道：「不錯，對敵人小心一些。」
江曉峰右手拔出背上的長劍，左手卻取出了懷中的奪命金劍。
藍福率人破門而入，看廳中一片寂靜，立時橫劍當胸，停步未再前進。
原來，十二金釵昨夜出擊，掃滅了天道教中數十個暗樁，藍福雖然不了解情況，但也知道這巫山下院中有些古怪，在不明敵情之下，倒也不敢躁進。

但在見到江曉峰後，立時冷笑一聲，道：「江曉峰，你敢當先現身，倒還有幾分骨氣，神算子王修何在？」

江曉峰豪爽地說道：「藍福，你不過是藍天義手下一個老奴才，也配見神算子王先生麼？」

這句話罵得很刻薄，也正踏中藍福的痛腳。

藍福臉色一變，手中長劍一揮，太湖漁叟黃九洲疾奔而至。

他手中執的兵刃，十分奇怪，全柄墨黑，又長又細，形同釣竿。

黃九洲一發動，身後十個黑衣大漢，同時疾衝而上。

江曉峰一擺長劍，正待迎上前去，卻被方秀梅一把拉住，道：「兄弟，王先生吩咐非不得已，不要和他力拚。」

黃九洲和一群屬下，來勢極快，一眨眼，已然衝到大廳前兩丈左右處。

但聞弓弦聲響，二十支長箭，破空而出。

這些長劍，都是江湖上第一流高手射出，弓強箭急，非同小可。

但見兵刃閃動，目光下泛起了片片銀光。

黃九洲的釣竿揮動，撥開了兩支迎面而來的長箭，但覺力道奇強，其中一支長箭，移動不過寸許，掠頂而過。

這一陣強箭急襲，使得黃九洲心生警惕，不敢向前硬衝。

但最使黃九洲奇怪的，自覺這一陣強箭，必定會傷人，何以竟不聞喝叫之聲。

心念轉動之間，突聞卜卜之聲傳入耳際。

目光一轉，只見追隨身後的十個黑衣大漢，竟然有八個倒了下去。

敢情，箭上有著見血封喉的奇毒，所以，中箭人倒地而斃，卻不聞一點聲息。

一行十一人，被一陣激烈的箭雨射倒了八個，實也是驚人的紀錄。

一陣箭雨之後，竟也再無長箭射出。

原來，房舍內藏箭有限，持弓人都不願輕易發射。

突然間，尖嘯破空，右面廳中射出了一箭。

箭如電射一般，直射向黃九洲的前胸。

這一箭雖然來得勁急，但因只有一支，看得十分清楚。

只見黃九洲手中的釣竿吱然一聲，擊在那長箭之上。

吱然之聲未絕之際，一聲逢然大震的暴響，傳入耳際。

但見滿空中白煙彌漫，四下射飛。

江曉峰和方究梅，在那震耳的暴響聲中，退回了右廳。

黃九洲和兩個穿黑衣的屬下，雖未被那驚人的爆炸所傷，但三人心中都明白，那是沾了黃九洲手中長釣竿的光。

釣竿既長，又有著很大的彈性，所以，那長箭雖然爆炸的聲勢迫人，但卻爲黃九洲一擊震開。

但經過這一次劇烈的爆炸之後，不但黃九洲再無向前衝進的勇氣，連藍福也大感震驚，高聲叫道：「快返回來。」

黃九洲釣竿一揮，轉身兩個飛躍，人已退到藍福的身側。

兩個隨黃九洲身後的黑衣大漢，也急急奔了回來。

江曉峰目睹那長箭的威力，心中也是暗暗驚駭，心道：「藍夫人事先在這巫山下院中，佈置下了這等強弓硬箭，固然是先見之明，但王修能在嚴密的控制下，使強弓長箭發揮了最大的威力，也是一件不容易的事情，一陣箭雨中，射倒了八個武林高手，實也是未曾有過的事。」

這時，巢南子、方秀梅等，也同時了解了箭上的顏色作用。

原來，那藍色的尖頭，是用劇毒淬煉箭簇，而毒性奇烈，見血封喉，不論武功何等高強的人，一旦中箭，就立刻死去。

那淡紅色的箭頭，連整個箭身，都裝滿了火藥，只要碰上強烈的撞擊，立刻爆炸。

至於墨黑色的箭頭，亦必有著特殊的威力，但有什麼樣的威力，卻叫人無法預測，不過方秀梅心中知道，量少質精的道理，那墨黑色的箭頭，數量最少，其威力亦必最爲強大。

方秀梅暗作估計，五百支長箭，在武林高手運用之下，必可發揮出極爲強大的威力，只憑這弓箭的阻力，就可使得天道教付出極大的代價，心念及此，不禁浮現出歡愉的笑容。

只聽巢南子急急叫道：「快些看，方姑娘，藍天義早已有了防阻弩箭的準備。」

方秀梅轉頭望去，只見大門外面，魚貫行入了十二個全身紅衣，年約十三、四歲的童子，每人手中，都拿著一面三尺方圓，雨傘似的籐牌。

方秀梅低聲叫道：「這是藍天義隱身於鎮江之後，苦心訓練而成的十二飛龍童子。」

巢南子道：「奇怪呀！他們除了手中的籐牌之外，怎麼未帶兵刃？」

方秀梅道：「別瞧他們年紀幼小，但每個人，都有十年以上的火候功力，他們也許身上暗藏著歹毒兵刃，也許別有特殊武功……」

巢南子問道：「幾個小小年紀的童子，竟有這樣厲害麼？」

方秀梅道：「聽說這些童子，都是藍天義千中選一者，資質、骨格，都屬上選的人才，或用重金買來，或用拐帶手法騙來，四、五歲時就開始習練武功，身居密室，每人都服用藥物。事實上，這些人才真是藍天義的精銳屬下。」

談話之間，又有一群身穿白衣，身佩長箭的童子，行了進來。

巢南子暗中一數，又是一十二人，當下說道：「方姑娘，這十二個人，姑娘知道麼？」

方秀梅點點頭道：「這是十二劍童，他們在劍上的造詣很深，道長和他們動手時，不可大意。」

巢南子口中答應，心中卻是不以爲然，淡淡一笑，微做頷首。

方秀梅已瞧出了巢南子的心意，輕輕歎息一聲，道：「道兄，記著小妹兩句話，他們是食用藥物長大的人，其訓練方法，和十二金釵相似。」

這才使巢南子神色一整，道：「多謝姑娘指教！」

方秀梅道：「我心中一直懷疑，藍天義對十二飛龍童子和十二劍童，是用一種很殘忍的方法，訓練而成，最可能是藍天義用了藥物，增強了十二劍童和十二飛龍童子的功力，也使二十四個童子，身體受了壓制，不能長大。」

巢南子道：「這二十四個童子，身材幾乎是一般高矮，確是不合情理。」

這時，十二劍童和十二個飛龍童子，多已開始行來，每一個白衣劍童，跟在一個紅衣童子身後，由那紅衣童子，用籐牌護身，緩緩向前行來。

方秀梅一皺眉頭：道：「藍天義出動了特殊訓練而成的精銳屬下，大約是準備要一舉成功，咱們這右廳的防守，是受命王修呢？還是由道長自作處置？」

巢南子道：「受命王修，正廳對右的一座視窗，就是王修對右廳防守的發令之處，如是局勢進入了混亂之局，則由貧道自作處置。」

方秀梅轉目望去，只見右窗口處，一紅一白兩面旗子，旗展三次，低聲問道：「雙旗展動三次是何用意？」

巢南子道：「那是說不要咱們輕易出手，但要緊守廳門，不讓他們衝入廳中。」

兩人這一陣談話，外面的廳院中，局勢又有了很大的變化。

原來藍天義已親自率人而至，大門內，又多了數十個黑衣人。

玄真道長手執長劍，率領武當門下的精銳弟子，魚貫而入。

不過，武當門下弟子，已不是穿著道袍，而是換著了黑色的勁裝。

無缺大師、玄真道長、乾坤二怪，分守藍天義的左右。

四人手中，除了原有兵刃之外，每人手中都多了一個長約二尺、鴨蛋粗細、通體金黃的短棒。

但最使方秀梅、江曉峰等驚訝的，還是出現在藍天義身後的兩位少林高僧，冷佛天禪和飛鈸天音。

這兩位天字輩傑出的高手，陡然出現，帶給了方秀梅、江曉峰等重重的疑問，少林寺，是否已被破去？

這一瞬間的變化很大，藍天義親自督陣，精銳盡出，再加上天禪、天音的出現，少林也好像已遭破去，至少，有了某一種的妥協，或是受到了極大的迫害，才使得少林寺派出兩大高手，隨來助戰。

突然間，弓弦聲動，正廳中射出來一支長箭，直向一面籐牌上射去。

但聞蓬然一聲，強箭射在籐牌之上，跌落實地。

江曉峰低聲道：「這籐牌堅牢得很，那箭力道很強，竟然未能傷到籐牌分毫。」

緊接著正廳內，強箭連連射出，飛向籐牌。

只聽得蓬蓬大震之聲，此起彼落，陣陣白煙，彌空而起。

一眨眼間，二十四個童子，和十二面籐牌，都陷入了那陣陣的白煙之中。

原來正廳之中射出的，都是爆炸的紅色箭頭。

突然間，紅影一閃，一個手執籐牌的童子，滾入了廳中。

江曉峰一躍而起，長劍迅如奔雷，劈了過去。

但見長劍一閃，自籐牌後面探了出來，噹的一聲，封開了江曉峰的長劍。

紅影一閃，籐牌滾開，一個白衣童子，疾滾而出。

江曉峰長劍疾展，閃起了一片冷芒寒霜，森森劍氣直迫過去。

原來，那籐牌後面的一個飛龍童子，和一個劍童，都已衝入廳中，江曉峰想以凌厲的劍勢，把那白衣童子，迫出廳去。

但那白衣劍童不但劍招詭奇，而且內力也十分強大，竟然硬接了江曉峰兩招快迅的劍勢。兩聲金鐵大震之後，那白衣童子雖被震退了兩步，但卻把勢子穩住，立時和江曉峰展開了一場極為凌厲的搏殺。

在白衣劍童和江曉峰動手的同時，巢南子和方秀梅，也同時攻向了那紅衣童子。

那紅衣童子突然一收籐牌，手中籐牌變成了一根奇形兵刃，尖端冷芒閃閃，有如一條短槍一般。

巢南子劍出「玄鳥劃沙」，斜裏刺去，卻被紅衣童子的籐牌擋開。

方秀梅劍走偏鋒，斜裏攻了上去，兩個人存著和江曉峰一般的心意，希望把紅衣童子迫出廳外。

但那紅衣童子，手中的籐槍招數十分詭異，應付兩人合攻之勢，竟然十分輕鬆。

巢南子連經大戰凶險之後，已變得十分沉著，默察廳中形勢，已知道很難把兩人迫出廳外，急急叫道：「三弟，四弟，把手中的弓箭，交給靜智、靜勇，合力守住廳門。」

浮生子、青萍子，應了一聲，拔出長劍，躍至廳門處。

這時那彌空白煙，已然消退了不少，院中景物，已然清楚可見。

只見廳外也正展開著激烈絕倫地惡鬥。

六燕、七燕率領著巫山門中十位灰衣人，十柄劍和十個白衣童子鬥在一起。

這些灰衣人劍上力道十分強大，顯然多占了上風。

十個白衣劍童，卻是以身法輕靈、劍招詭異見長，雖然暫處下風，但卻毫無敗象。

多星子帶著四個執刀大漢，守在正廳門口，並未出手助戰。

顯然，王修的用心，亦是不讓人衝入廳中。

十二個飛龍童子，除了一個，被巢南子和方秀梅雙劍所困之外，另外十一個，卻又疾快地退了回去。

用心極爲明顯，想仗恃籐牌，再行輸送人手過來，向廳中強攻。

緊張激烈的搏殺之中，還蘊藏著謀略之爭。

還有一個白衣劍童，持劍和六燕、七燕相對，雙方四目交投，但卻沒有動手。

六燕、七燕別有用心，帶著微笑，那白衣童子的臉上，卻浮現出一種似曾相識的神情。

正廳中的王修，此時，也行到廳門處觀戰，臉上是一片愁苦之色。

需知王修雖未盡出所有人手，但動手的人，已是他們可以調動的人手中，最精銳的高手，這些人如若不敵，其餘的只有聽憑人宰割的份兒。他希望六燕、七燕率領的巫山門中高手，能擋住十二劍童和十二位飛龍童子，用藍夫人遺下的特製長劍，拒擋敵方繼續援手。但他未想到十二劍童，武功如此高強，一個人就能纏鬥一個巫山門下高手。但眼看十二個飛龍童子，退了回去，巫山門中人，竟未能騰出手去攔住，心中大為震驚。

這和他預定的計畫，有了很大的變化，如若十二金釵再不能趕到助戰，藍天義把人手輸送過來，勢必要形成混戰之局，除了巫山門中人，可以支持一陣之外，其他的人只怕很難支持十回合以上。

忖思之間，十一個飛龍童子，已撐著籐牌，護著藍福、黃九洲、吳半風，和八個手執兵刃的黑衣大漢，直向大廳行來。

王修皺著眉頭，伸手取過一支強弓，換了一個黑色箭頭的長箭，弓引滿月，呼的一聲，射出一箭。

原來，王修亦發覺了這長箭頭上的顏色，代表著各種不同的用途，三種顏色中，以這黑色箭頭的數目最少，而且，另外兩種長箭，已然證實無法對付那飛龍童子的籐牌。

以神算子之才，亦無法推想出這黑色箭頭有些什麼作用，情急之下，只好射出一箭試之。

那飛龍童子手中的籐牌，不知是何物做成，看上去有些像籐，但王修知道那不是籐編成，不但堅中有柔，而且也富彈性，那紅頭長箭爆炸的威力，已然很大，但卻無法傷害到飛龍童子手中的籐牌。

箭風破空，正射向當先一個飛龍童子。

那飛龍童子手中籐牌一揚，但聞吱然一聲，正射在籐牌之上。

王修全神貫注那長箭的變化，只見那長箭射中籐牌之後，竟然毫無特殊反應，跌落實地之上。

王修吃了一驚，暗道：「這黑色箭頭，乃長箭之中，最少的一種，也應該是威力最大的一種才是，怎的竟然全無特殊威力。」

大廳中弓箭手，全部聽命王修，看王修射出一箭，各個都引弓搭箭，待命射出。

但王修卻呆呆地站在那裏，望著向前行來的飛龍童子出神。

這一瞬間，王修幾乎已失去了主裁自己的能力。

因爲事情變化的完全出了王修的意料之外，場中的形勢，似乎已不是一個人的智慧力量所能扭轉，這時面對的決鬥，除了武功之外，智慧和才略，已無法派上用場。

王修木然了，除了立時出現十二金釵助戰之外，天道教第二批人手，只要在十一位飛龍童子的籐牌護送之下，送進大廳，展開猛攻，頓飯工夫之內，可以把集中在巫山下院的各派武林人物，全部消滅。

搏鬥之下，寸陰必爭，就在王修出神發愣之間，十一個飛龍童子，已把藍福、黃九洲、吳半風等，送到大廳前面。

王修定定神，緩步行出大廳門口。

藍福目注王修，冷冷說道：「王修，你們已到了山窮水盡之境，一個時辰之內，都將做刀下無頭之鬼，但敝教上體天心，再給你們最後的機會，只要他們放下兵刃，聽候發落，老夫願擔保他們不死……」

只聽一個陰森的聲音接道：「好大的口氣。」

藍福、王修同時轉頭看去，只見一個面目陰森，全身黑衣的瘦長漢子，和一個白紗蒙面，身著天藍勁裝的女子，並肩緩緩而來。

王修目睹兩人出現，精神頓然一振。

藍福故意冷笑一聲，道：「好個臭丫頭，別說你臉上蒙著白紗，就是你被火燒成灰，老夫也得瞧出來是你……」

來的一男一女，正是韋剛和藍家鳳。

韋剛怒聲接道：「你可是藍福麼？」

藍福道：「正是老夫，你是何人？」

韋剛道：「區區韋剛。」

藍福略一沉吟，道：「原來是你這個老魔頭。」

韋剛冷冷說道：「你敢對區區無禮？」

藍福仰天打個哈哈道：「韋剛，你口氣如此狂妄，想來必有所仗恃了。」

韋剛哼了一聲，道：「諒你也作不了主，區區也不願和你多費口舌，我要和藍天義談談。」

他說話的聲音很高，站在大門口處也聽得十分清楚。
藍福怒聲喝道：「就憑你，也配和敝上談話麼？」
藍家鳳白紗遮面，靜靜地站在韋剛身側。
韋剛正待發作，卻已聽得藍天義的聲音，遙遙傳了過來，道：「藍福，不許對韋兄無禮。」
一面答話，一面舉步行了過來。
這時，王修已傳出令諭，告訴大廳中的群豪，不可輕易出手。
是以，藍天義舉步行來時，廳中的各箭手，無人放箭。
但那十二劍童，仍和巫山門中人打鬥得十分激烈。
藍天義左有乾坤二怪，右有無缺、玄真，身後面跟著手執戒刀的冷佛天禪，和身上掛著四面銅鈸的天音。
一行人距大廳兩丈左右處，停了下來。
藍天義揮揮手道：「韋兄，想和在下談點什麼？」
以藍天義的身分，竟然叫出韋兄二字，頓使得藍福心頭一震，暗道：「教主對此人這般客氣，這韋剛定然有什麼特殊之能了。」
但聞韋剛說道：「藍教主，先要他們停手。」
藍天義點點頭，道：「藍福，要他們停手。」
藍福高聲喝止住搏鬥的十二劍童。
王修也同時下令約束了巫山門下的高手。

六燕、七燕動作極快，群豪已停下手，立時帶著十位灰衣人進入大廳，不讓藍天義有問話的機會。

庭院中搏鬥停止，右廳中，江曉峰、巢南子和敵人的搏鬥，也同時停下。

白衣劍童和身著紅色的飛龍童子，疾快地退出右廳，回入本隊。

方秀梅快步行到江曉峰身側，道：「兄弟，韋剛出面了，咱們也要出去瞧瞧吧！」

江曉峰點點頭，向前行去，但行到廳門處，停了下來。

巢南子、方秀梅，也同時行到廳門口處，三個人並肩而立。

這時，雙方已經完全停下了手，但卻列陣以對。

韋剛道：「在下韋剛，藍教主早已知曉了……」

藍天義道：「聞名久矣！」

韋剛道：「但藍教主可知曉，何以在下會留在這巫山下院，一住十餘年麼？」

藍天義搖搖頭道：「這個麼？在下就不清楚了。」

韋剛道：「在下奉尊夫人之命，在此巫山下院之中，訓練了一批人手。」

藍天義道：「內子已然過世，韋兄對她這番忠誠，想她在九泉之下，亦必很感激韋兄。」

韋剛道：「誇獎了……」

語聲一頓，接道：「這巫山下院，在江湖中遺世獨立，想不到竟也得天道教的垂青。」

藍天義笑道：「在下稱霸武林，盡服各大門派，巫山下院彈丸之地，確然未放心上，在下來此，全為了追殺王修，一般不識時務的餘孽，如韋兄可以不管此事，兄弟願以湖北總舵主位置相贈。」

韋剛道：「韋某不出山，也就罷了，既要出山，就要你閣下的武林霸主之位。」
藍天義臉色一變，但卻強行壓制下心中的怒火，道：「韋兄，說笑了……」
韋剛接道：「在下說得很真實。」
藍天義道：「就憑你韋兄一人之力麼？」
韋剛道：「在下自然憑仗幾位助手同心協力，以爭霸主之位。」
藍天義略一沉吟，道：「什麼樣的人物，可否請出來讓我見識一下，如果他們真有爭到武林霸主的能力，也許在下可以奉讓武林首座之位。」
韋剛冷峻地道：「十二金釵，不知藍教主是否聽人說過？」
藍天義道：「昨夜之中，搏殺了本教中甚多暗樁，想來定是十二金釵所爲了。」
韋剛道：「不錯，正是區區的屬下。」
藍天義淡淡一笑，道：「韋兄請四面瞧瞧，那些白衣、紅衣童子，他們正是十二位劍童，和十二位飛龍童子。」
韋剛道：「二十四個童子，何奇之有？」
藍天義道：「就在下所知，十二金釵和十二劍童的訓練之法，大同小異，如果她們經閣下的特殊訓練，能培養出人所難及的功力，那他們和十二金釵具有之能，倒也是相去不遠。在下相信，以十二劍童和十二飛龍童子，全力對付十二金釵，縱然不勝，至少也可以纏鬥個數十招……」
韋剛搖搖頭，接道：「閣下的算盤打錯了，你手下的十二劍童和十二飛龍童子，根本不是十二金釵之敵。」

藍天義道：「除了二十四位童子之外，本座屬下還有數百位高手待命，韋兄算一下，這一戰，你的勝算大不大？」

韋剛道：「藍教主錯了，十二金釵一旦出動，對付你天道教中人，有如狂風掃落葉一般，二十四童子和你帶來的數百位高手徒眾，片刻之間，都將死傷在十二金釵手中。」

藍天義道：「聽起來幾近神奇，但我寧願相信你韋兄是說的實言，不過……」突然仰天大笑，住口不言。

韋剛冷冷說道：「藍天義，你用不著嚇唬我……」

藍天義沉吟一笑，冷冷接道：「本座並非嚇唬閣下，其實目下的情形，已然十分明顯，韋兄也應該瞧出來了。」

韋剛道：「在下瞧不出有什麼特異之處？」

藍天義道：「閣下既然瞧不出來，本座只好明說了，閣下的處境，在本座和本教中數十位高手的環伺之下，只要本座一聲令下，數十位高手和本座，可以同時出手攻向閣下，請韋兄自作忖思一下，是否能當受我們合力的一擊？」

韋剛目光轉動，四處回顧了一眼，果見藍福、黃九洲等，都已在他周圍，布成了合擊之勢。

神算子王修突然接口道：「藍教主錯了。」

藍天義抬頭瞧了王修一眼，道：「本座哪裏錯了？」

王修道：「閣下打的是如意算盤，你只算你手下的力量，但卻沒有算入我們的人手，亦有著很大的力量，在藍教主發動的同時，區區亦將分由十路，分襲閣下的人手。」

藍天義冷笑一聲，道：「王修，你少逞口舌之利，你已活不過一個時辰。」

王修道：「那要看你藍教主的本領了。」

藍天義目光轉顧，果見十個巫山門中的灰衣大漢，和多星子，以及右廳門口的江曉峰等人，都已經運氣戒備。

韋剛冷然一笑，道：「藍天義，眼下的情勢，閣下並未占到優勢。」

藍天義冷冷說道：「十二劍童，和十二位飛龍童子，都是一流身手，盡可以阻擋他們的攻勢，閣下仍然要在一瞬之間，承受很多人的攻襲。」

韋剛道：「在下相信能夠應付得了，藍教主如若覺著非打不可，那就不妨試試。」

藍天義淡淡一笑，道：「聽韋兄的口氣，似乎是咱們還有商量的餘地……」

抬頭望望天色，道：「時間還早，咱們可以慢慢地談。」

目光轉到藍家鳳的臉上，道：「臭丫頭，你認爲戴上面紗，老子就認不出你來麼？還不快給我取下來。」

藍家鳳道：「你既然知道了，那也用不著取下面紗了。」

藍天義道：「反了，你對老子也敢如此無禮麼？」

藍家鳳道：「我已經明白你是什麼人！」

藍天義生性雖然陰沉，但聽到藍家鳳這幾句話，也不禁爲之怒火高燒，冷笑一聲，道：「你倒說說看，老子是什麼人？」

藍家鳳道：「殺死我母親的兇手。」

藍天義道：「就算我殺了你的母親，但我仍是你的父親。」

藍家鳳搖搖頭，道：「你不是！你娶我母親，只爲了要騙她的武功，騙她的丹書、魔令。你奮力行俠江湖，只是爲博取聲譽，多多結交幾個人，準備進行你獨霸武林的陰謀，但我母親未死之前，你不敢動手，所以，你處心積慮的謀殺我母親……」

「你暗中下毒，施放冷箭，三番數次均未能得逞，也許你還洋洋自得，認爲我母親不知道，其實我娘早已知曉，你暗中進行的陰謀，但她是個善良的人，禮教束縛，使她抱殘守缺，總希望有一天你能悔悟，改過向善，你已取得天下武林公認的俠名，盼望你會珍惜這份榮譽……」

「但你天生陰毒，殘酷成性，竟然不知悔改，終於造成了這次江湖劫難，你這一生作孽太多，罄竹難書，你心裏應該明白……」

藍天義怒聲接道：「臭丫頭，胡說八道。」

藍家鳳道：「過去，我確然不知道，但我逃出你的魔掌後，找到了我母親很多留言，上面記述了你的惡跡很多，要不要我一件一件的數給你聽？」

藍天義怒道：「忤逆不孝的丫頭，藍福，給我宰了她。」

藍福應聲抬手，一片烏芒，電射而出，直向藍家鳳飛了過去。

他這等陡然出手，打出了武林中至惡的毒針，縱然藍家鳳身側都是第一等的高手，也是救援不及。

在藍家鳳的記憶之中，藍福是一個極少使用暗器的人，這一次陡然打出暗器，令人有著意外之感。

但見人影一閃，七燕飛躍而起，直向那一蓬烏芒上撞去。

韋剛右手一揮，打出一記劈空掌風，左手拉著藍家鳳，向後退去。

雖然是救助不易，但這一瞬間，仍然有很多人出手搶救。

多星子一揚腕，運用內家真力，把手中一柄長劍，化作一道銀虹，直向那蓬烏芒投去。

江曉峰卻長嘯一聲，連人帶劍，化作一道銀虹，直撞過來。

他練習馭劍之術甚久，但一直難有成就，此刻大急之下，用了出來，竟被他衝破十二重樓，力透劍身，身劍合一。

藍福打出的一蓬七毒銀針，先被韋剛劈空掌勢一擋，去勢微微一緩，七燕卻疾衝而至，玲瓏的嬌軀，正撞在那一蓬烏芒之上。

藍天義右手一抬，飛鈸天音，兩面飛鈸，應手而出，挾著破空嘯聲，攻向藍家鳳。

這不過是眨眼間的變化，出手縱有先後，但也不過毫釐之差。

藍天義突然大踏一步，舉手一撈，竟把多星子破空而至的長劍，接在手中。

那長劍破空飛來，原準備打散一蓬毒針，救藍家鳳的性命，來勢何等勁急，但那藍天義舉手一抄，竟把長劍抓在手中，而且還抓在劍柄之上，舉止瀟灑，行若無事。

單是這一份抓劍的功力，就足以驚世駭俗了。

幾大高手同時攻擊，救人之勢，當真各具威勢，耳際間只聽得，噹噹兩聲大震，天音大師發出的兩面旋轉銅鈸，卻被江曉峰馭劍衝來的一擊，變了力道。

兩面銅鈸，在天音的巧勁之下，本要合襲藍家鳳，被江曉峰這一撞，卻撞得雙鈸分道，一面飛向藍福，一面向站在大廳門口的王修飛了過去。

但江曉峰也被這雙飛鈸，強大的旋轉勁力一撞，劍上力道大減，落在實地。

這陣間不容髮的變化過後，群豪才有時間，看看地上的七燕，身上遍中毒針，早已氣絕而逝，那一張本甚嬌豔的嫩臉，也泛起一片鐵青，針上之毒，實叫人看得心生寒意。

突聞啊喲一聲，已然退到大廳的藍家鳳仰面向後倒去。

藍天義正待下令天道教中弟子，全力搶攻，一擁而上，一舉間消滅群豪。

但藍家鳳突然倒在地上，使得藍天義下令攻襲之念，爲之一緩。

韋剛伸手一探藍家鳳的鼻息，突然翻身一躍，口中連連發出奇厲的怪嘯。

但聞一聲金鐵交鳴，藍福舉劍撥開了近身銅鈸。

王修卻縱身一閃，蓬然聲中，鋼鈸嵌入了木門之中。

他一直謹慎地控制著廳中群豪，不讓他們輕易出手，造成混戰的局面。

但藍天義卻有著和王修相反的打算，準備下令一擁而上。

但機會不再，當他再準備下令全面攻襲之時，局勢已變。

只見十二個綠衣綠裙的美女，疾快地奔了出來。

藍天義抬頭看去，只見奔來的綠衣麗人，都穿著很長的拖地裙子，綠色的衣袖，也十分寬大，左手端著一把綠色的刀鞘，右手握著刀柄。

十二個女人，一般的衣服，一般的姿態，臉上都帶著淡淡的笑意。

驟然間看去，這些寬袖長裙的綠衣麗人，個個都很美麗，但仔細看去，卻發覺她們的臉色，蒼白得不見一點血色，給人一種很陰冷的感覺。

藍天義的目光投注在那十二個綠衣女人手中的兵刃，瞧了一陣，突然臉色大變，喃喃自語，道：「十二化血刀。」

韋剛臉色赤紅，一片怒容，冷冷地說道。「不錯，十二化血刀，你天道教中有多少教徒，能禁得住十二柄化血刀的劈殺？我要殺光你的屬下，我要亂刀把你砍做肉泥。」

他心中塡滿了悲憤，化作了惡言毒語。

藍天義定定神，沉聲吩咐道：「藍福，布成拒敵方陣。」

藍福應了一聲，長劍連連揮動，十二劍童和十二位飛龍童子，突然移動腳步，混合在一起。

顯然，藍天義想借重十二位飛龍童子手中的籐牌，拒擋那十二金釵的化血刀。

藍福用手中的長劍指揮，極快地布成了拒敵方陣。

面對著十二金釵這種怪異之敵，藍天義不得不全力對付，布成的陣式，全力對付十二金釵，對王修等一般人，只改採防守之勢。

在藍福佈陣的同時，王修也同時做了佈置調整。

王修的佈置，有一個顯然的原則，那就是保持實力，盡可能不和天道教中人硬拚。

在雙方各做準備的當兒，江曉峰卻緩緩舉步，行向藍家鳳倒臥的地方，緩緩伸出手去，想扶起藍家鳳的屍體。

就在他手指將要觸及藍家鳳的身體時，突然覺著一股疾厲的掌風，直撞過來。耳際間，響起了韋剛的聲音，道：「不要碰她。」

江曉峰一躍而起，避開掌力。

轉頭望去，只見韋剛雙目圓睜，滿臉怒火，也不禁心頭火起，正待發作，方秀梅卻已疾快地奔了過來，越過江曉峰，暗施傳音之術，說道：「兄弟，小不忍則亂大謀。」

江曉峰長長吁了一口氣，緩緩向後退了兩步。

方秀梅目注韋剛，緩緩說道：「我保護藍姑娘的屍體。」

韋剛道：「好，請你好好的照顧她的屍體，我要用全部天道教中人的鮮血，來奠祭她的亡魂。」

方秀梅抱起藍家鳳的屍體，柔聲說道：「果真你能如此，鳳姑娘在九泉之下的陰靈，也就十分感激你了。」

舉步向大廳行去。

韋剛沉聲說道：「告訴王修，你們全力保護藍姑娘的屍體，不要她再受到任何傷害，她如有寸縷之傷，你們就要負責。」

江曉峰緊隨方秀梅奔入廳中，低低說道：「她傷在何處，中了幾顆毒針？」

廳中佈守著數十個人，有執弓箭，有執兵刃，群豪心中都極明白，這是最後的一戰，也是生死的一搏，各人心中都有著很多的感慨，貫注在廳外，並無人留心到方秀梅和江曉峰等。

方秀梅一口氣奔到廳內一個房間之中，把藍家鳳放在木榻之上，道：「兄弟，你去瞧瞧鳳姑娘的傷勢。」

一面說話，一面回頭向外行去。

江曉峰急急說道：「姊姊，她傷在甚麼地方？」

方秀梅道：「大概傷在前胸之上。」

江曉峰啊了一聲，舉步向木榻旁側行去。

方秀梅卻到室外，順手帶上了房門。

江曉峰緩步行到木榻旁側，伸手向藍家鳳的前胸摸去。

藍家鳳嚶了一聲，道：「不要碰我。」

江曉峰呆了一呆，道：「你……」

藍家鳳掀開了臉上的蒙面白紗，嫣然一笑，道：「我是裝的。」

江曉峰長長吁了一口氣道：「你爲甚麼要裝死？」

藍家鳳道：「我如不裝死，那韋剛怎會出手？」

江曉峰道：「你真的沒有中毒針？」

藍家鳳道：「我如中了毒針，哪裏還會活到現在，不過，現在我要中針了。」

江曉峰道：「那怎麼成？」

藍家鳳道：「江郎，聽我的話，你如是喜愛我的身子，我會把清清白白的身子給你；但你要忍一些氣，江湖風險，不得不權變應急……」

取出一枝銀針，接道：「看著我刺中的部位，出去告訴王修。」

江曉峰點點頭，道：「我都明白了。」

藍家鳳道：「方姊姊才是人間最完美的人，她的靈魂、風采，必永爲後世敬仰，你要事事聽她的吩咐。」

左手按在右乳下面，右手照左手指壓之處，刺了下去。

銀針入穴，藍家鳳突然又向後倒去。

江曉峰急扶著藍家鳳，讓她慢慢的躺了下去。

江曉峰放正了藍家鳳的身子，拉下她蒙面白紗，舉步向外行去。

只見大廳外面的形勢，仍然是保持著一個相持的局面。

十二金釵，站了一個扇面形勢，看敵來勢，再決定迎擊之策，但十二金釵不出手，使得藍天義亦有些茫然無緒，不敢輕舉妄動。

江曉峰快步行近王修，低聲說道：「王先生，藍姑娘——」

王修不等他說完，轉身就走，一面說道：「給我帶路。」

江曉峰先行入房中，說道：「藍姑娘自己在身上刺了一根銀針。」

王修一低頭察看，已瞧到那銀針，仍然露出了一半，當下微微頷首，道：「姑娘放心，我已經明白了。」

伸手把露在衣服外面的銀針，按了下去。

江曉峰低聲說道：「王先生，這是怎麼回事？」

王修道：「走，咱們到外面去，廳外形勢，瞬息萬變，不可有一點大意。」

他答非所問，人卻舉步向室外行去。

江曉峰追在身後，道：「王先生，那一針有何作用，在下想不明白。」

王修道：「此時此情，在下無法給江少俠說的清楚，而且也不宜說出來，此刻，隔牆有耳，咱們不得不小心一些。」

江曉峰臉上一片焦慮之情，低聲說道：「老前輩說一點內情，也好讓我放心。」

王修道：「那一針，對她有著很大的益處……」突然停下腳步，接著道：「江兄，區區想請教一件事。」

江曉峰道：「老前輩只管問，晚輩是知無不言。」

王修道：「剛才你一劍擊飛了兩面銅鈸，那一劍去如電奔，不知是不是馭劍術？」
江曉峰道：「是馭劍術！」
王修滿臉驚喜之色，問道：「你幾時學會了馭劍之法？」
江曉峰道：「剛會不久，這應該感謝那松蘭雙劍兩位老前輩的靈丹。」
王修神色肅然的說道：「當世間武林前輩，那一個都對你寄望很深，所以，你應該惕厲自奮，挽救這一次武林大劫。」
江曉峰黯然說道：「晚輩慚愧……」
王修微微一笑，道：「廳外情勢有變，咱們快去瞧瞧。」快步向廳門口處行去。
凝目望去，場中形勢已經逐漸的轉變，一場惡戰，似是已到了一觸即發之境。
原來，藍天義見十二金釵沒有出手之意，漸感不耐，暗中下令，使十二飛龍童子，先仗藤牌掩護試攻，十二劍童，隨後接應。
雙方都是十二之數，各對一人，攻襲的佈署，極好配置。
王修已瞧出藍天義佈署的用心，回頭再看韋剛時，只見他一臉沉重肅然之色，全神貫注在十二金釵身上。
轉頭看去，只見十二金釵在陽光之下，雪白的臉下，泛現出輕微的緋紅之色。
王修雖然頻頻以暗記示意韋剛，但韋剛卻似是根本未瞧王修。
這當兒，突聽藍福大喝一聲，揚手打出一把毒針。
一蓬烏芒，直向一個綠衣女子打去。
但聞「吱」然一聲響，一把毒針，盡都打在那綠衣女子身上。

但那綠衣女子，卻似是鐵鑄泥塑的一般，仍然靜靜的站在原位。

藍福銀針之毒，群豪是有目共睹，射中七燕，連哼也未哼一聲，就氣絕而亡，但這一把毒針，打在那綠衣女子身上，動也不動一下。

似乎是那些劇毒銀針，對那綠衣少女，全然沒有作用。

江曉峰瞧得心中大爲奇怪，低聲問道：「王先生，韋剛何以遲遲不肯下令，仍不要那十二金釵出手呢？」

王修低聲說道：「可能是因爲陽光太強之故。」

江曉峰低聲道：「十二金釵似已成爲金剛不壞之身，一般的刀劍、利刃，已無法傷害她們，比起藍天義訓練的十二劍童，和十二飛龍童子，不知強過數十百倍，適才那飛鈸，也足可證明，十二金釵，未受到太陽強光的影響，老前輩何不設法，要那韋剛指令十二金釵出手，在下相信，在十二金釵全力施襲之下，半個時辰之內，就可以擊潰藍天義集中於此的精銳、高手。」

王修道：「對十二金釵的認識，韋剛總要比咱們強過許多，遲遲不讓十二金釵出手，定有原因，不過天音施放飛鈸，傷不了十二金釵，反而生了寒意，佈署的攻勢，也似乎是暫時緩了一緩。」

語音微微一頓，接道：「韋剛似是在等待著什麼時機，咱們無能操縱大局，只有設法保存實力，靜觀其變，不過，韋剛把十二金鈸布成扇形之狀，這其間，已有保護我們的用心了。」

突然間，響起一聲巨雷，霎時間陰雲四合，大雨傾盆而下。

王修抬頭望望天色，輕輕歎息一聲，道：「天有不測風雲，人有旦夕禍福，看來，這一番大戰，只怕要在雨中決一勝負了。」

這時，韋剛臉上卻陡然間泛現出一片喜悅之色，高聲喝道：「藍天義，你已見過十二金釵武功了，她們個個都已練成鐵鑄鋼澆的身子……」

藍天義心中知曉那天音的飛鈸之能，竟無法傷得十二金釵血肉之軀，如若十二金釵全力搶攻，天道教縱然高手如雲，只怕也是無法抵禦這些超越體能極限的怪人。

他乃是極富心機的陰沉人物，當下接道：「韋兄，你一手調教出的十二金釵，果是武林中的奇異人物，目下兄弟已經征服了天下各大門派，韋兄如是願和兄弟合作，兄弟也願和韋兄共主天下武林盟首之位，或是割地分治，互不相犯。」

這確是一件很大的誘惑，王修生恐那韋剛被藍天義所說動，急急接道：「藍教主雄才大略，豈能容得他人共榮共存，這等緩兵之計，不值識者一哂，豈能騙得見多識廣的韋兄。」

藍天義的心中怒極，但表面上，卻又不便發作出來，冷然一笑，道：「不論韋剛和我藍某人合作與否，你王修也一樣是韋兄必欲殺去的人。」

韋剛冷冷說道：「我殺不殺王修，那是以後的事，但目下，咱們卻要分個生死強弱出來……」

語音微微一頓，接道：「至少王修有一點沒有說錯，當今武林之中，容不了閣下和我，咱們既無法並存，只有早些分個生死出來！還有一個我必得殺死你的原因，那就是你下令殺死了藍家鳳，藍家鳳已然是我韋某人的妻子，我身為丈夫，自然不能不替她報仇。」

這時，大雨如注，相持廣大院子中的雙方人手，都已經衣履盡濕。

王修觀察入微，發覺十二金釵在日光之下，原本微泛桃紅的臉色，此刻，卻突然間又恢復雪一般的慘白，頓時間，若有所悟。

但聞藍天義哈哈一笑，道：「韋兄，咱們如是真打起來，韋兄可是覺著穩操勝算麼？」

韋剛道：「正是如此，一個時辰內，兄弟手下的十二金釵，可殺光你的屬下精銳高手。」

藍天義道：「戰陣搏鬥，互有傷亡，韋兄仗恃十二金釵而已，不論她們的武功到了何等境界，但只不過十二人而已，兄弟手中有千名以上的高手，集於這巫山下院的亦有數百之多。」

韋剛道：「一群烏合之眾，何足為慮。」

藍天義正待接言，十二金釵已開始緩緩行動，正向前推進。

十二金釵自現身之後，一直保持一個姿勢，站著不動，不論雙方的情勢如何變化，十二金釵卻像是泥塑木刻一般，此刻，陡然間活動起來，登時給人一種陰森、淒厲的感覺。

藍天義一面下令準備迎敵，一面示意藍福，一旦動手，全力撲殺韋剛。

大雨滂沱中，十二個綠衣美女，捧刀緩步，十二個飛龍童子，和十二劍童，被那股逼人的氣勢，迫得緩緩向後退避。

驟然間看去，十二金釵個個面目姣好，肌膚如雪，但仔細地看去，卻又感到，那慘白無血的臉色，和翠衣裹著的嬌美身軀之內，自有一股陰森、懾人的恐怖。怎麼看，她們也不像活人，似乎是十二具美麗的活殭屍，但美麗並不能消除殭屍給人的恐怖。

以藍天義和藍福的膽色，仔細看過之後，也有著頭皮發炸，心神震慄的感覺。

事實上，王修和江曉峰等，在仔細瞧過了十二金釵，亦不禁心生寒意。

突然刀光一閃，緊接著響起了一陣蓬然大震和金鐵交鳴的聲音。

敵情十二金釵，已然發動了第一次攻勢。

四九　翠綠玉環

一則是大雨傾盆下，視線不清，二則是十二金釵的動作太快，沒有人看清十二金釵拔刀攻出的情形，只覺一片耀眼的刀花，在大雨中飛閃打轉。

所有的人，都爲十二金釵那奇幻快速的攻勢所震駭，全神貫注，希望一睹從未聞見的武功。

只有王修卻把全神貫注在韋剛身上。

十二金釵在韋剛的控制之下，每人攻出幾刀之後，閃電疾退。

同時，還刀入鞘。

刀光斂失，在那閃電一擊之後，又恢復了原有的平靜。

但聞卜卜幾聲輕響，兩個劍童、四個飛龍童子，已失去了手中的籐牌和長劍，倒摔在地上，鮮血混入雨水中流去。

原來十二金釵出手一擊中的，傷了藍天義手下六個童子。

十二面籐牌，大部毀在刀下。

藍天義木然了，他只曉得這十二金釵，正是藍夫人留在人間對付他的力量，但卻未料到，十二金釵的威勢，強到這等境界。

藍福、黃九洲、吳半風，也都看得心生寒意。

因爲十二金釵那身刀合一的攻勢，來如雷奔電閃，莫可捉摸，簡直是無法防禦她們的攻勢。

藍天義不停地思索防守之策，片刻間，想了近百招之多，但卻沒有一招，能夠防守這十二金釵的攻勢。

只聽韋剛冷厲的一笑道：「藍天義，你明白了麼，區區並非誇口。」

韋剛冷冷截口道：「我要解救藍家鳳身中毒針的解藥。」

藍天義一揮手，接道：「韋兄……」

藍天義道：「好，在下如若交出解藥，韋兄能否答應兄弟一個條件？」

韋剛道：「說出來聽聽。」

藍天義道：「在下率人，先離開此地，留下藍福，交出解藥。」

韋剛冷笑一聲，道：「閣下盤算得太如意了。」

藍天義道：「韋兄若不允，那是迫藍某一拚了。」

韋剛道：「你已瞧到十二金釵一擊的威勢，大約你心中也明白，有多少逃離此地的機會？」

藍天義暗暗忖道：「十二金釵的武功，實已突破了體能極限的境界，如用武功和他們拚搏，世間決難找出可與匹敵的人，唯一的辦法，就是別想他法對付，無論如何，必得逃過眼下這一次險鬥才成。」

他乃大奸巨惡的人，陰沉險詐，能伸能屈，當下說道：「韋兄既是不同意我藍某的條件，想韋兄必有高見了。」

韋剛道：「不錯，在下倒是也有一個主意，只是怕你藍教主不會答應。」

藍天義道：「區區知弱肉強食的道理，閣下也說出聽聽看。」

韋剛道：「你交出控制這些人的藥物和配方，我知道你能仗憑著一種藥物，控制著這些人。」

這該是一個很難叫人容忍的條件，但藍天義竟然毫無怒意，道：「交出解藥之後呢？」

韋剛道：「然後，給你兩條路選擇。」

藍天義道：「第一條？」

韋剛道：「你和你這些屬下一樣，吞下忘去自己的藥物，聽我之命。」

藍天義道：「還有一條路呢？」

韋剛道：「我廢去你全身的武功，讓你離開，反正，你只是要想活下去，不論怎麼活，總比死了強些。」

藍天義淡淡一笑道：「能不能找出第三條路呢？」

韋剛道：「沒有法子。」

突然間，藍天義身子閃動，不知道他用的甚麼身法，竟然閃過了前面的人，一下子欺到了韋剛的身側。

手中的長劍，幻起了萬千層劍影，把韋剛圈入了劍影之中。

這大出意外的變化，使得雙方的人，都看得一呆。

韋剛身子閃轉，在劍影中閃避。

誰都會想到，韋剛定會立時下令十二金釵出手解他之危，但事情偏偏卻出了眾人的意料之外，十二金釵，竟然是肅立不動。

王修驚駭中，凝目望去。

只見藍天義手中兩把長劍，幻出點點寒芒，一支劍一直不離開韋剛的五官，攻向嘴巴，另一隻卻封住了韋剛的雙手。

敢情藍天義那凌厲快速的劍勢，已使得韋剛無法用手勢或口語，示意十二金釵出手解救。

藍福仗劍掠陣，卻不敢下令出手相助。

因爲，他心中明白，只要能給韋剛一剎那間的時光，都可能使韋剛騰出下令十二金釵出手的機會。

但藍天義的劍勢，不敢攻擊韋剛其他的部位，一時倒也無法殺死韋剛。

廳中群豪，都看得茫然不解，但王修卻瞧得暗自震駭，低聲向江曉峰說道：「如若藍天義能夠一舉間，殺死韋剛，使他無法作出手勢，或發出十二金釵出手之口諭，藍天義立時間，即可以成霸稱武林的盟主，咱們也無人能逃出天道教的高手圍殺，因爲韋剛一死，再無人知曉役使十二金釵之法。」

江曉峰道：「我助韋剛一臂之力。」

王修道：「一擊之後，立刻退回，不要你和人力拚，只要給韋剛一個傳諭十二金釵出手的機會。」

江曉峰道：「晚輩明白。」

暗中提聚真氣，飛躍而起，身劍合一，直向那重重的劍影中衝了過去。

王修正是激起江曉峰馭劍一擊的結果，但他卻明白，只有江曉峰這馭劍一擊，才能給韋剛一個脫出藍天義劍下的機會。

只聽一陣金鐵交鳴，江曉峰馭劍一擊，衝破了藍天義那重重的劍影。

大雨中，沒有人看清楚江曉峰馭劍一擊的詳細情形，但卻聽得怒喝和一聲悶哼，傳入耳際。

凝神看去，只見江曉峰面色慘白，坐在五尺外大雨下的泥地上，口角間，還不停地流出鮮血。

韋剛右手緊抓住左腕，但鮮血仍然不停由左腕滴在雨地上。敢情，韋剛的左手，已被齊腕斬掉。

激烈的痛苦，使他原木陰沉的臉上，泛現出一片殺機。

藍天義卻雙劍支地而立。

這形勢一眨眼間，又有了變化，藍天義雙臂一振，連人帶劍沖天而起，直向巫山下院外面奔去。

就在藍天義飛身而起的同時，大雨中綠衣飄動，血雨橫飛，連連響起慘叫之聲。

十二金釵出手太快，快得叫人無法瞧清楚她們手中的兵刃。

王修急步奔了過來，扶起了江曉峰，低聲說道：「江兄，傷得重麼？」

江曉峰低聲答道：「不重也不輕，藍天義內力強勁，我馭劍一擊，竟被他震得摔了出來。」

王修長吁一口氣，道：「到廳裏歇一會兒去……」

江曉峰道：「我要瞧瞧結局。」

王修淡然一笑，道：「這不是結局，這只是另一個開始，不過，離結局不遠了，最遲不過三日，短一點，也許就在今夜裏。」

江曉峰皺皺眉頭，道：「老前輩的意思是……」

王修道：「你要保重，因為結局如何，你的關係很大。」

方秀梅輕輕歎息一聲，道：「兄弟，你應該運氣調息一下。」

對方秀梅，江曉峰有著無比的敬重，點點頭，道：「小弟遵命。」又望場中一眼，緩步向院中行去。

其實，院中的搏鬥形勢，已近尾聲，但見綠色的衣裙，在大雨中穿飛，藍福和玄真、無缺、乾坤雙怪等，藍天義所帶的高手，都已經倒臥在地上。

鮮血和雨水混和在一起，不足一刻工夫，天道教中近百的人，全部都死傷在十二金釵的化血刀下。

耳際間，響起了韋剛的聲音，道：「王修，告訴他們，誰要離開巫山下院一步，誰就先死在這化血刀下。」

王修道：「他們不會走。韋兄挽救了武林大劫，他們還要向韋兄……」

韋剛冷冷接道：「這些事以後再談，此刻，王兄同在下追殺藍天義去。」

王修道：「在下理當效勞。」舉步向外行去。

方秀梅、多星子等，都靜靜地站在一側，看著韋剛和王修出了巫山下院。

方秀梅緩步行出大廳，只見滿地橫七豎八，都是死傷在十二金釵化血刀下的屍體。

只見武當三子，並排而立，三個人面色沉重，木然站在一具屍體前面。

方秀梅輕輕咳了一聲，緩步行了過去，低聲說道：「三位道兄，人死不能復生，三位也不用太悲痛了。」

巢南子黯然說道：「我們眼看掌門師兄，死於刀下，無法搶救，在本門中規戒而言，那是大逆不道的叛師大罪。」

方秀梅道：「唉！武林中，從未有過如此的動亂，師倫天道，素爲藍天義所藐視，在那藥物控制之下，人已經消失了人性，縱然貴掌門不死於十二金釵的化血刀，他也無法再執掌武當派的門戶了。」

巢南子道：「多謝姑娘指教。」

青萍子道：「不知我們可否把掌門師兄的屍體，運回武當山去？」

方秀梅道：「這個，我也不能答覆你們……」

沉吟了一陣，接道：「不過，就小妹的看法，藍天義縱死於十二金釵之手，武林也一樣無法恢復平靜。」

浮生子道：「爲什麼？」

方秀梅道：「韋剛已動了霸謀江湖之心，殺了藍天義，應該是最好的機會，所以，我覺得，他一樣不會放了咱們……」

淒涼一笑，道：「但他會改變方法，決不會再用藍天義的辦法。」

青萍子接道：「他能改變成什麼法子？」

方秀梅道：「我不知道，韋剛是臨時決定的，無法從蛛絲馬跡中找到證明，但小妹卻認定，他非要改變個法子不可。」
巢南子拭去臉上雨淚混合的流水，緩緩說道：「姑娘之意，可是說，就算殺了藍天義，仍然無法使江湖歸復平靜。」
方秀梅道：「咱們若能殺死韋剛，也許還有一些平安的日子好過，如是韋剛不死於藍天義的手下，咱們還有一段艱苦的日子，要忍下去。」
浮生子沉聲道：「忍下去，讓第二個藍天義再成氣候麼？」
方秀梅道：「這是咱們一個嚴重的考驗，韋剛似乎是還有一些顧忌，但我不知他顧忌何在？三位道兄請保重身體，說不定片刻之後，咱們就要再展開一場很激烈的惡戰……」
巢南子接道：「和十二金釵動手？」
方秀梅道：「不錯，如是韋剛要殺咱們，自然運用十二金釵了。」
青萍子道：「貧道從未想到過，一個人武功，能練到十二金釵那等境界，別說咱們和她們打了，就是看也不看清楚，他們怎麼死的。」
巢南子道：「不能打，我們師兄弟三人聯手，也擋不住她們一擊。」
青萍子道：「方姑娘既然知曉，那韋剛一定會指令十二金釵出手，此刻，咱們還有逃走的時間……」
方秀梅道：「逃到哪裏去……」
瞥見藍福的屍身突然坐了起來，不禁心頭一震，尖聲大叫道：「藍福！」
藍福右肩中了一刀，前胸一刀，劃開了胸腹，直到腹間，腸子都流了出來。
巢南子長劍一擺，衝了過去，厲聲喝道：「你這作惡多端的老匹夫，想不到也會有今日吧！」長劍一振，直刺了過去。

藍福雖然傷勢奇重，居然仍能運劍，長劍一揮間，噹的一聲，竟擋開了巢南子的劍勢。

巢南子只覺一股奇大的勁力，撞在長劍之上，只震得虎口發麻，長劍幾乎要脫手飛去。

浮生子閃身而至，衝到前面，正待揮劍攻出，突見藍福口齒啓動，說道：「不要動手。」

浮生子收住劍勢，向後退了兩步。

藍福長劍支地，穩住了滿都是血的身體，道：「方姑娘，快些過來，老夫拚盡了最後一口氣，想告訴姑娘幾句話。」

方秀梅赤手空拳，緩步行了過去。

青萍子道：「姑娘帶著兵刃，這人險惡陰沉，不可不防他一些。」

方秀梅想到那藍福的陰沉，接過青萍子手中長劍，行了過去，道：「藍總護法，什麼事？」

藍福痛苦地笑一笑，道：「人之將死，其言也善，姑娘不要誤會……」

方秀梅接道：「細數藍天義的惡跡，你該是他第一號幫凶人物。」

藍福道：「這些都已經過去了，老夫就要死了，人死不記仇，希望姑娘能原諒老夫……」

重重地咳了一聲，吐出一口鮮血，喘吁吁地說道：「藍天義仗以控制天下武林高手的解藥配方，就藏在他的束髮之中。」

說完一番話，再也支持不住，蓬然一聲，倒摔在地上死去。

方秀梅長長吁了一口氣，道：「藍福，你陰險惡毒，做了一輩子的壞事，想不到臨死之前，竟然說出了一樁救人的大隱密。」

巢南子道：「看起來，他還有一點人性。」

方秀梅仰臉望天，黯然說道：「藍天義雖然覆滅了，但卻有一個更可怕的敵人。藍夫人一代才女，她培植了十二金釵，對付藍天義，但不知她曾否想到，十二金釵也有為害江湖的可能。」

青萍子雙目神光閃動，突然接口說道：「姑娘，那十二金釵，並無行惡之能，問題全在那韋剛一人的身上……」

放低了聲音接道：「如若能夠一舉刺殺韋剛，使十二金釵沒有了指揮的人，定就無法為害了。」

方秀梅道：「談何容易，韋剛被藍天義斷去一手，只怕會對自己保護得更為嚴密了。」

青萍子道：「貧道有一個刺殺韋剛之策，不知是否可用？」

方秀梅道：「道兄請說。」

青萍子道：「貧道想假扮屍體，躺在韋剛必經之處，驟然間出手，一舉把韋剛刺殺。」

巢南子、浮生子齊聲接道：「貧道願助師弟一臂之力。」

方秀梅搖搖頭，道：「三位這等仁俠的精神的確是叫人萬分欽佩，不過，依小妹的看法，成功的機會不大。」

巢南子道：「就算是成功的機會不大，也不過犧牲我們兄弟三人而已，並不致影響大局。」

方秀梅搖搖頭，道：「話不是這麼說，如是三位不能在一舉間刺殺韋剛，必將引起韋剛的激怒，影響所及，自然不是你們武當三子的事了。」

巢南子道：「姑娘之意呢？」

方秀梅道：「此事不可冒失行動，小妹之意，還是和王修研商一下再作道理……」

此時，大雨漸小，濃雲也逐漸地散去，天色似已有放晴之徵。

方秀梅望望天上逐漸散去的烏雲，輕輕歎息一聲，道：「目下情勢是敵人力大，我們不能力敵，只有智取一道，論天下才智人士，莫過王修了，所以，這件事，必須由他決定。」

巢南子歎息一聲，道：「姑娘既然如此說，咱們只有聽憑決定，不過，我們武當三子，已決心爲武林正義，奉獻出軀體，姑娘決定之後，我等隨時聽命行動。」

方秀梅欠身一禮，道：「三位有此俠心，實是舉世共欽之舉，小妹這裏先向三位致敬。」

巢南子恨聲說道：「韋剛率領十二金釵和王修追蹤藍天義而去，這一戰，如是韋剛勝了，藍天義必將全軍覆沒在十二金釵之手。」

方秀梅道：「十二金釵本身似乎是沒有嗜殺的特性，但她們也同時失去了自主的性格，似乎是完全操諸在韋剛手中，藍天義斷下了韋剛一隻左手，他豈肯善罷甘休，如是藍天義不敵十二金釵，以韋剛的殘忍，勢必要殺一個雞犬不留。」

巢南子目光轉動，四顧了庭院中的屍體一眼，道：「這些人，雖然是助紂爲虐，但他們並非是出於自願，讓他們曝屍日下，未免有失忠厚，貧道願率本門中弟子，掘土成坑，把他們全部埋了起來，不知姑娘的意下如何？」

方秀梅搖搖頭道：「道長仁心，小妹極是欽佩，不過，此時此情之下，小妹覺著暫時不動的好，韋剛喜怒難測，不可觸犯了他。」

浮生子道：「難道咱們埋下屍體，也會觸怒韋剛不成？」

方秀梅道：「如果韋剛動了懷疑，說咱們把未死之人移走，那時，豈不要大費手腳，把埋下的屍體挖出來給他看，而且屍體逾百，辨識不易，所以，小妹之意，還是不動的好。」

巢南子道：「至少，貧道應該把本門中掌門人的屍體埋下。」

方秀梅凝目望去，只見朝陽子前胸處，血和泥混在一起，看不出傷口的情形，沉吟了一陣，道：「道兄，我們處身在極爲險惡之境，必要忍人所不能忍，雖然人已經死了，也得委屈他們一下了。」

巢南子輕輕歎息一聲，道：「姑娘說得是，天下各大門派相同際遇，貧道們一切從命就是。」

方秀梅輕輕咳了一聲，道：「三位最好還是回到原來的地方，一切等王修回來再說。」

巢南子應了一聲，帶著浮生子和青萍子，直回右廳。

方秀梅卻甩甩淋得濕透的衣服，緩步向大廳行去。

目光轉動，突然發現場中一具仰臥的屍體，掙動了一下，但很快地，那人又仰臥不動。

方秀梅心頭大大地吃了一驚，暗道：「十二金釵，刀法凌厲，快如電閃，動起手來，只見刀光流轉，根本看不清楚她們是如何出手的，如是武功高強而又機智的人，用兵刃護住要害，僞裝中刀，倒臥地上，在十二金釵奔雷閃電的刀法下，甚有保了性命的可能。」

心中念轉，故意繞到了那屍體掙動的地方，瞧了一眼，只見那掙動之人，竟是天道教中的黃九洲。

方秀梅不願使已成的形勢，再有變化，當時忍下未言，緩步走回大廳。

多星子和群集廳中的各大門派的人，都木然地坐在廳中。天道教固然可怕，至少他們仍覺著還有抵擋兩招的機會，但十二金釵那耀眼奪目的刀法，使他們感覺到簡直沒有了還手的餘地。

這些人中，多星子固然是崑崙名宿，極受武林中尊仰的人物，另外大部份，也都是各大門派中的精銳、高手和一方豪雄。但此刻，他們已豪氣盡消，木然而坐，有如等待著被宰的羔羊。

方秀梅環顧群豪，見人人垂頭喪氣，亦不禁為之黯然。

多星子重重地咳了一聲，道：「殺孽，殺孽，這一次屠殺過後，只怕百年之內，江湖上也無法復元了……」

望了方秀梅一眼，接道：「貧道年過八旬，親眼看到了江湖上面臨過兩次劫難，每隔上二、三十年，必有一次動亂，黑白兩道，此消彼長，但如和這一次劫殺相比，那是浩瀚大海中一個浪花罷了。」

方秀梅道：「老前輩感慨很多。」

多星子道：「老朽這把年紀了，死不足惜，但為了替武林保下幾個種子，老朽想向姑娘提供一點愚見。」

方秀梅道：「老前輩說得太客氣了，有什麼話，只管吩咐就是。」

多星子道：「老夫覺著，十二金釵的刀法，已到了人間極境，不論天資何等高超，都無法練成那等刀法，因此，在下覺著，十二金釵一出手，所有的人，都沒有一點生存的機會。」

方秀梅淡淡一笑道：「老前輩可是準備逃走麼？」

多星子道：「是的，老朽覺著，不如選幾個年輕的人，要他們離開這裏。」

方秀梅道：「老前輩覺著，能夠走得了麼？」

多星子道：「至少應該比留在這裏，生存機會大一些。」

方秀梅搖搖頭，道：「老前輩，走不了的，而且，那庭院中的屍體，晚輩也未讓他們掩埋，咱們留在這裏不是等死，而是準備求生，如若咱們走了一些人，反而會啓動那韋剛的疑竇，是麼？」

多星子道：「求生，有機會麼？」

方秀梅道：「咱們要創造機會。」

多星子道：「姑娘，十二金釵能在片刻時間之內，殺死咱們所有的人。」

方秀梅接道：「目下，咱們是無法與人在武功上，爭長短，所以，要智取。」

多星子苦笑一下，道：「這些人大都是被姑娘說動來此，準備和天道教作最後一搏……」

方秀梅接道：「如是沒有十二金釵出手，咱們都可能早已死在藍天義的手下了。」

多星子道：「貧道明白了，咱們要死中求生。」

方秀梅道：「不錯，這是咱們唯一的機會，也是惟一可以走的路。」

多星子苦笑一下，未再多言。

方秀梅最關心的一件事，仍是那江曉峰的傷勢，急急轉頭望去。

只見江曉峰臉上泛起了一片如霧似煙的白氣，籠罩住整個五官。

方秀梅吃了一驚，快步疾行了過去，叫道：「江兄弟……」

只聽一個低沉的聲音，道：「不要驚動了他。」

方秀梅轉眼望去，只見全身淋漓水濕的王修，當門而立。

王修緩步行了過來，目光左右轉動。

發覺廳中群豪，各個神情木然，除了目光望著他之外，竟然沒有一個人和他打招呼。

方秀梅緩步行了過來，低聲說道：「哀莫大於心死，廳中群豪，都已經消失了當年的英豪雄姿，他們都已感覺身處絕境，必死無疑，以致全無生氣，連說話也懶得開口了。」

王修道：「不能怪他們，事實上，咱們確也是身處絕地，生機極微，目下的處境，必須有著極大的智慧、定力，才能安之若素……」

目光一掠江曉峰，接道：「江少俠頭上的白色煙霧，證實他任督二脈已通，內力透過了十二重樓，也就是武道上所謂的三花聚頂。」

方秀梅黯然的臉上，不由掠過一抹驚喜之色，道：「他怎能這樣快，進入了這等境界？」

王修道：「艱苦的磨練，加上他服用的靈丹奇藥，和奇佳的天賦，超越了時間、空間。」

方秀梅長長吁了一口氣，道：「王兄如是晚來片刻，我可能壞了大事，驚擾了他的練功。」

話音一頓，接道：「你怎能獨自回來，韋剛和十二金釵何在？」

王修道：「被困在十絕陣中，君不語果然是一位才氣縱橫的人物，十絕毒陣變化萬端，暗合五行奇變……」

方秀梅不知是驚是喜，歎一口氣接道：「那是說，十二金釵和韋剛，都被困入陣中了。」

王修道：「在下的看法，未必見得。」

方秀梅道：「王兄，小妹聽不明白，王兄可否說得詳細一些。」

王修道：「藍天義遣人事先擺好的十絕陣中，韋剛和十二金釵，緊追不捨，卻為那陣法變化所阻。十二金釵在韋剛役使之下，憑仗著武功，強行入陣，展開了一陣凌厲絕倫地搏殺……」

方秀梅道：「比適才這巫山下院中的惡鬥如何？」

王修道：「有過之而無不及。不過，那十絕陣變化十分奇幻，十二金釵武功雖然高強，但那十絕陣中，波波屏屏湧出的阻力，卻也十分強大，有似輪轉，在不覺之間，即把十二金釵和韋剛圈入了十絕陣中。」

方秀梅道：「照王兄的說法，那些十二金釵既然陷入了陣中，藍天義似乎是已經處於優勢了。」

王修道：「很難說，十二金釵已練成特異高質，十絕陣雖然變化多端，只怕也很難纏得住她們，不過，倒是給在下一個溜回來的機會。」

方秀梅望了多星子一眼，道：「剛才，多星子告訴小妹，與其全部守在這裏坐以待斃，倒不如先逃走一部份人。」

王修道：「姑娘認為如何？」

方秀梅道：「小妹覺著，此舉萬萬不可。」

王修道：「決不能走，不論十絕陣中一戰，勝負為誰，雙方都必有著很慘重的傷亡，他們都需要人手，只要活著的人，都不敢再加屠殺，留得青山在，不怕沒柴燒。尤其是韋剛勝了之後，如發覺咱們遣走了很多人，那就大大的麻煩了。」

方秀梅低聲道：「王兄可有什麼保命的計畫麼？」

王修道：「現在，在下亦未能預料此後的變化如何？等一個人來了之後，才能有點眉目。」

方秀梅道：「等什麼人？」

王修道：「鳥王呼延嘯。」

方秀梅道：「總不能要他役使群鳥，對付十二金釵吧？」

王修道：「他去找一個東西……」說了一半，突然住口不言。

方秀梅道：「什麼東西？」

王修沉吟了一陣，低聲說道：「火鯉內丹……」

話聲一頓，接道：「此事能否完成，還難斷言，而且，不宜傳揚出去。」

方秀梅啊了一聲，未再多問。

王修道：「咱們也該坐息一陣，養養精神，韋剛和藍天義，也快要分出勝負了。」

方秀梅點點頭，盤膝坐下，轉眼望去，只見那江曉峰頭上似煙似雲的白霧，似是也淡了許多，臉上一片紅光，又是一番神色。

靜坐中，不知過去了多少時間，突然間，一陣腳步聲傳了過來。

方秀梅剛剛閉上的雙目，霍然睜開，只見韋剛一臉冷肅之色，右手捧著包起來的斷腕，站在廳門口處。

方秀梅急急起來，欠身一禮道：「韋先生……」

韋剛冷冷接道：「藍姑娘呢？」

方秀梅道：「藍姑娘被扶在一座靜室中養息。」

韋剛道：「她的屍體是否已經寒去？」

方秀梅沉吟了一陣道：「韋兄，藍姑娘沒有死。」

韋剛奇道：「有這等事？」

方秀梅道：「小妹說的都是實話，韋兄如是願意見見藍姑娘，小妹帶路。」

方秀梅一面答話，一面暗裏觀察王修的神色。

王修雖然是閉目養神，但方秀梅卻相信那王修早已清醒過來，兩人的講話，他必然聽得十分清楚，他不願出面講話，顯然是要自己獨自應付韋剛。

韋剛回顧了盤膝而坐的王修一眼，冷笑一聲，卻揮手對方秀梅接道：「好！你帶我去瞧瞧。」

方秀梅轉身帶路，行到藍家鳳養息的門口處，低聲說道：「韋兄，藍姑娘是王修用方法救活的，現仍在昏迷之中，你最好不要驚動了她。」

她突然覺著自己已經沒有了應付之能，不得不把事情推到王修的身上。

韋剛道：「王修竟有這份能耐麼？」

方秀梅接道：「他武功自然是難及韋兄，但他所學極博，醫道尤精。」

韋剛推門而入，直行到藍家鳳的身前，伸出右手，按按藍家鳳的脈搏，果然是仍在微微跳動，但藍家鳳的面色，卻是一片慘白，不見一點血色。

韋剛望著藍家鳳美好的輪廓，輕輕歎息一聲，道：「不能驚動她麼？」

方秀梅道：「這個要問問王修了。」

心中卻暗暗忖道：「看來，這一代魔頭，對藍家鳳倒是有一片真心的情愛。」

韋剛未再多言，轉身向外行去。

出了靜室，大步行到王修身前，高聲喝道：「給我起來！」
王修睜開雙目，望了韋剛一眼，急急站起身子，道：「韋兄……」
韋剛冷冷說道：「你可是覺著我會被困於十絕陣中，所以，你先溜了回來？」
王修搖搖頭，道：「韋兄，錯了，對付藍天義，我們是同仇敵愾，在下趕回來，只是想查看一下藍姑娘的傷勢。」
語音微微一頓，接道：「如是在下生有二心，至少我們已逃離此地。」
韋剛回顧了一眼，約略估算一下廳中的人數，並未減少，至少，幾個重要的人，都還在廳中，當下點點頭道：「也許你說的是真話。」
口氣突轉冷漠，接道：「藍姑娘的傷勢，能夠醫得好麼？」
王修道：「她身上的毒性已失去大半，性命定可保下，但她到底哪時能夠復元，在下很難作肯定的答覆。」
韋剛道：「醫道之中，可有續肌接骨之術？」
王修望望韋剛的斷腕，道：「可以續接，不過，其中需要幾種名貴的藥物，和一個和韋兄一般的新的人手掌。」
韋剛道：「接續斷腕，要多少時間？」
王修道：「三個月內。」
韋剛沉吟了一陣，道：「那是說，如在三月時間之內，能找到那些藥物，屆時，斬下一個新的手腕下來，就可以接上我的左腕，使肌膚重生？」
王修道：「不錯。」

韋剛道：「需要些什麼藥物？」

王修道：「那些藥物雖然名貴，但大都是能夠買到之物，其中，需要一種四川康家的生肌散，那是獨門配方，康家祖傳數代，別人無能配製，另外要十條白的蚯蚓。」

韋剛道：「只有這些？」

王修道：「其他的藥物，在下會自行配製。」

韋剛道：「到時候，你如不能接上我的斷腕呢？」

王修道：「藥物齊備，在下如不能接上韋兄的斷腕，在下願以死謝罪。」

韋剛道：「話是你說的，屆時我要你自斷雙腕。」

王修點頭應道：「一諾千金，在下死而無怨。」

韋剛道：「希望你先醫好藍姑娘的傷勢。」

王修道：「我說過，藍姑娘如是死了，在下爲她償命。」

韋剛淡淡一笑，道：「人說你博學多藝，看來果然是有點門道。」轉身出室而去。

方秀梅目睹韋剛去遠，才低聲說道：「王兄，你真能給他接上斷腕麼？」

王修道：「世上的確有這麼一門醫術，但我無此能耐。」

方秀梅道：「王兄才能，小妹一向佩服，但這一次，小妹卻感覺王兄大大的失策了。」

王修道：「何以見得？」

方秀梅道：「你爲什麼不出些難題，告訴他萬年人參、千載靈芝等類的人間奇藥，他找不到這些藥物，到時間接不上斷腕，自然不會怪你了。」

王修道：「韋剛是何等人物，如是題目太難，豈不是故意爲難於他，說出來，只有更堅定他殺我之心，因爲他明白，我是在騙他，故意出難題。」
方秀梅點點頭，道：「王兄說得是，小妹終是棋差一著。」
王修微微一笑，突然道：「姑娘幾時見過全白色的蚯蚓了？」
方秀梅怔了一怔，笑道：「沒有見過。」
揚揚柳眉兒，接道：「王兄，有一件事，小妹想不明白！」
王修道：「什麼事？」
方秀梅道：「那韋剛何以獨自回來，未見十二金釵隨行？」
王修道：「照在下的推想，十二金釵或未破去十絕陣，但她們已脫出圍困。」
方秀梅接道：「十二金釵分守陣外，以防藍天義逃走？」
王修道：「正是如此，這可證明十二金釵並非是永遠不會疲累的人，她們雖然超越人的體能，但她們還未脫離人的範疇。世間，一定有對付她們的方法，也可以把她們殺死……」
長長吁一口氣，道：「如是我推想得不錯，藍夫人已可能留下了對付她們的方法，只不過，那方法藏於隱密，咱們還沒有找到罷了。」
方秀梅道：「你幾時想到了這些？」
王修道：「看十二金釵衝入十絕陣中搏鬥情形之後，她們雖像超人，但還是血肉之軀，也並非永遠刀如閃電，和金剛不壞之身。」
方秀梅歎道：「至少人間再無勝過她們的高手。」
王修道：「這裏面有一個訣竅，咱們只要能夠找出來，就可以輕易制服她們。」
方秀梅道：「王兄，可有一點線索麼？」

王修道：「自然，有一點頭緒，只不過不具體。」
方秀梅道：「可否說出來，讓小妹聽聽？」
王修道：「就算是姑娘不問，在下也想和姑娘商量一下。」
苦笑一下，接道：「目下形勢，咱們所有的人，似乎都已被嚇破了膽子，人人都變得癡癡呆呆，保持清醒的，大約只有咱們四個人了。」
方秀梅道：「哪四個？」
王修道：「江少俠、藍姑娘，還有你方姑娘和區區在下了。」
只聽多星子道：「還有貧道。」
王修微微一笑，道：「不錯，還有老前輩，但望老前輩能夠振作起來，只怕咱們還得有一場惡鬥廝殺。」
多星子苦笑一下，道：「老夫的看法，他們都已無再戰之能。」
王修道：「老前輩，在下覺著咱們應該想一想辦法，使他們恢復搏戰之能。」
多星子道：「老夫想不出辦法了。」
王修道：「辦法倒有一個，只是有些邪門歪道，不知老前輩意下如何？」
多星子道：「說出來聽聽。」
王修道：「有一種金針刺穴之法，可以激發出人的生命潛力，使人振奮起來。」
多星子道：「如果他們武功不能增強，縱然能振奮起來，也難和人抗拒。」
王修道：「十二金釵，能夠成爲超人，就是激發出生命中的潛力，只不過，十二金釵是經過長時間訓練而成，金針刺穴之法，只是臨時激發出他們的潛力，而且就在下所知，這等金針刺穴之法，對一個人的體能損失很大。」

多星子問道：「如是不和人動手，是否也會消耗體能？」

王修道：「會，這像是一把火，只要點起來，就要燃燒。」

多星子道：「損害很大麼？」

王修道：「很大，照晚輩的演算法，一個人的體能只能燃燒十二個時辰，十二個時辰之後，就要變得精疲力竭。」

多星子啊了一聲，道：「如若形勢必需，縱然有些冒險，那也是值得了。」

王修點點頭，道：「既然老前輩同意了，晚輩就可以酌情決定了。」

多星子道：「那金針刺穴之法，可是很快麼？」

王修道：「很快，晚輩已準備好金針，情勢必要時，再行動手。」

多星子輕輕歎息一聲，不再多言。

方秀梅一直在苦苦的思索，突然開口說道：「王兄，縱然有對付十二金釵的辦法，只怕是也來不及了。」。

王修道：「如若真有對付十二金釵的辦法，那辦法就在這巫山下院之中。」

方秀梅道：「就在這巫山下院中？」

王修道：「不錯，我想到了一點線索，但還得和藍姑娘仔細地談談才成。」

方秀梅道：「難道藍姑娘知道？」

王修道：「她可能不知道，不過，我知道藍姑娘取得了一樣東西，在下相信，那東西一定和十二金釵有關了。」

方秀梅道：「原來如此……」

她想忍耐下好奇之心，但忍了又忍，仍是忍耐不住，低聲接道：「那是一種什麼樣的東西？」

王修道：「說起來，這還是從十二金釵手上瞧出的線索。」

方秀梅苦笑一下，道：「王兄，咱們的才智，可差了一段很大的距離，小妹是越聽越糊塗了。」

王修問道：「姑娘可瞧到過，那十二金釵手上的玉環麼？」

方秀梅道：「不錯，十二金釵每人手指上都套著一個翠玉指環。」

王修道：「那指環使在下想到，另外一枚玉環……」

方秀梅道：「兩枚玉環，可有相似之處？」

王修道：「形像雖有不同，但它們都是玉環。」

方秀梅道：「也許王兄確有過人之處，瞧到了一枚玉環，就聯想到了破去十二金釵之法。」

這幾句話，雖是讚揚之詞，卻帶有諷刺的味道。

王修輕輕歎息一聲，道：「方姑娘，目下的情勢，咱們非得緊密合作才成。」

方秀梅笑一笑，道：「是啊，所以你應該多告訴我一些隱密。」

王修道：「想必姑娘心中，仍然懷疑著翠玉指環的事，因爲那玉環，收藏太大的秘密了。」

方秀梅道：「收藏在什麼地方？」

王修道：「和丹書總綱，及丹書最後一章，並同收藏在指塵上人的腹中，那指塵上人收藏了金頂丹書中最精華的東西，決不會收一個全然無用的翠玉指環，在下推想那是一件十分寶貴之物，但卻一直未想出來，它有些什麼作用？適才瞧到了十二金釵和人動手，冷厲刀芒中，常閃起一片翠光，那可能就是那玉環之上發出，在下確也是在那玉環上啓發出靈感，想到，那枚爲指塵上人和藍夫人保存的玉環，或許和十二金釵有關，這件事，在下已然思索了很久，覺著那枚玉環，定然有著很大的用處，而且用處和十二金釵有關。」

方秀梅道：「那翠玉指環現在何處？」

王修道：「現在藍家鳳身上。」

方秀梅道：「王兄可否先把玉環找出來，咱們或可能在那玉環上，找出一些蛛絲馬跡。」

王修道：「江少俠就要醒來了，等他醒來後，咱們再找那玉環瞧瞧。」

方秀梅轉頭望去，只見江曉峰臉上逐漸正常，頭上的白霧，也逐漸地淡了下來。

兩人等了片刻，江曉峰緩緩睁開雙目。

方秀梅迫不及待地站起身子，道：「王兄，可以去了。」

王修站起身子，行到廳外，四下瞧了一陣，道：「現在去有些冒險。」

方秀梅道：「什麼冒險？」

王修道：「韋剛現在此地，他隨時可以回到大廳中來，此人最爲多疑，說不定早已在暗中監視著咱們……」

一面說話，一面不停地在大廳中來回走動，焦急之情，泛現於神色之間。

方秀梅瞧得大爲奇怪，低聲道：「王兄有事情？」

王修道：「是啊！他應該來了。」

方秀梅道：「什麼人？」

王修道：「鳥王呼延嘯。」

江曉峰道：「我義父麼？」

王修道：「正是，天亮時分，他就應該趕回來了，我原已和他約定午時聯絡，如今已經過了午時很久……」

話未說完，突聞一陣羽翼劃空之聲，一隻紅嘴黑毛八哥，突窗而入，繞廳飛了一周，落在一棵樹上，道：「王修，王修！」

王修一揮手道：「在下就是，八哥兄有何見教。」

紅嘴八哥道：「你們可以去了，廳後五十丈處，有兩隻大鳥等你們。」

也不再等王修答話，展動雙翼，穿窗而出。

王修爲難地瞧了方秀梅一眼，道：「方姑娘，我要和江少俠離開這裏一陣，要姑娘單獨留此應付一陣。」

方秀梅沉吟了一陣，道：「兩位去吧。」

王修道：「一個時辰之內，在下就可以回來了。」

方秀梅道：「多留一會兒，也不要緊，小妹能夠應付得來。」

王修道：「你準備如何應付？」

方秀梅道：「如若情勢必要，小妹準備挾藍家鳳以自保。」

王修點點頭，道：「好辦法，我們去了。」

方秀梅道：「小妹可否先找出那玉環瞧瞧？」

王修道：「等我回來，就可以決定全盤計畫，姑娘再請忍耐一陣。」

方秀梅道：「兩位請便吧！」

王修當先舉步，緩行出廳。

江曉峰低聲說道：「姊姊保重。」

方秀梅道：「不用擔心我，你身負重任，要好好的聽從王修的話。」

江曉峰道：「小弟全力以付。」推開後窗，飛躍而出。

片刻之後，王修也繞了過來，道：「快些走！」飛出圍牆，疾奔而去。行約五十丈，果然見兩頭巨鳥，並排而立，左首一頭巨鳥背上，站著那紅嘴八哥。

王修一揮手，道：「江少俠，快些跨上鳥背。」

江曉峰縱身而起，落上鳥背，道：「咱們去後，藍姑娘和我方姊姊……」

王修也縱身落上了鳥背，一面說道：「目下已無萬全之策，不管咱們如何作法，都是冒險。目下咱們最要緊的事，是設法爭取時間。」

兩人談話之間，巨鳥已破空而起，直上雲霄。

江曉峰和王修雖然武功高強，膽識過人，但在那雲氣濛濛的高空中，也不禁心中畏懼，伸手抱住鳥頸，但覺天風過耳，身上微生寒意。

緊張刺激的飛行之中，不知道過去了多少時間。

但聽飛行的雙鳥，突然一聲長鳴，雙翼忽然一斂，直向下落。

距地百丈，雙翼又展，輕飄飄地落在了實地之上。

抬頭一看，茂林修竹，一座茅舍中，緩步行出來鳥王呼延嘯。

江曉峰急步奔上前去，道：「義父。」屈膝跪了下去。

呼延嘯道：「孩子，快些起來，我還有事要和王修談談。」

王修一揮手道：「東西是否已經準備？」

呼延嘯道：「一切準備妥當，丹爐中火已升起。」

王修道：「好！咱們立刻動手。」

江曉峰道：「什麼事？」

王修道：「此刻寸陰如金，在下無暇仔細對你解說，但望江少俠相信王某，在下自信失敗的機會不大。」

一面說話，一面舉步向茅舍中行去。

江曉峰、呼延嘯緊隨而入。

只見茅舍中一座丹爐，爐中火頭碧綠，上面架著一個砂鍋，上覆鍋蓋，不知鍋中放置何物。

丹爐旁側，放著一張木榻，上鋪墊被，最妙的是，墊被上放置著一捆繩索和一盆銀針。

江曉峰暗中數計，那銀針足足有一十二根之多。

王修輕輕咳了一聲，取過銀針、繩索，道：「江少俠，躺上去。」

江曉峰怔了一怔，卻未多問，依言躺了上去。

王修取過繩索，竟把江曉峰牢牢地捆在木榻之上。

江曉峰幾度話到口邊，但卻又忍了下去，沒有問出。

呼延嘯輕輕咳了一聲，道：「沒有危險麼？」

王修道：「誘捕那千年火鯉，在下實無多大把握，但呼延兄卻能完成大任……」

呼延嘯道：「主要是王兄的設計高明，終能取得火鯉內丹。」

王修道：「那麼呼延兄，應該相信兄弟了。」

呼延嘯道：「如是兄弟不相信，就不會同意你這等涉險之法，王兄知道，兄弟生死看得很淡，但對江曉峰……」

王修接道：「呼延兄，如是兄弟這番用藥失敗，兄弟願為江少俠償命。」

呼延嘯道：「王兄不要誤會，兄弟並非此意。」

王修道：「我知道，但兄弟如這次失敗，咱們自然不用回去了，眼看武林同道，全數毀滅，先死何懼，呼延兄不下手，兄弟也要自絕。」

呼延嘯道：「在下相信王兄。」

王修右手一揮，一枚銀針，刺進了江曉峰的穴道之中。

這一針，刺入了百匯要穴，江曉峰感覺到頭一暈，全身的勁力頓失。這時，江曉峰縱然想運氣反抗，亦是有所不能了。

王修又取了兩枚銀針，道：「江少俠，天欲降大任於斯人，必先勞其筋骨，苦其體膚，在下仗一顆火鯉內丹，和銀針疏火之法，助你在十二個時辰內，登入大乘之境……」

江曉峰雖然已無力掙動，但他的神智仍很清醒，緩緩接道：「可能麼？」

王修右手連揮，又在江曉峰身上，插入了兩枚銀針，道：「世間任何人，都無法在短短數日之內，把一個人增長出數十年的功力，區區自然亦是無此能耐……」

「但咱們有一個萬年難遇的機緣，呼延兄竟發現了這條千年火鯉，火鯉難求，千年以上之物，更是見所未見，再晚幾年，牠可成形飛升，脫離水籍，成為精靈之物，但卻不早不晚的被你們發現……」

「牠腹中火丹，乃是陽中之陽、火中之火，只要你在服下內丹之後，能把它納入丹田，隨同內力發出，即可具有無與倫比的陽剛之勁，應該正是十二金釵修練之功的剋星……」

又刺入兩枚銀針，接道：「不過，這內丹陽火太旺，服下之後，體質內臟，都難適應，所以，我配製了一帖至陰丹，同時服用，這銀針過穴之法，也在清你內火。外術內藥，一齊服用，只要你能度過十二個時辰，就不致再有危險。你已可馭劍傷人，可證任、督二脈已通，只要再稍經習練，就不難運用自如。」

江曉峰苦笑一下，道：「老前輩覺著在下能夠勝任，那就行。」

王修右手連揮，十二銀針盡刺入江曉峰的穴道，又道：「良藥苦口，江少俠忍耐一下。」

回顧了呼延嘯一眼，接道：「呼延兄，內丹上爐多少時候了？」

呼延嘯道：「已近十二個時辰。」

王修道：「可以服用了。」行近丹爐，打開鍋蓋。

頓然間，一股奇腥之氣，沖入鼻內，中人欲嘔。

王修凝目向鍋中瞧了片刻，熄去爐火，道：「火候已到。」

十二枚銀針，使得一身武功的江曉峰，全無了抗拒之力。

王修把爐火煉煮的火鯉內丹投入了江曉峰口中，而且把一碗煮丹腥水，也一起灌了下去。

那奇腥之味，當真是有著難以入口的感覺，可惜的是，江曉峰已無抗拒之能，硬生生地被王修把一碗腥水灌下。

片刻之後，江曉峰感覺腹內中泛起了一股熱流，而且愈來愈強，很快地擴散全身。

那是人間至大的痛苦，內腹五臟，有如被滾水燙泡，四肢百骸，似受火炙，其痛苦之感，當真有著生不如死的味道。

呼延嘯目睹江曉峰痛苦之狀，心中大是憐惜，沉聲道：「孩子，再忍耐一下。」

伸手摸去，觸到銀針，頓感熱流滾滾，順針上傳出，竟然有燙手之感。

心中大驚，急道：「王兄，身上銀針，亦有燙手的感覺，內腑的熱量，可想而知，得快想個法子才成。」

王修道：「給他服用藥物。」

呼延嘯打開一個錦盒，裏面放著十二顆白色丹丸。

江曉峰連服三粒，內腑的熱苦稍減，卻沉沉地睡了過去。

兩個時辰後，熱力重生，硬把江曉峰又燒得醒了過來，王修又給他服下丹丸，壓下熱流。

如此者數次，十二顆丹藥服完，已撐過了十二個時辰，火丹溶去，痛苦大減。

王修長長吁了一口大氣，拔下銀針，解去繩索，道：「江少俠，在下幸未辱命，只是害你吃了不少苦頭。」

江曉峰道：「但願在下這番苦，沒有白吃……」

緩緩下了木榻，接道：「此刻應該如何？」

王修道：「練氣，把火丹精氣，收入丹田，運行經脈，以達收發隨心之境。」

江曉峰依言盤膝而坐，運行吐納之術，他內功深厚，又通了任、督二脈，運行之間，事半功倍，不過兩個時辰，已把火丹精氣，行轉丹田。

王修拔出長劍，道：「江少俠，試試這柄劍。」

江曉峰接過長劍，道：「如何一個試法？」

王修道：「你握著劍柄，試試把內力輸送到劍尖之上。」

江曉峰依言施爲，不過片刻工夫，劍身突然軟軟垂下，有如麵條。

王修喜道：「成了，比我料想中的還快了兩、三個時辰……」目光轉到呼延嘯的臉上，接道：「呼延兄，我們借兩隻巨鳥，先回巫山下院，呼延兄在一個時辰之內，再帶著鳥群，由此地動身。」

呼延嘯道：「爲何不走在一起？」

王修道：「在下趕回去，恐怕還得一番佈置，呼延兄一個時辰之後再去，正好趕上和人動手。」

呼延嘯道：「好吧！就依王兄之意。」

王修道：「這是最後一戰，不知要有多少傷亡，呼延兄去時，多召些凶禽帶，也好助我們一臂之力。」

呼延嘯道：「這個兄弟明白。」

王修舉步向外行去，一面說道：「咱們要快趕回去，早回去一刻時光，藍姑娘和方姑娘，就可以減少一刻的危險。」

江曉峰正望著手中軟了的精鋼長劍出神，聽得王修呼叫之言，丟棄手中軟劍，奔出屋外。

王修拉著江曉峰跨上鳥背，催促巨鳥飛起，又轉回巫山下院。

但此刻巫山下院的形勢，已有了很大的變化。

王修和江曉峰在巫山下院百丈之外，要飛鳥停下，兩人落在實地。

王修已警覺到有些不對，低聲對江曉峰道：「江少俠，情形只怕有了意外的變化，咱們要小心一些。」

其實，江曉峰也覺出了情勢有些不對，因爲，巫山下院外面太靜了，靜得給人一種死沉沉的感覺。

王修一面舉步而行，一面低聲說道：「江少俠，十二金釵手中的化血刀，不但鋒利無比，而且中人之後，只要見血，那人就再無生存之望，庭院中一番搏鬥，必有人僞裝中刀死亡，希冀逃得一命，但他們不知那化血刀的厲害……」

搖搖頭，歎息一聲，接道：「可惜那吳半風也死在化血刀下，他本來有事情要告訴我，目下他已死去，只好憑咱們猜想了；不過，這些事，都已無關緊要，整個天道教如若毀在了十二金釵手中，不論吳半風要告訴我什麼隱密，都已經成爲過去，用不著再去想它了。」

回顧了江曉峰一眼，又道：「如是萬一要和十二金釵動手，你要小心一些，不可讓她們占去先機。」

江曉峰道：「老前輩之意，可是說要晚輩先行下手麼？」

王修道：「是的，但一切聽我的吩咐行事，能忍就忍，不打最好，一旦動手，你要以迅快之勢，先行衝出逃走……」

江曉峰道：「老前輩呢？」

王修道：「不用管我和藍姑娘，需知你發出的掌力，如若能夠擋住十二金釵，那就證明了火鯉內丹，正是十二金釵的剋星，但你此刻還沒有勝她們的把握，你如逃離虎口，必將令韋剛大感震驚，在下和藍姑娘還可保全性命，如是你也被擒，咱們就只有聽從韋剛的擺佈了。」

兩人談話之間，已到了大門口處，江曉峰還準備說話，卻被王修搖手攔住，抬頭看去，只見院中的屍體，都已不見。

王修和江曉峰舉步行入大門，耳際間已響起了一聲冷笑，道：「兩位才回來麼？」

王修和江曉峰同時轉頭看去，只見韋剛背手而立，臉上是一片冷漠。

王修淡淡一笑，道：「韋兄，咱們去會一個朋友，來不及奉告閣下。」

韋剛冷冷說道：「兩位去會鳥王呼延嘯，是麼？」

王修道：「不錯！」

韋剛道：「那呼延嘯來了麼？」

王修道：「要來，不過，要等一會兒才來。」

韋剛望望天色，道：「兩位回來得很好，如是再晚回來一陣，兩位即將看到一幅十分淒慘的景象。」

王修心中明白，口中卻故意問道：「什麼事？」

韋剛道：「兩位先進前廳中瞧瞧再說。」

目光突然停在江曉峰的臉上，凝注不眨。

江曉峰冷笑一聲，道：「閣下瞧什麼？」

原來，江曉峰服用火鯉內丹之後，臉上已泛起了一片特異神采。

韋剛皺皺眉頭，卻未答話，轉身向廳中行去。

王修施用傳音之術，道：「江少俠，小不忍則亂大謀，對韋剛咱們要多多忍耐。」

不待江曉峰答話，放開腳步，緊追在韋剛身後，行入大廳，目光到處，不禁一呆。

只見多星子、方秀梅等一干豪雄，整整齊齊地坐在大廳之上，四個綠衣執刀的金釵，分站四周。

江曉峰目光流轉，四顧了一眼，卻未見藍家鳳何在，他想問，但又怕多言招禍，只好強自忍了下去。

王修心中雖然十分震動，但表面上卻極力保持著鎮靜，淡淡一笑，道：「這些人，都已被韋兄點了穴道，是麼？」

韋剛道：「不錯，但他們都還能說話，王先生想知曉詳情，只管和他們談談。」

王修還未及開口，方秀梅已搶先說道：「韋兄懷疑你們忽然離去，有什麼詭計，故而遷怒到我等身上。」

王修點點頭，道：「這也難怪，王某在江湖上，一向名譽不好，難怪韋兄有點多心。」

韋剛道：「談你們的事，不用扯到我身上。」

方秀梅道：「小妹說的都是實話，韋兄不信，那也是沒有法子的事了。」

王修不理會方秀梅，卻轉身望著韋剛，說道：「韋兄若對兄弟有些什麼懷疑，希望能給兄弟一個解釋的機會。」

韋剛冷笑一聲，道：「呼延嘯請你們去，定然要有一番作爲了。」

王修道：「說了韋兄也許不信，呼延嘯在深山大澤之中，羅致了很多猛禽，在他的役鳥術的訓練之下，竟然都能聽命行事，對敵之時，一聲號令，萬鳥群集，波波層層，攻向敵人。」

韋剛冷笑一聲，道：「只有這些麼？」

王修道：「他曾演給兄弟瞧看，果然是聲勢驚人，縱然是身負極高武功的人，也不易抗拒。」

韋剛道：「他準備役用群鳥，對付兄弟麼？」

王修道：「那倒不是……」

韋剛道：「那他的用心何在？」

王修道：「準備對付藍天義。」

韋剛道：「天道教中，人數眾多，但憑鳥群，難道能消滅天道教麼？呼延嘯蠢如牛馬，不去說他了，你王修應該知道，此事萬難成功。」

王修道：「這就是他請兄弟去的原因了。」

韋剛道：「你是一代才人，定然有高明主意。」

王修道：「辦法倒有，只不過，在下未說出來。」

韋剛過：「為什麼？」

王修道：「在下告訴他，對付藍天義的事，已經用不著他費心了。」

韋剛哈哈一笑，道：「當然用不著他費心，十絕陣在十二金釵一夜衝擊之下，已破毀大半……」

王修接道：「那藍天義呢？」

韋剛道：「藍天義率領部份殘餘人手，退入了一座山洞之內，憑險固守。」

王修道：「藍天義如若不死，天道教就可能死灰復燃。」

韋剛道：「這一點你可以放心，我已經查過那個山洞，是一個後無退路的死地，我已留下了八名金釵，守在洞口，任何人只要離開一步，立時搏殺。」

王修道：「可是那山洞之中，有什麼厲害埋伏，連十二金釵也無能衝進去？」

韋剛冷笑一聲，道：「我相信，以你王修的才華，目下至少知道了一件事情。」

王修道：「十二金釵武功，天下再無敵手。」

韋剛道：「你既然明白了，那就不應該對此再存有懷疑。」

王修道：「在下不是對十二金釵的武功有懷疑，而是……」說話一半，故意停下。

韋剛道：「是什麼？」

王修道：「藍天義精通用毒，如若他在山洞中布下毒物，只怕十二金釵就很難抗拒了。」

韋剛冷笑一聲，道：「這麼看來，你王修對十二金釵還了解得不夠。」

王修道：「怎麼說？」

韋剛道：「十二金釵已到了百毒不侵之境。」

王修道：「即是十二金釵無所畏懼，韋兄何以不肯乘勝追擊，一擊間，攻向山洞，生擒藍天義，或是把他搏殺山洞中，以絕後患？」

韋剛道：「藍天義的羽翼，已剪除大半，餘下人手不足爲患，我要把藍天義困於山洞，讓他自願投降。」

王修道：「這麼說來，韋兄是別有用心了？」

韋剛微微一笑，道：「每人都有打算，王兄也許早已猜中在下的心意。」

王修道：「韋兄才略如海，只怕區區很難猜到。」

韋剛臉色一整，道：「這些無關緊要的事，不說也罷，在下要和王兄談兩樁正經事情。」

王修道：「在下洗耳恭聽。」

韋剛道：「千百年來，武林中紛爭不息，全是因為有些人學會了武功，如今藍天義已然殺去了大部份武林人物，放眼天下，武林人物已然所剩無幾……」

目光環顧了大廳一眼，接道：「殺去大廳中之人，各大門派縱不完全斷絕，但也差不多了，這點王兄意下如何？」

王修道：「水雖能覆舟，但亦可載舟，不能因水可覆舟，就不要水，這道理淺顯，高明如韋兄，必知其理。」

韋剛笑一笑道：「王兄果然有服人之能，此事兄弟可以兼作思慮，不過……」

王修道：「不過什麼？」

韋剛道：「江曉峰……」

王修接道：「江曉峰怎麼樣？」

韋剛道：「兄弟容他不得。」口中說話，兩道日光，卻盯在江曉峰的身上。

王修緩緩說道：「韋兄準備如何對付江曉峰呢？」

韋剛道：「本來兄弟可命十二金釵，一舉把他搏殺，但兄弟知曉他和王兄相交甚深，因此可以網開一面，只要廢了他的武功，便放他離去。」

江曉峰劍眉聳動，俊目放光，但卻強自忍了下去，未加接口。

王修淡淡一笑，道：「韋兄，你和江曉峰似是有著不共戴天之仇？」
韋剛道：「那倒不是，只是在下覺得留著此人，對兄弟有害無益。」
王修突然向前了兩步，和韋剛耳語一陣。
王修一抱拳，道：「韋兄請去休息，此地的事，兄弟自會遵照韋兄心意辦理，韋兄只管放心。」
韋剛微微一笑，轉身而去。
韋剛去後，廳中的綠衣金釵，也隨著退出。
兩釵隨韋剛而去，兩釵留在廳外，顯然，對群豪仍是不大放心。
方秀梅笑一笑道：「王兄果然高明，一陣耳語，竟然把韋剛說得服服貼貼的退了出去。」
王修神情嚴肅地說道：「方姑娘，事情已經很明白了，咱們處境危急。」
方秀梅道：「請先解開我們的穴道，再商量辦法不遲。」
王修搖搖頭道：「守在廳外的金釵，對咱們監視甚嚴，如是貿然動手，解開你們的穴道，只怕她們會突然出手。」
方秀梅道：「你沒有告訴韋剛先行解開我們的穴道麼？」
王修道：「不便開口。」
方秀梅道：「廳中所有的人，穴道被點，只有你和江兄弟……」
王修搖頭說道：「低聲些說話，咱們研商對策，不用解開你們被點的穴道也是一樣，這樣可減少韋剛的疑心。」
方秀梅沉吟了一陣，道：「好吧，現在咱們應該如何？」

王修道：「韋剛檢查過藍姑娘的身體麼？」

方秀梅道：「沒有，此人雖然冷酷、惡毒，但對藍姑娘倒有一片惜愛之心。」

王修長長吁一口氣，道：「那就好了，我最擔心的就是這件事了。」

方秀梅道：「你怕什麼？」

王修道：「百密一疏，我走得太急促，忘記拔去藍姑娘穴位金針。」

方秀梅道：「那很重要麼？」

王修道：「重要極了，如是那穴位金針被他瞧到，就可能破壞了咱們的全盤計畫，咱們就沒有反擊的機會了。」

回顧了江曉峰一眼，道：「江少俠，請守在這裏，在下去看看藍姑娘。」

江曉峰雖然急欲一見藍家鳳，但聽得王修如此說，只好點頭說道：「老前輩請便。」

王修站起身，匆匆而去。

江曉峰突然出手，拍出兩掌，解了方秀梅的穴道。

方秀梅吃了一驚，道：「兄弟你……」

江曉峰亦生警覺，回頭望去，只見一個綠衣金釵，左手捧刀，右手握著刀柄，緩緩向前行來。

她雙目中滿是殺氣，緩步向江曉峰逼了過來。

方秀梅知曉那十二金釵厲害，急急向前一步，擋在江曉峰的身前，拱手說道：「姑娘。」

綠衣金釵面容嚴肅，只望望方秀梅，微一停步，又向江曉峰行去。

方秀梅橫行一步，又攔住了那綠衣金釵，道：「姑娘，聽我一言。」

綠衣金釵停了下來，兩道利劍一般的目光，盯在方秀梅的臉上，瞧了一陣，道：「什麼？」

方秀梅聽她竟會說話，而且吐字又十分清晰，不禁心中一動，忖道：「如若十二金釵，各具有自主之能，亦有分辨是非的能力，那就有說服她們的希望了。」

心中念轉，口中卻道：「小妹方秀梅，請教姊姊怎麼稱呼？」

那綠衣金釵冷冷一笑，搖搖頭，道：「你走開。」

這時，方秀梅距離那個金釵甚近，目光到處，只見那個金釵的玉頸之上，隱隱間有一道淡紅色的「七」字。

方秀梅腦際間靈光一閃，陡然了解了心中一大疑問，原來，這十二金釵，形貌、衣著、連同用的兵刃，都是一樣，縱然有些小異，也很難辨識出來，韋剛如何能一眼瞧出她們是誰，定有內情，這辨認之法卻給方秀梅在無意中發現，敢情這十二金釵玉頸之間，都有編號，所以，韋剛能在一眼之間，認出她們的身分。

這不過是念頭一轉的時刻，那七號金釵，已繞過方秀梅，向江曉峰逼了過去。

江曉峰在那七號金釵行入廳中之時，已然暗中運氣戒備，如若情勢發展至無法選擇時，就要發掌一擊。

他服用火鯉內丹之後，內功大進，這一運氣，臉上立時泛起紅光，一層若煙若霧之氣，籠罩在頂門之上。

方秀梅急急轉身，希望再攔住那七號金釵，準備先擋一擊，以給予江曉峰逃走的機會。

只聽王修的聲音，傳了過來，道：「方姑娘，快退開去。」

方秀梅怔了一怔，雖未退開，但卻停下了腳步。
王修急步行了過來，低聲說道：「咱們雖無能幫助他，但也不能分散了他的精神。」
方秀梅道：「江兄弟如何能擋得十二金釵一擊？」
王修道：「至少，他比咱們強多了。」
方秀梅看王修神態沉著，想他才慧高過自己甚多，決不會無的放矢，只好停下觀看。
那七號金釵逼近到江曉峰前三尺左右處，就未再前進，但亦未拔刀出手攻襲，雙方形成一個對峙之局。
突然間，江曉峰右手一揮，拍出一掌。
方秀梅全神貫注，發覺江曉峰拍出的一記掌勢中，隱隱有一團紅氣，心中大為訝然，低聲問道：「王兄，他練成了硃砂掌力？」
那七號金釵如受重創一般，一連退後了七步之遠，才停下身子，雙目中流現出驚恐之色，不敢再向前邁進。
王修卻微微一笑，道：「十二金釵，不畏刀劍，硃砂掌力，如是能使她們畏懼……」
緩步行近江曉峰，輕輕在他肩頭上拍了一掌，道：「恭喜江少俠。」
江曉峰道：「全是老前輩的栽培，但她並未出手，我搶了先機，先打了她一掌。」
王修道：「十二金釵剽悍無匹，身若金鋼，不畏刀劍，更不知畏懼為何，但你這一掌，卻打得她流現出畏懼之情，足可證明咱們已找到克制十二金釵之法，江少俠還得時刻求取進境，以增掌力威勢。」
江曉峰道：「晚輩當全力以赴。」

回頭望去，只見那七號金釵，緩緩退出大廳，顯然，她已生出畏懼之心，不敢再行出手。

王修仔細觀察一陣，道：「換心香雖然把十二金釵練成了鋼鐵之軀，但還無法使她人性全消，失去畏懼，這就好對付了。」

方秀梅笑道：「兄弟呀，你這是什麼武功？」

江曉峰道：「這不算是武功，只是我服用了一顆內丹……」

王修接道：「那內丹又是專門克制陰柔之勁的至陽之物。」

語音一頓，接道：「藍姑娘也許清醒了過來，目下再試試這枚玉環，如若我的推想不錯，咱們立刻就可以反擊了，目下正是大好機會。」

方秀梅道：「什麼機會？」

王修道：「十二金釵，有八個留在那個山洞前，巫山下院中，只留四個和韋剛本人，韋剛那點武功不足為懼，多星子老前輩一個人就可對付，何況，他斷腕不久，武功又大打折扣。」

方秀梅道：「那枚玉環何在？」

王修緩緩從懷中取出一枚玉環，道：「玉環在此，問題是如何施用，才能發揮效用？」

方秀梅道：「藍姑娘也不知曉方法麼？」

王修道：「藍姑娘如若知曉，早就用來對付十二金釵，也不會等到現在了。」

方秀梅道：「如是不知施用之法，有此玉環，亦是無用。」

王修雙目盯注七號金釵左手上一枚翠玉指環瞧著，口中自言自語地說道：「十二金釵，每人的右手無名指上，都戴有一枚玉環，作用何在呢？」

方秀梅道：「難道玉環和玉環之間，還有什麼關連不成？」

王修道：「這就是最大的一個隱密，如若咱們能夠找出內情，就可以控制十二金釵……」略一沉吟，接道：「姑娘仔細瞧瞧。」

方秀梅道：「瞧甚麼？」

王修道：「十二金釵手上的玉環，翠色如碧，光芒奪目，實為上佳翠玉，如是它全無作用，藍夫人不會替她們每人戴上一個玉環……」把手中玉環托在掌心，接道：「這枚玉環，翠色尤佳，如是由同一塊翠玉做成，這一枚玉環，必為翠玉之心。」

方秀梅道：「但小妹想不出，就算同時出自一塊翠玉，彼此又有何關呢？」

王修道：「此環是為心，餘環是為體，心之用為體，其理甚明。」

方秀梅道：「玉環不過是一件飾物，縱有心體之分，與人何干？」

王修道：「這一個問題，除了藍夫人復生還魂，連韋剛也無法瞭解；但其中必有道理，在下只能就其事理，推想玉環為心體之分，卻無從把兩者之間相關為用的隱密推索出來；目下，咱們只有試試了，一法不行，再試一法。」

方秀梅道：「如何一個試法呢？」

王修搖搖頭道：「無一定之規。」手托玉環，向廳外行去。

方秀梅急急說道：「王兄留步。」人卻大步追了上去。

王修停下腳步，道：「甚麼事？」

方秀梅道：「王兄主持大局，怎能以身涉險，讓小妹去吧！」伸手從王修手中搶過玉環。

王修輕輕歎息一聲，道：「方姑娘，慢一些。」

方秀梅道：「甚麼事？」

王修道：「姑娘可知如何一個試法麼？」

方秀梅道：「不知道，但王兄如肯說出來，小妹定可做到。」

王修搖搖頭，道：「老實說，直至現在為止，我還沒有想到辦法。」

方秀梅道：「這個……」

王修取過玉環，接道：「還是在下去，我要看她們見到了這玉環，有些甚麼樣的神情，才能決定如何一個試法。」

江曉峰大步行了過來，道：「晚輩同去，如有變故，由晚輩對付。」

王修笑道：「那很好，你的掌力，已可克制十二金釵，讓她們不敢輕舉妄動。」

方秀梅無可奈何，道：「兩位要小心一些。」

王修大步向前行去，江曉峰緊隨身後，一面暗中提氣戒備。

方秀梅緩步行到廳門旁邊，凝神而觀。

她心中有著無比的緊張，因為這一試之下的成敗關係太大了。

王修直逼近七號金釵身前兩尺左右處，緩緩伸出右手。

右手掌心中，托著那一枚翠色奪目的玉環。

江曉峰力蓄右掌，目注七號金釵，只要發覺她有出手徵象，即將以最快的速度發出掌力。

只聽王修沉聲說道：「姑娘，請瞧這枚玉環。」

七號金釵先望望王修，目光才轉到翠玉環上。目光一經和那玉環接觸，立時全神貫注。凝神瞧了一陣，那七號金釵，如同受到很大的震駭一般，突然間，向後退了兩步。

同時，口中也發出低聲的驚呼。

另外一個綠衣金釵，爲那驚呼之聲所引，也不禁轉頭望了那玉環一眼。那綠衣金釵，瞧了玉環一陣，也似是受了極震動，發出一聲低吟，疾向後退去。

江曉峰低聲說道：「老前輩猜對了。」

王修苦笑一下，道：「你是說她們很怕這玉環，是麼？」

江曉峰道：「是啊！她們很怕這玉環，那就證明了老前輩斷事如神。」

王修道：「這雖然證明了十二金釵和玉環有關，但對咱們並無很大助益。」

江曉峰道：「老前輩的用心何在呢？」

王修道：「照在下的推斷，這玉環該有控制十二金釵之能，如是咱們控制了十二金釵，韋剛就如猢猻沒有了棒子耍，再也玩不出花樣了。」

江曉峰道：「只要這玉環能使十二金釵心生畏懼，退避開去，晚輩自信能對付韋剛。」

王修收起了玉環，緩步退回廳中，道：「韋剛久淪魔道，亦是一位甚具心機的人物，他遣派八位金釵，把藍天義困入山洞之中，也就是用作和咱們談判的本錢，就算咱們找出了對付十二金釵之法，但卻未必能對付藍天義，此人如若逃脫，必爲後患。」

談話之間，只見藍家鳳緩步行了過來。

江曉峰回目望去，只見藍家鳳的臉色豔紅，倍增嬌媚。

藍家鳳深情的目光，也正投注向江曉峰。

四目相觸，微微一笑，有如相隔幾十年，相互一笑之下，勝似千言萬語。

王修緩緩把玉環還給了藍家鳳，道：「藍姑娘，在下已證明了一件事，就是這玉環能使十二金釵心生畏懼，不敢逼視。」

藍家鳳道：「唉！我娘早已安排了對付十二金釵之法，只是，我未曾想到罷了。」

王修喜道：「現在，姑娘想起來了？」

藍家鳳道：「想到一些，不過還得求證。」

王修道：「時猶未晚，姑娘如能找到這玉環控制十二金釵之法，咱們就勝算在握了。」

藍家鳳道：「晚輩再試試看。」

方秀梅攔住了藍家鳳，道：「王兄已經試過了，十二金釵看到這玉環之後，如受驚駭，姑娘用不著再冒險了。」須知十二金釵刀出如電，如是她們突然拔刀施襲，藍家鳳武功雖高，亦難有逃避的機會。

藍家鳳道：「多謝姊姊關心……」

舉起手中玉環，目注王修，接道：「老前輩精通篆字麼？」

王修道：「認得，但不知字在何處？」

藍家鳳道：「玉環之內。先母在世之時，曾經告訴過晚輩一句話，要晚輩學識篆字，當時，晚輩並未留心，未曾學習；得到了這枚玉環之後，曾見過玉環背面，雕刻甚多圖案，當時並未放在心上；適才聽得老前輩談起，這枚玉環可能和十二金釵有關，晚輩才陡然憶起，玉環背後的圖案，可能就是先母遺留下的篆字，可惜晚輩不識，老前輩瞧看一下，也許就是對付十二金釵妙策。」

王修接過玉環，果然玉環之內，刻著梅花篆字。

字體若花，不識之人，決不會把它認作是字。細看所書，寫的是：「韋剛陰沉，不可信任，金釵迷環，燭光映照，此環翠光奪目，自生妙用。」王修在心中讀了兩遍，沉吟不語。

藍家鳳道：「老前輩，那上面說些甚麼？」

王修道：「令堂遺言中，只說此環在燭火映照之下，可發奪目的翠光，自有妙用，但在下想不出到底妙用何在？」

方秀梅皺皺眉頭，道：「王兄，十二金釵是超越常人的怪物，不能以常情推測，咱們何不試試？」

王修道：「那藍夫人雖未說明適用夜間，但在下的推想之中，只有夜間的燭火，才能使這玉環發出的翠光愈盛……」

江曉峰接道：「就晚輩所見，十二金釵在夜晚之時，才精神大振。如是白晝之間，不但影響他們的擊動，而且形若殭屍，怎麼看，也不像活人。」

藍家鳳道：「夜愈深，她們也愈清醒，也許能恢復一些記憶。」

王修道：「兩位都言之有理，訓練十二金釵，是一種超越常人體能極限的行爲；女屬陰，她們也同時練的極陰之功，每至深夜，她們不但精神活躍，而且武功也似增強不少……」

只聽一個冷冷的聲音，傳了過來，道：「諸位可是在談論十二金釵麼？」

王修急急把手中玉環還給了藍家鳳，口中卻應道：「不錯，咱們正是在談論十二金釵。」

韋剛仰天打個哈哈，道：「王兄，你可是想找出對付十二金釵的辦法麼？」

王修淡淡一笑，道：「除非是沒有辦法，如是有辦法，在下相信定然能找出來。」

韋剛道：「只怕王兄沒有再找的機會了。」兩道目光，定注在藍家鳳手中的玉環之上，道：「藍姑娘，你好了麼？」

藍家鳳道：「多虧王老前輩妙手回春，才使我死中逃生。」

韋剛道：「看你的神情、臉色，一點也不像是中毒初癒之人。」

藍家鳳道：「你親眼看到了我身中毒針的情形，怎可有此疑心？」

韋剛道：「在下看起姑娘的臉色，紅若朝霞，很難使人相信你剛剛中毒醒來。」語音一頓，道：「你如想使我相信，倒有一法。」

藍家鳳道：「甚麼法子？」

韋剛道：「把你手中玉環給我。」

藍家鳳怔了一怔，道：「這是我娘的遺物，如何能給別人？」

韋剛冷笑一聲，道：「爲甚麼你又能把玉環交給王修？」

藍家鳳道：「他瞧瞧就還了我，自然可以了。」

韋剛道：「我瞧瞧，立刻還你。」緩步行了過來，一面伸出右手。

藍家鳳怒聲喝道：「站住！」

韋剛冷冷說道：「你敢不給我，是麼？」

藍家鳳道：「我不是不敢，而是不願給你，尤其你這等要法。」

韋剛口中低呼了一聲，右手一招，兩位綠衣金釵，應聲而入。

藍家鳳怒道：「你這人全無情義，你要幹甚麼？」

韋剛道：「我要玉環，你如是不肯交出，我就下令她們搶奪。」

藍家鳳冷笑道：「我是你甚麼人？」

韋剛道：「妻子啊！」

藍家鳳道：「你這樣作，不怕傷了我的心麼？」

韋剛哈哈一笑，道：「我愈來愈發覺王修和江曉峰活著，不可信任，待我殺了王修和江曉峰等，再向你陪罪。」一面揮動右手，兩個手執化血刀的綠衣金釵，直向藍家鳳逼了過來。

兩個綠衣金釵，分由兩側圍上，右手握住刀柄，雙目中殺氣逼人。

藍家鳳不自覺的向後退了一步，道：「你要殺江曉峰和王修，還是要殺我？」

韋剛冷漠一笑，道：「我確無殺你之心，但你如不肯交出玉環，十二金釵一旦出手，那就很難控制了。」

藍家鳳道：「那是說，你對我也是一樣的下得毒手了？」

韋剛道：「夫妻同心，你既然心懷異志，如何能怪得我施展毒手？」

這時，江曉峰突然上前兩步，和藍家鳳並肩而立，道：「鳳妹，這等全無人性之徒，不用和他多談了。」

兩個綠衣金釵，已然逼近到兩人身前三尺左右的所在。

藍家鳳左手托著玉環，右手嗆的一聲抽出長劍，橫在前胸。

十二金釵出手似電，刀快無比，如不早作防範，任何人都無能接下她們一刀。

江曉峰右手揚起，冷笑一聲，道：「韋剛，你可是覺著十二金釵當真是天下無敵了麼？」

韋剛淡然一笑，道：「你小子如想試試，在下倒願給你一個機會。」

江曉峰道：「那很好，在下也想讓你見識一下，十二金釵，並非是舉世無敵手的人。」

韋剛道：「你有這份豪氣，在下倒願讓你一償心願，讓你們攻出一招之後，她再行還擊。」口中呼喝兩句，右首一個綠衣金釵，突然把目光轉到江曉峰的身上。

江曉峰潛運真力，右手上泛起一片紅光，高聲說道：「韋剛，你可要留心了。」呼的一掌，拍了過去。一股暗勁直湧而出。

韋剛縱聲大笑，道：「你小子練成了硃砂掌……」話未說完，笑聲頓住，張著口，變成了一副哭笑不得的樣子。原來，那位綠衣金釵，中掌之後，竟然拿樁不穩，一連向後退了五步，臉色慘變，搖搖欲倒。

江曉峰神情肅然說道：「韋剛，你瞧清楚了沒有？如若在下的掌力上，再加三成勁道，可能把你視作天下無敵的綠衣金釵，活活斃於掌下。」

韋剛呆呆的望著江曉峰，良久之後，才緩緩問道：「你練的甚麼武功？」

江曉峰道：「專門對付十二金釵的武功。」

韋剛色厲內荏，道：「我早該殺了你。」

其實，江曉峰心中亦無把握，那些綠衣金釵中掌之後，是否還有再戰之能；如若她們還有再戰的能力，自己亦未必能擋得住她們凌厲的攻勢。

所以，也不敢太過激怒韋剛，迫他全力役施十二金釵一拚。目注韋剛，淡淡一笑，道：「現在也還不遲，不過那要看你有沒有殺死我江某人的本領了。」

王修突然接口道：「韋兄，再向左面瞧瞧。」

韋剛轉頭望去，只見左面一個綠衣金釵，雙目中射出異樣的神光，盯住藍家鳳手中的玉環瞧著，臉上泛現出畏懼之色。陡然間，韋剛銳氣全消，臉上一片慘白。

王修輕輕咳了一聲，道：「韋兄，藍夫人是何等的才慧人物，豈能不防患未然？目下，韋兄應該明白，十二金釵雖有超越常人的體能、武功，但她們已不可自持，藍姑娘手中的玉環，證明是收伏十二金釵的信物。」

韋剛突然一仰身，倒退了一丈多遠，到了大廳門口處，冷冷說道：「藍家鳳雖有玉環，但她還不知道施用之法。」

王修道：「不錯，目下還不知道施用這玉環之法，但我們至少已知道這玉環可以使十二金釵畏懼、臣服，有一天，我們會找出施用玉環的辦法，到了那時，韋兄……」

韋剛冷冷接道：「我不會等你找出收伏十二金釵的辦法了！你可知道，我為甚麼只把藍天義逼入那山洞之中，而不取他的性命？」

王修皺皺眉頭，道：「韋兄可是要利用藍天義一部份殘餘的力量對付我們？」

韋剛道：「王兄果然是才智過人，一語中的，在下不但保留了藍天義的性命，而且，也為他保存了一部分的實力……」

方秀梅道：「藍天義一敗塗地，全毀在你十二金釵手中，他心中對你記恨之深，尤過我等十倍。」

韋剛道：「姑娘錯了，在下雖然一舉擊潰了大道教，但他知曉在下是受了王修的利用；再說，他目前被困於山洞之中，生死操諸於在下之手，我如要和他合作，他自是求之不得。」

王修道：「這麼看來，韋兄是早有計劃了？」

韋剛道：「在下不能不防備諸位一著，想不到這一著竟然被我用上了。」突然發出幾聲呼喝，右首那綠衣金釵，一躍而起，閃電般躍出大廳，左首那綠衣金釵，卻目注藍家鳳手中玉環，緩緩而退。退出廳外，才轉身疾躍而去。一眨眼間，四個綠衣金釵和韋剛走得踪影不見。

江曉峰搖搖頭，歎息一聲，道：「那綠衣金釵，果有過人之能，在下那一掌，力道十分強大，那綠衣金釵，竟然在承受了一掌之後，武功全然不受影響。」

王修道：「至少證明了，你的掌力可以制服她們一時，在她們中掌的片刻之內，十分痛苦，一時無力反擊。」

江曉峰苦笑一下，道：「我不能招招搶制先機，在她們出刀之前，先發出掌力，再說，連續發出掌力之時，只怕這掌力也無法保持一定的勁道，那時就未必能夠傷得到十二金釵了。」

王修道：「你服用火鯉內丹不久，還未到運用自如、收發隨心之境，但瞧這兩日的進境而論，三日之內，定有大成。」

江曉峰：「但願如此。」

藍家鳳道：「只怕咱們沒有這麼多的時間了，如若那韋剛真的和藍天義勾結在一起，那倒是一樁大爲麻煩的事。」

方秀梅道：「王兄，咱們要想個法子阻止他們。」

王修回顧了方秀梅一眼，道：「方姑娘，先解開各人穴道，再研商對付韋剛的辦法。」

江曉峰道：「姊姊，小弟助你。」

兩人同時動手，四掌揮動，片刻間，解開了廳中數十被點穴道的人。

多星子伸展一下雙臂，道：「劫數、劫數，藍天義還未完全消滅，韋剛又改變了心意，以十二金釵的武功成就而言……」

但見廳中群豪的目光，全都投注過來，立時住口不言。

王修微微一笑，道：「老前輩說得不錯，此時此刻，才真的到生死關頭之境，目下咱們只有兩條路走，一條是利用這刻時間，星散逃亡，一條是把生死置之度外，全力一拚。」

多星子道：「依貧道之見，廳中之人，都無亡命江湖的打算，但他們也明白，若單憑仗自己的武功，卻無法和十二金釵對抗，那不過是白去送死而已。」
王修道：「不錯，所以在下覺著，應該想一個能夠和人抗拒的辦法。」
多星子道：「什麼辦法，貧道實是想不出來，此刻，咱們縱然有金頂丹書在手，也無法在一、兩日內使功力增進。」
王修沉吟了一陣，道：「辦法倒有一個，只不過，這辦法，不是正途，而且，對人有害無益，所以在下要先行把話說明，諸位是否願意，悉聽尊便。」
廳中群豪齊聲說道：「在下等洗耳恭聽。」
王修道：「諸位之中，如有精通醫道的人，必然知道，用金針過穴之法，可以增長藥物的效力和速能，同樣的，用金針扎穴之法，可以激發出一個人生命中的潛能，能使一個會武的人，武功陡然間增強很多倍，而且剽悍勇猛，不畏死亡……」
多星子接道：「天下真有這等醫術？」
王修道：「不錯，而且在下就會。」
多星子道：「那很好，貧道願以身試。」
王修道：「不用試了，在下已經有足夠的把握，不過，這中間的利弊得失，在下希望說個清楚，諸位再做決定……」
語聲微微一頓，接道：「一個人的潛能，大部是用來保身護命之用，如是一下子把它激發出來，一旦耗盡，很可能會力竭而死……」
多星子接道：「那是說施用此法之後，非死不可了。」
王修道：「不是，金針過穴，雖可激發潛能，但如不消耗，仍可歸還體內，但如和人動手相搏，那就如火燎原，除了借重外力之外，自己無法控制……」

多星子接道：「我明白了，那是說，一個人身受金針過穴之法後，一旦和人動手，就無法停下，必至死亡而後已。」

王修道：「是的，所以，要借重外力阻止，才能使他停下來。」

多星子道：「如果能和敵人放手一搏，縱然戰死，也還值得，但如彼此相差太過懸殊，全無還手之力，那反不如從容就義，任人宰割的好，也可為武林中留下一股凜然正氣。」

王修沉吟了一陣，道：「金針過穴之法，實際上效用如何，在下也無法說得清楚，不過，事不到危急時間，不可妄用，在下話已說明了，應當如何，諸位自作主張。」

鐵面神丐李五行突然豪氣大發，昂首說道：「伸頭是一刀，縮頭也是一刀，如其被殺，何不戰死，來！先給叫化子一針試試。」

王修道：「不是現在動手。」

李五行道：「那要何時動手？」

王修道：「臨陣相峙，出手之前。」

李五行啊了一聲，道：「好！到時間，兄弟希望第一個出手。」

王修一抱拳，歎道：「李兄豪氣干雲，兄弟佩服之至……」

目光轉顧，環掃了廳中群豪一眼，接道：「時機稍縱即逝，咱們不能再等下去，要立時動身，趕往藍天義被困的石洞之中，希望能藉鳳姑娘手中的玉環，加上江少俠的掌力，暫時制服十二金釵，以便搏殺藍天義。」

方秀梅道：「目下，咱們最大的強敵，應該是十二金釵，藍天義羽翼盡除，只餘他一個人，殺他也並非難事。」

王修道：「韋剛統率的十二金釵，武功雖然可怕，但韋剛的智略，卻是難及藍天義十之一、二，如被他逃出石洞，那無疑是龍歸大海，虎入深山，以他此刻一身成就而言，十五年內，又可掀起一場大劫。」

多星子長歎一聲，道：「丹書、魔令，真是害人不淺。」

方秀梅道：「王兄說得有理，咱們要幾時動身？」

王修道：「立時動身。」

方秀梅道：「王兄，可知那山洞所在麼？」

王修道：「此地形勢，我早已了然，我自信可以找到。」

提高了聲音，接道：「願意參與正邪最後一戰之人，請隨在下動身，如是不願參加此戰之人，可以離開此地，逃命去吧！南海捕魚，深山採樵，也許能落一個老死林泉。」也不等群豪答話，大步向外行去。

方秀梅、江曉峰、藍家鳳、多星子、李五行和十餘位巫山門中人，以及武當三子和門下六大弟子，當先舉步，緊隨王修身後。

廳中群豪，相互望了一眼，大部份追隨出廳。

五十　互結同心

這時，天色正值午時，麗日當空，光照大地。

王修率群豪，加快了腳步，直奔正西。行約十餘里，到了綿連深山之前。這是武當山一系支脈，山不高，但卻十分幽奇，懸崖突石，飛瀑流泉。

王修縱身躍上一株大樹，四顧了一陣，道：「在這裏了。」

飛落實地，快步奔行。

方秀梅急追身後，道：「王兄，急也不在片刻，咱們該先作一番佈置。」

王修道：「此刻最寶貴的就是時間，這時刻陽光普照，也是十二金釵體能最弱的時間，在下希望，在韋剛未趕到此地之前，先制服十二金釵。」

方秀梅道：「王兄之意，可是要一擁而上？」

王修道：「在下心中已想了一個對付綠衣金釵之法，但必須在韋剛趕到之前，才有效用。」

口中說話，腳下卻是越走越快，越溪渡澗，又行了四、五里，到了一座百丈寬窄的突岩之前。

那一片突立的山岩之前，是一片青草如茵的平地，方圓數百丈，不見一塊突石，如若動手相搏，足可容納下數百人捉對廝殺。

方秀梅緊追而至，道：「就在這地方麼？」

王修道：「對面那一片高聳的岩壁，有不少山洞，如在下推想的不錯，藍天義應該被困於此地。」

說話之間，瞥見山崖之下，綠色人影一閃。

江曉峰急急接道：「不錯，在這裏了，我瞧到一個綠衣金釵。」

其實，江曉峰話出口時，兩個綠衣金釵，已然由一個高大的突岩之後，緩步行了出來。

這時群豪都已到齊，雲集在王修的身後。江曉峰、藍家鳳站在王修的左側，多星子、方秀梅站在王修的右側。只見兩個綠衣金釵，緩步走了過來。

王修沉聲道：「諸位沉住氣，未得在下之命，任何人不得出手。」

放低了聲音，道：「江少俠，運氣戒備，藍姑娘，請取出玉環，托在掌心。」

兩人齊齊應了一聲，一個暗聚真氣，一個探手從懷中取出玉環，托在掌心。

兩個綠衣金釵，行距王修六、七尺處，停了下來，四道目光，盯住王修臉上瞧著。

這時日光明朗，照在那綠衣金釵的臉上。

只見兩人臉色白得像血一樣，不見一點血色。

兩人左手握著刀柄，右手握著刀鞘，清澈的雙目中，逐漸湧現出逼人的殺氣。

王修低聲道：「江少俠，搶先出手。」

江曉峰應了一聲，右手突然拍出兩掌。

兩股強厲的掌風，分別向兩個綠衣金釵撞去。兩個綠衣金釵，似乎是全無知覺，根本未把那拍來的掌力放在心上。但聞蓬蓬兩聲，兩人各中一掌。
強猛的掌力，使得兩個綠衣金釵，身不由主地向後退開了四、五步遠。
王修急急說道：「追上去，快些點她們的穴道。」
多星子應聲而出，飛身一躍，追上兩位綠衣金釵，右手連揮，點向兩位綠衣金釵的穴道。
兩個綠衣金釵退了數步之後，一直靜靜地站著不動，對多星子點中的兩指，也未理會。
王修望望兩個綠衣金釵，低聲說道：「老前輩，點中了她們的穴道麼？」
多星子道：「我點了她們每人兩處穴道，『因榮』和『府中』，一是屬太陰脾經，一是屬於太陰肺經，不論武功何等高強的人，只要這兩處穴道受制，決無法再和人動手……」
只聽藍家鳳高聲說道：「諸位小心了。」
多星子武功高強，已然警覺到有一股勁風向他直衝過來。
急快地拔劍一揮，劈了出去。
但對方來勢太快，快得有如閃電奔雷，多星子拔劍揮掌，仍是遲了一步。
但見寒光一閃，鮮血濺飛中，多星子一顆人頭，飛起了六、七尺高。
江曉峰大喝一聲，全力劈出一掌，掌風掠著王修的頭頂而過，一股炙人的熱流暗勁，使王修有著如臨大火邊緣的感覺。
蓬然一聲大震，劈死多星子的一個綠衣金釵，忽然跌摔在地上，大約這一掌力道太強，那綠衣金釵倒摔地上之後，就未再掙動。
方秀梅右手一探，一劍劈出，寒芒過處，那綠衣金釵身上的衣服，被劍勢劈裂了數處，露出了雪白的肌膚。

方秀梅看那綠衣金釵，除了衣服破裂之外，肌膚無傷，心中大為吃驚，長劍再揮，又在那綠衣金釵前胸上斬了兩劍，這兩劍方秀梅用力甚大，但仍然未能在那綠衣金釵的身上，留下什麼傷痕，這些變化，連在一起，也就不過是眨眼間的時光。

藍家鳳卻手執玉環，奔向了另一個綠衣金釵，陽光下，那玉環發出翠碧耀目的光輝。

那綠衣金釵本已移步拔刀，準備出手，但目光觸到那玉環之後，突然又停了下來，臉上泛現出驚駭之色。

不論是如何凶殘的搏殺，十二金釵，一直是一種漠然的神色，但見到那玉環之後，卻似是恢復了某一種靈性。

藍家鳳步步逼進，那綠衣金釵卻緩緩向後退避。

王修沉聲說道：「設法把這位金釵捆起來，如若有時間，在下相信可以找出她們，何以會有這等超越的成就的理由。」

方秀梅搖搖頭，道：「王兄，這些綠衣金釵刀劍難傷，繩索如何能夠捆得住她們呢？」

王修道：「試試看，多幾道繩索，看看能不能捆得住她。」

方秀梅舉手一招，四、五個大漢，急步行了過來，動用了十餘條腰帶、汗巾，把綠衣金釵捆了個結結實實。

動手之間，方秀梅目光到處，發覺那綠衣金釵頸上有著「十一」兩個紅色的字跡。

王修目睹十一號金釵雖被捆好，但仍未清醒，急急說道：「方姑娘，派兩個人守著她，同時把多星子老前輩的屍體埋起來，不能讓這一個武林名宿，曝屍於山野。」

方秀梅道：「這個小妹負責，你們快快去接應一下藍姑娘。」

原來，藍家鳳步步逼進，那綠衣金釵步步後退，兩人已然行近崖壁下突岩之前。

江曉峰揚一揚右掌，道：「看來，晚輩的掌力，確然是那十二金釵的剋星。」縱身一躍，直追向藍家鳳。

王修伸手摸出五枚金針，道：「制服了十二金釵，立時就要和藍天義展開一場火併，哪一位願先試金針過穴之法。」

李五行道：「咱們約好了，叫化子頭一份。」快步行了過來，道：「王兄，動手吧！」

王修重重咳了一聲，道：「李兄，記著，聽在下的吩咐行事。」

李五行哈哈一笑，道：「叫化子記下了。」

王修舉手一掌，拍在李五行的後背之上。就借那一掌之勢，已把一枚金針，刺入了李五行的穴道之中，陡然間，李五行收斂了臉上的笑容。

這時，王修身後群豪，全都把目光投注在李五行的臉上。因爲場中之人，都可能要身受金針過穴之苦，所以，對李五行和針後舉動，特別小心。

只見李五行臉上泛現出濃烈的紅暈，雙目中也陡然間射出逼人的神光，似乎是突然使他的武功，增強了數倍之多。

王修目光環顧了群豪一眼，道：「這一戰最重要的是，不能讓藍天義漏網逃走，哪一位還願身試金針。」

一個中年文士，緩步行了出來，道：「兄弟願試金針。」

王修轉目望了來人一眼，突然抱拳打揖，道：「公孫兄，幾時到了，兄弟怎的竟未發覺。」

來人正是生死判官摘星手，公孫成。

公孫成道：「兄弟到此很久了……」

王修接道：「何以在下竟未能發現？」

公孫成道：「兄弟用過了易容藥物。」

王修道：「原來如此，公孫兄才華謀略，兄弟慕名甚久……」

公孫成淡淡一笑，接道：「有王兄從中調度，天下再無可與比擬的人，兄弟願追隨李兄，受金針過穴之助，王兄，只管出手下針。」

王修略一沉吟，道：「兄弟是恭敬不如從命了。」

揮手把金針刺入了公孫成的穴道之中。

公孫成登時臉色一變，泛起了滿臉紅暈。

這時，方秀梅已然埋好了多星子屍體，行了過來，道：「第三個該輪到我了。」

王修怔了一怔，道：「方姑娘，你……」

方秀梅道：「我要試試金針過穴的力量，平常時，我無能接過藍天義三招，金針過穴之後，也許我可以和他打個十招、八招的，就算是死，也好流傳後世了。」

王修暗暗歎息一聲，道：「好吧！姑娘既然決定了，在下只好從命。」

取出金針，刺入方秀梅穴道之中。

這三人率先接受了金針刺穴之術後，餘下群豪，齊齊湧了上來，道：「在下等亦願一試金針過穴之術。」

王修目光轉動，回顧一眼，搖搖頭，道：「用不了這許多人，如是咱們不和十二金釵動手，有三位人手，已經足夠了，諸位稍微等待一、二，待情勢需要之時，再試金針不遲。」

環顧在王修四周的群豪，只好緩緩向後退去。

王修舉手一招，公孫成、方秀梅、李五行，齊齊跟在王修身後，向前行去，數十位群豪，又遠遠地追在三人身後。

這時，江曉峰、藍家鳳，已然行到那突岩之後不見。

王修帶三人行過突岩，只見七個綠衣金釵，並肩而立，正好攔在了石洞門口處。十四隻眼睛，盯注在藍家鳳掌心的玉環之上。

江曉峰一臉嚴肅神色，右掌微微揚起，蓄勢戒備，準備隨時出手。

洞中的情形，完全被七個金釵擋住，無法瞧到。

藍家鳳右手執著長劍，左手舉著玉環，和七位金釵，形成了一個對峙之局。

王修右手一揮，高聲說道：「諸位請圍守在這突岩之外。」

隨行群豪應了一聲，團團把突岩圍了起來。

王修帶著方秀梅、公孫成、李五行，直行到藍家鳳的身側。

藍家鳳神色一片嚴肅，低聲說道：「老前輩，這玉環有些不對。」

王修道：「哪裏不對了？」

藍家鳳道：「七個綠衣金釵，集中之後，就不再後退，這玉環，似乎是已經無法使綠衣金釵心生畏懼。」

王修抬頭望了七個綠衣金釵一眼，道：「怎會形成了這等局勢？」

藍家鳳道：「我行入突岩之後，六個金釵一齊圍了上來，她們初見玉環之時，還有一點畏懼，但逐漸地，她們似是消退了畏怯之色，除了還把月光投注在這玉環上之外，已然不再向後退避。」

江曉峰道：「晚輩想出手，但卻為鳳姑娘所阻。」

藍家鳳道：「晚輩感覺著此時此情，不宜動手，對方有七人之多，就算動手能傷一人，另外六人，一旦出手，也非我等能力所攔阻。」

王修道：「姑娘的判斷不錯，這等情景，不能輕易出手。」

江曉峰道：「晚輩覺著，這玉環似是已逐漸對綠衣金釵消失了嚇阻之力，如若現在咱們還不出手，等她們完全消失了畏懼之力，咱們決難逃過她們的快刀，如其讓她們屆時出手，咱們很難有還手之力，倒不如咱們先發制人。」

王修搖搖頭，道：「如若這玉環的作用，只是使綠衣金釵害怕，那就不足為奇了。」

藍家鳳道：「老前輩的意思是……」

王修道：「姑娘再仔細地瞧瞧那七位金釵。」

藍家鳳抬頭望了對面的綠衣金釵一眼，只見她們臉上泛起了一片片微微的笑容。

這情形十分怪異，使得藍家鳳為之一呆。

江曉峰點頭道：「不錯，她們的臉上似是流現出笑容……」

王修急急說道：「沉著一些，不要大聲喝叫，也用不著有快速的行動，驚嚇到她們。」

藍家鳳手中舉著玉環，道：「就目下情形而論，最好的結果是，就這樣相持下去，但時間，對咱們極為不利。」

王修接道：「我知道，姑娘再多忍耐片刻，讓在下想想，這中間，定有道理。」

這時，李五行、方秀梅、公孫成都行近王修身後，三人執著兵刃，六道炯炯的目光，逼視著七個綠衣金釵，全無畏懼之容。

王修沉吟一陣，接道：「藍姑娘，請向後面退兩步。」

藍家鳳應了一聲，向後退了兩步。

七個綠衣金釵，突然微微一笑，舉步向前行來。

王修道：「鳳姑娘，快些退，想法子把她們引到一座高峰之上。」

藍家鳳應了一聲，腳不停步，一手執劍，一手托著玉環，快步向外退去。

江曉峰不放心藍家鳳一人前去，急道：「老前輩，我助她一臂之力。」

王修右手一探，抓住江曉峰道：「你不能去。」

江曉峰微微一怔道：「為什麼？」

王修道：「那玉環已生妙用，在下的看法是，鳳姑娘決無危險，而且可使綠衣金釵恢復部份人性，那就不致於再受韋剛操縱了……」

聲音突轉嚴肅，接道：「現在咱們要對付真正的大敵藍天義，在下遣走姑娘第二個用心，就是不要她參與這場搏鬥，不管藍天義和她有多大仇恨，但十餘年撫養之恩，總不能一筆勾銷，她在場很可能壞了大事。」

江曉峰略一沉吟，道：「老前輩說得是。」

王修緩緩探手入懷，取出一柄尺許長短，通體墨黑，形如鐵棒之物，道：「走！咱們入洞查看一下，希望韋剛已把藍天義和他的屬下，全部囚禁了起來，咱們一舉殲滅天道教中餘孽。」

江曉峰右手拔劍，平舉胸前，道：「晚輩開道。」

回目一顧，只有方秀梅、公孫成和李五行等三人，不禁一呆，道：「老前輩只帶三個人麼？」

王修道：「洞中狹小，動手不便，三個人已經夠多了。」

江曉峰仔細瞧了三人一眼，道：「他們的神色似有些不對。」

王修道：「金針過穴之術，使他們生命潛力迸發，武功驟增數倍，膽氣大長，但人卻變得有些癡呆了！」

江曉峰啊了一聲，道：「原來如此。」

雙目卻盯注在方秀梅的臉上，黯然一歎。

王修道：「方姑娘志在留名武林，願以身擋銳鋒，在下不能阻止。」

江曉峰彈劍長嘯，道：「方姊姊是人間大仁大勇的人物，巾幗中傑出女英，叫咱們大丈夫、男子漢慚愧得很。」

只聽一個冷冷的聲音，接道：「諸位不用慚愧了，這山洞就是你們的埋骨之處。」

這聲音熟悉得很，王修和江曉峰，一入耳就聽出是藍天義的聲音。

王修道：「藍天義，你已是窮途末路……」

藍天義冷笑一聲，道：「可惜的是，韋剛未把我囚禁起來，但最錯的，還是你們引開了綠衣金釵，老夫不相信，除了那賤人安排下的十二金釵之外，天下還會有誰能在我手下是三回合之敵。」

江曉峰長劍一擺，道：「藍天義，士別三日，刮目相看，你不用太誇口了。」

藍天義哈哈一笑，道：「你們進入洞中四人，以你小子的武功最高，老夫先取你性命，再殺他們不遲。」

隨著那話聲，洞中暗影處，行出了藍天義，右手中長劍，閃閃生光。

江曉峰迎上兩步，道：「老前輩等退開一些，晚輩先接他幾劍試試。」

王修對江曉峰道：「江少俠，咱們不熟悉洞中形勢，你最好和他在石洞口處的明亮地方動手。」

江曉峰應了一聲，道：「老前輩說得是。」

長劍護身，疾快地退後三步。

王修也借這片刻時光，安排好方秀梅、李五行、公孫成三人的方位，封住石洞出路。

藍天義逐漸地行進洞口，而且已清晰可見，但他身後丈餘處，人影幢幢，卻無法看清楚。

王修仍是胸有成竹，神情鎮靜，緩緩說道：「江少俠，一動上手，就要全力施展，自覺不敵時，也不用勉強支撐，即時躲開，以便於別人接手。」

這時，藍天義已然行至江曉峰身前五尺左右，冷然道：「老夫要在三劍之內，取你之命。」

突然一上，長劍直指江曉峰的前胸。

他刺來的劍勢，若點若劈，叫人瞧不出他的劍招來路。

江曉峰早已提聚真氣，蓄勢戒備，長劍陡然劃起一道銀虹，硬向藍天義的長劍之上封去。

藍天義怒聲喝道：「撒手。」

長劍斜裏劈出，一劍擊在江曉峰的長劍之上，同時貫注了十分強大的內力。

雙劍相觸，響起了一聲金鐵大震，兩支長劍，同時由交觸之處，震爲兩截。

兩人同時一怔，各自向後退了一步。

看手中斷劍，都還餘有一尺多長。

藍天義愕然，這一劍未把江曉峰長劍震出手去，卻斷了手中兵刃，顯然，江曉峰這幾日中，另有著特殊奇遇，功力大進。

江曉峰卻奇怪，自己竟然能硬打硬撞地接下了藍天義這一劍，略一怔神之後，精神大振，一揮手中斷劍，道：「咱們就以斷劍再打幾招試試！」

他怯敵之心盡消，斷劍疾伸，點向對方咽喉。

藍天義一閃避開，回手反擊，兩人各執斷劍，展開了一場激烈絕倫地惡鬥。

王修冷眼旁觀，交手之初，江曉峰似是還有些心存畏懼，以守爲主，但鬥了數回合之後，江曉峰逐漸地放手搶攻。

不大工夫，兩人已拚鬥到百招左右。

藍天義愈打心中愈驚，江曉峰卻是愈戰愈勇。

王修目睹江曉峰已可力鬥強敵，心中亦有些意外的驚喜，高聲說道：「藍天義，丹書、魔令上的武功，已不足對我等造成威脅，你作惡多端，今日已是惡貫滿盈之日，如肯自絕以謝天下，在下等體念上天有好生之德，願替你留下一個全屍。」

字字用丹田之力送出，鑽入藍天義的耳中。

藍天義急怒交迸，全力搶攻，手中斷劍，幻起朵朵劍花，招招指襲大穴。

這一套劍法，奇詭、辛辣，兼而有之，果然把江曉峰攻勢遏止。

突然間，藍天義大喝一聲，斷劍起處，捲起了一股冷飆寒芒。

沒有人看清這一招攻勢的來路，卻見江曉峰棄劍而退。

王修手中短棍一指，波然一聲，打出一道藍煙，見風暴長，化作一團三尺大小的火焰，擋住了藍天義追擊之勢。

轉目望去，只見江曉峰的右臂上，衣袖破裂，鮮血淋漓。

藍天義被那迎面烈焰，迫得倒退五尺，才抽暇拍出一掌。

王修卻已躍落江曉峰身側，道：「傷勢如何？」

江曉峰道：「不太重，晚輩自信還可以支持。」

王修道：「你試試是否傷到了筋骨？」

江曉峰伸縮了一下傷臂，道：「可以屈伸，大約沒有傷到筋骨。」

王修右手一探，由懷中取出一包金創藥，道：「快把這些藥物敷上。」

左手一揚，擲向江曉峰。

江曉峰接著藥物，退後五步，解開了衣袖，包紮傷勢。

這時，王修打出那一團烈焰，已然消失，藍天義仗劍而至。

這山洞之中，十分狹窄，最不宜閃避，藍天義雖有著一身絕世武功，但也不敢逼近太多，距離王修五、六尺左右時，停了下來。

冷冷說道：「你還有什麼仗恃，江曉峰傷在我劍下，你們幾人，根本不是老夫的敵手了。」

王修淡淡一笑，道：「藍天義，你走不了，需知石洞之外，埋伏有無數高手……」

藍天義哈哈大笑，接道：「縱然人數眾多，也不過徒在老夫手下，添幾名無頭冤魂而已。」

王修道：「還有你最畏懼的綠衣金釵，在下等既有辦法，引她們離開此地，就有辦法要她們向你出手。」

聽到了十二金釵之名，藍天義不禁一怔，十二金釵，確有著過人之能，任何一個，都非藍天義所能對付。

藍天義沉吟了一陣，道：「老夫想和你商量一件事情。」

王修心中暗道：「江曉峰的傷勢，還未包紮妥當，不妨拖延一點時刻，等等江曉峰的傷勢變化結果。」

心中念轉，口中卻說道：「藍教主有何見教？」

藍天義道：「在下想和王兄合作。」

王修淡淡一笑，道：「說來聽聽，怎麼一個合作之法？」

藍天義道：「老夫所有的人手，已經死去了十之八、九，極需人手，助老夫重整旗鼓。」

王修道：「等閣下重振了天道教中的聲威之後，再把我等一一處死，是麼？」

藍天義道：「天下這等遼闊，老夫一人也無法管理，必需要借重他人……」

王修接道：「他人又是指些什麼人呢？」

藍天義道：「效忠老夫的人。」

王修道：「閣下信用太壞，很難叫別人相信了。」

藍天義忍下胸中怒火，問道：「你如何才能相信老夫……」

王修高聲接道：「江兄弟，傷勢包好了沒有？」

但聞江曉峰應道：「包好了。」

藍天義聽得一怔，怒道：「好小子，你原來竟在拖延時間。」

王修微微一笑，道：「在下如若要和你合作，也必要兩個人同意才成。」

藍天義道：「哪兩個人？」

王修道：「藍家鳳和江曉峰，他們兩人，如若不肯同意，在下就是同意了，也是作不得數。」

藍天義沉吟了一陣，道：「如若他們答允，老夫一併收容。」

只聽一聲冷笑，打斷了藍天義的話，道：「藍天義，你還在做著統治武林的美夢麼？」

藍天義抬頭看去，只見那說話之人，正是鳥王呼延嘯。

王修哈哈一笑，道：「呼延兄也到了麼？」

呼延嘯緩步行了過來，道：「兄弟帶了百隻以上猛禽，和天下第一大鵰，前來助王兄一臂之力。」

藍天義冷哼一聲，突然向前衝來，長劍一探，點向呼延嘯。

他來得快速無比，又無聲無息，王修雖然早有防備，仍然來不及出手攔阻。

呼延嘯雙掌齊出，打出一股狂飆一般的掌力，直撞過去。

就這一擋之力，王修一揚手中精心製造的雷火筒，打出一道火光，擊向藍天義。

藍天義大喝一聲，左手一揮，一股強大的內力，直湧過來。

王修打出的一團火焰，竟然被藍天義強大內力化成的掌風，擋了回來，反向王修燒來。
神算子吃了一驚，他知自己的內力，萬萬難和藍天義的掌力相擊，正待縱身讓避，突覺身後有一股暗勁，掠身而過，隱隱間，感覺到熱氣逼人。
那強猛的力量，正擊在那飛來的火焰之上。兩股強大的力量相撞，彼此難分上下，那火焰突然四下湧散，化成了一大團火煙消失。
但藍天義卻感到全身一震，不自主地向後退了一步，不禁吃了一驚，暗道：「什麼人，竟有著如此強大的內力。」
王修心知是江曉峰發出的掌力，不覺間回目一顧。
只見江曉峰面色鐵青，臉上的汗水，不停地滾了下來。
在幾人之間，彌漫起一片濃煙，暫時，隔住了幾人的視線。
江曉峰點點頭，低聲道：「此人內力強猛無比，在下雖服了火鯉內丹，仍然非他之敵。」
王修道：「咱們撤出洞外……」
江曉峰搖搖頭，接道：「不行，借石洞狹窄的出口，大家拚命，還可以擋住藍天義，如是讓他離開此地，到洞外遼闊的原野，那無異困龍入海，他要戰要逃，咱們恐怕無法掌握。」
因濃煙阻攔視線，使兩人都無法瞧到，藍天義拚了一掌之後的神情，如是被兩人瞧到，必可增強江曉峰和藍天義出手硬拚的勇氣。
但兩人的談話，卻被藍天義聽了一大半。
藍天義驚心，是因他已從兩人的談話中聽出，那一掌是江曉峰所發出，心中暗暗忖道：「這小子，怎的會在這短時日，有此超越的成就，難道又是那賤人的安排。」

想起了藍夫人，藍天義不覺間，就生出了一份愧疚和畏懼震盪，那位薄命紅顏，似有著莫可預測的深沉，任何困難的事，她似是都有能力去完成。

忖思之間，橫阻於中間的濃煙，已經散去，彼此都清晰可見。

呼延嘯也看到了江曉峰，半身是血，臉色鐵青，大吃一驚，道：「孩子，你怎麼了？」

江曉峰道：「我很好，義父別來無恙。」

呼延嘯對那江曉峰一股慈和的親切，實非尋常，不顧強敵在側，大步行了過來，道：「孩子，你傷得很厲害啊！」

江曉峰搖搖頭道：「不要緊，我只是受了一些皮肉之傷。」

呼延嘯道：「可是藍天義傷了你？」

江曉峰點點頭，道：「正是和他對劍所傷。」

呼延嘯道：「好，看義父給你報仇。」

目光轉到藍天義的身上，道：「藍天義，這石洞之中狹小，咱們到洞外面動手如何？」

藍天義心中大喜，但表面上，卻是絲毫不動聲色，淡淡一笑，道：「悉聽尊便，老夫的掌下，不論何處，都可以取人之命。」

江曉峰答道：「義父，不能要他離開山洞，其人無義無信，離開山洞，也很可能不戰而走，咱們很難追上他。」

呼延嘯微微一笑，道：「這一點，你不用擔心，他走不了。」

放低了聲音，接道：「你不是要瞧瞧那巨鵬的力量麼？到洞外就讓你見識一番。」

江曉峰聽得呼延嘯說得很有把握，也就不再堅持，緩步向洞外退去。

王修卻揚了揚手中的雷火筒，道：「慢一點，在下有幾句話，必得事先說明。」

藍天義人已舉步而行，聞聲停下腳步，道：「什麼事？」

王修道：「在下在江湖上行走了數十年，見過了不少僞君子和陰險人物，但如和你藍天義一比，那些人，都如小巫見大巫了……」

藍天義冷笑一聲，道：「如是老夫統治了武林，什麼人敢對老夫如此說，我就把他碎屍萬段。」

王修道：「此時此地，你還在做著統治武林之夢，當真是至死不悟了。」

語聲一頓，高聲接道：「石洞之外，所有的人，都和你有著血海深仇，再說你一向行事，素來不按江湖規矩，他們心切報仇，也可能一擁而上。」

藍天義道：「老夫不在乎他們群毆。」

王修道：「在下已經說明，如何應付，那是你的事了。」

舉手一揮，帶著方秀梅、公孫成、李五行等退出石洞。

呼延嘯、江曉峰目注藍天義，緩步而退。

王修舉動快速，退出石洞後，立刻重新作了一番佈置。

江曉峰目光轉動，四顧了一眼，卻不見巨鵰何處。

藍天義行出石洞，立刻目光流轉，四下打量，不見有綠衣金釵，心中登時爲之一寬，縱聲大笑，道：「你們要一擁而上呢？還是要車輪大戰？」

王修卻把目光投注在藍天義身後幾個隨行之人身上，那些人正是神行追風方子常、金刀飛星周振方、袖裏日月余三省、踏雪無痕羅清風、千手仙姬祝小鳳、一輪明月梁拱北、金旗秀士商玉朗、嶺南神鷲鍾大光，和茅山閒人君不語等九人。

王修細瞧九人，有五個似乎是都受了傷，四個未受傷者，亦都是垂首閉目，一派萎靡不振，心中暗暗讚道：「茅山閒人君不語，果然是一位非常人物，不知他用的什麼手段，竟把藍天義屬下消耗淨盡，卻保留下這八人的性命。」

一念及此，不禁對君不語的才華，大爲欽敬，多望了君不語一眼。

君不語若有所覺般，抬頭望了王修一眼，雙目神光，一閃而逝，重又垂下頭。

兩人這等眼光交投，也就不過是一霎時光。

呼延嘯已大步而出，道：「藍天義，聽說你已經盡得丹書、魔令上記述的武功，區區先來領教。」

藍天義一閃避開，轉身揮劍，半截斷劍，直向呼延嘯橫斬過來。

斷劍距離呼延嘯還有一尺多遠，呼延嘯已感覺有一股凌厲的劍氣，直逼過來。

唰的一聲，割破了前胸衣服。

呼延嘯吃了一驚，提氣而退，道：「你這是什麼劍法？」

藍天義冷笑一聲，道：「讓你們開開眼界，也好死得瞑目九泉。」

江曉峰道：「義父不用害怕，那是劍氣，藍天義火候不足。」

但見王修舉手在公孫成的背上拍了一掌，公孫成突然舉步而行，直向藍天義逼了過來。

他的舉止很慢，但每行一步，臉上就加多了一分剽悍殺氣。

藍天義瞧得一怔，道：「王修，你要他們上來送死麼？」

王修冷冷說道：「你可是有些怕了？」

藍天義答道：「這些人，不是老夫手下三回合之將，老夫怕他們什麼？」
王修道：「他們有股凶悍攝人之氣，他們要向你討回血海深仇。」
口中說話，右手連揮，又在方秀梅和李五行後背上，各拍一掌。
兩人同時舉起兵刃，分由兩個方位，舉步向藍天義逼了過去。
藍天義突然後退一步，斷劍交於左手，右手一探，取過君不語手中長劍。
江曉峰大為震驚，急步行了過來，道：「王先生，他們如何是藍天義的對手？」
王修道：「他們武功，已增加數倍，三人合力，應該和藍天義有一番激烈的搏鬥。」
說話之間，三人已分由三面，撲向藍天義。
藍天義厲聲喝道：「你們找死。」長劍一劃，劃出一道凌厲的劍光。
但聞噹噹噹，一陣金鐵交鳴之聲，三般兵刃，盡被擋開。
藍天義雖然一劍擋開了三人兵刃，但內心之中，卻是大感震動。
原來，在藍天義的預計中，這一劍，應該震飛了三人手中的長劍，此刻不但未能將三人手中的兵刃震飛，而且，方秀梅三人攻來之勢，剽悍無比，大有難以應付之勢。
方秀梅、李五行、公孫成不約而同，三人一湧而上。
李五行的鐵拐，挾著泰山壓頂之勢，迎面劈了下來。
公孫成鋒利的匕首，幻起兩團銀芒，刺向藍天義的前胸。
方秀梅長劍閃起，朵朵銀花，分刺藍天義的三大要穴。
三人的攻勢，猛銳絕倫，幾乎是全力攻擊，不顧自身的安危。
藍天義長劍一震，劃出一片劍花，封擋住三人的猛惡攻勢。

二次兵刃相觸，又響起了一陣兵刃交擊之聲，三人又被震退了數步。
但藍天義還未及還擊，三人又以猛虎撲羊之勢，攻了過來。
藍天義一劍擋開了三人的攻勢，但他卻一直沒有還攻的機會，三人就再次撲了上去。
這是一場很奇怪的搏鬥，王修、呼延嘯等，都是久歷江湖、身經百戰的人物，但二人看著這等剽悍的打法，亦不覺爲之心頭震慄。
原來，公孫成、李五行、方秀梅三人合力的攻勢，猛快無匹，使得像藍天義那等高手，亦無銳氣還手的機會。
但三人的快速攻勢，並非是由武功成就上造成，而是把生死置之度外的人，加上一股凶厲的氣勢，綜合而成的威力。這股凶厲之氣，使得藍天義亦爲之氣勢一弱。
三人合攻了十餘招，場中人，都已瞧出情勢不對，三人的雙目變成一片通紅，攻勢也一次比一次凶狠，臉上汗出如雨，凶厲之氣，更是驚人。
江曉峰低聲說道：「老前輩，不能讓他們再打下去了。」
王修點點頭道：「對！確已不能讓他們再打下去了，我有法子阻止他們，但是藍天義卻要有人對抗才成。」
江曉峰道：「我和義父聯手。」
呼延嘯道：「百頭巨鵰助戰，藍天義武功再高一些，也無法勝得。」
江曉峰道：「目下這些人，都是武林中僅餘的精英，重振武林道義，全要仗憑他們，不能讓他們再有傷亡了。」
王修道：「好！兩位出手吧，不然，這三人，如若驟停攻勢，必然會死於藍天義的劍下。」

呼延嘯道：「藍天義身後，還有九位武林高手，他們是否會出手攻擊呢？」

王修望了君不語一眼，道：「藍天義心中明白，他如無能抵禦，這些人上來亦是白白送死，所以，他不會要他們出手，再說，目下九人，也未必再會聽他的指揮了。」

呼延嘯啊了一聲，臉上是一片半信半疑的神情，但卻未再多問，身子一側，劈出一掌。

這時，江曉峰已然換了一把長劍，寒芒一閃，攻了過去。

兩人劍、掌配合，攻勢十分凌厲。

王修突然向前行了兩步，伸手在三人背後一抓，向後一帶，高聲喝道：「三位快退下來。」

敢情王修早有準備，在金針之後，接了一條微細的絲線，別人不知內情，無法抓到，他卻伸手拿來。

金針離穴，方秀梅等三人，突然似是脫了力般，一跟頭栽倒在地上。

這時，藍天義已被江曉峰、呼延嘯的劍掌配合擋住，眼看三人倒摔地上，卻無法取三人之命。

王修兩手並用，把三人救了下來，取出三粒丹丸，分別送入了三人口中。

呼延嘯打得性起，掌勢更見凌厲，一面卻沉聲對江曉峰道：「孩子，咱們到寬闊的地方打！」

江曉峰知他要招來猛禽助戰，緩步向後退去。

藍天義身隨劍進，不覺間逼進了一丈多遠，到了廣闊的草地之上，地方廣大，雙方都有了施展的機會。

藍天義大喝一聲，長劍疾展，眨眼間，攻出八劍。

江曉峰擔心呼延嘯手無兵刃，難以抵擋藍天義的劍勢，所以，盡展所學，把藍天義惡毒的招術，盡都接了下來，是以，雙方劍勢不時相撞，發出了金鐵交鳴之聲。

藍天義連經苦戰之後，內力消耗不少，已不似初動手時，那樣劍勢凌厲。

但江曉峰卻是愈戰愈勇，內力源源而出。原來，他消耗內力過多，服用的千年火鯉內丹，反自生妙用，分達四肢，長江大河一般，滔滔不絕。

兩人這一消一長之間，立時看出了勝負之徵，江曉峰由守轉攻，一劍強過一劍。

藍天義卻由攻改守，仗憑精妙的招數，化解呼延嘯和江曉峰的劍、掌。

王修看得心中暗喜，道：「韋剛如若能再晚來一個時辰，沒有十二金釵插手，兩百招內，江曉峰就可取藍天義性命。」

但聞鳥王長嘯一聲，道：「藍天義，老夫也讓你開次眼界，瞧瞧猛禽的凶惡攻勢，你虛僞奸詐，不如禽獸，死在猛禽口中，也算是罪有應得了。」

說完話，連發出數聲淒厲的長嘯，聲發丹田，直沖霄漢。

嘯聲甫落，兩側山峰上，突然傳來幾聲怪鳴，十餘隻逾丈巨鳥，直飛下來。

場中之人，雖都是長年在江湖上走動，見多識廣的人，也沒有見過同時有十幾隻碩大逾丈的巨鵰出現過，都不禁看得一呆。

眾人一怔神中，耳際間怒嘯交鳴，百隻以上的巨鵰、大鵰，破空而來，一眨眼，都到了呼延嘯和藍天義動手的上空。

藍天義封開江曉峰的長劍，擋住了呼延嘯的掌勢，抬頭一顧，但見巨鳥蔽空，鐵啄鋼爪，面目獰猙，突然間，心中泛生出一股寒意。

呼延嘯躍飛而起，發出了一聲長嘯，一掌劈向藍天義。

隨著那下落的掌勢，兩頭巨鷹流星趕月一般撲下。

藍天義吃了一驚，左掌揮出，接住了呼延嘯的掌勢，右手長劍，卻揮灑出一片劍光，阻擋那向下撲擊的雙鷹。

寒芒過處，兩聲淩厲的怒嘯，兩頭巨鷹，血羽橫飛，被藍天義的劍勢斬碎，落著實地。

這時，呼延嘯和藍天義的掌勢，也同時接實，如擊敗革，響起了一聲蓬然大震，呼延嘯被藍天義一掌震得懸空翻了兩個跟頭，落出了一丈多遠。

但那盤旋於空中的大鵰、巨鷹，卻如急風驟雨一般，直落下來。

藍天義長劍急揮，幻出了一片護身劍帶。

由空中疾撲而下的巨鷹、大鵰，羽毛紛飛，肌體碎落。

死鷹、傷鵰，鮮血四濺，落了藍天義一身滿臉。

一眨眼，巨鵰、大鷹，已傷死數十隻。

江曉峰在巨鵰、大鷹急襲藍天義時，仗劍旁觀，眼看那些猛禽，死傷甚重，立時大喝一聲，挺劍而上。

只聽噹噹噹三聲金鐵交鳴，二人硬拚了三劍。

江曉峰急襲之下，迫得藍天義全力應付，但卻替那前仆後繼，閃電奔飛而下的猛禽，留下了空隙。

但聞嗤嗤兩聲，兩隻巨鷹的巨爪，抓在藍天義的右肩，登時衣服破裂，皮開肉綻。

藍天義怒喝一聲，右手長劍疾掄，劈向雙鷹。

江曉峰飛躍而起，長劍橫擊，噹的一聲，架開了藍天義的長劍。

就這一瞬工夫，三鵰二鷹，疾撲而下，抓在藍天義的身上。

這一次，抓得甚重，幾道血口內，鮮血泉湧而出。

藍天義全力揮劍一擊，身子飛騰而起，生劈了兩頭巨鵰。

但他身子離地騰空，四面都是空隙，十幾頭猛禽，分由四面八方攻了上去。

一陣裂衣劃膚聲音，傳入耳際，藍天義身上又被抓傷了數處。

巨鷹、大鵰的鋼爪鐵嘴之下，藍天義全身的衣服，已經是破裂大半，破衣鮮血，混合一起，看上去，十分狼狽。

突然，群禽長鳴，展翅高飛。

藍天義腳落實地，暗暗吁一口氣，忖道：「單是群禽攻擊，還可應付，但江曉峰這小子，武功愈戰愈強，劍法也愈打愈顯得奇奧，如和猛禽配合，今日我命休矣，目下蔽天猛禽，突然高飛，想必亦有畏死之意，我如能在群禽下襲之前，一舉間搏殺江曉峰，才能放手對付這群猛禽。」

心中念轉，主意暗定，轉頭望去，只見江曉峰捧劍而立，臉上是一片誠敬肅然之色。

這正是劍道中最上乘的馭劍術起手之式。

藍天義心頭一凜，暗道：「這小子，似乎是也學會了馭劍之法。」

就在他心念轉動之間，突然有一陣大風，當頭而下。

抬頭看去，只見一隻碩大無比的巨鵰，由高空展翼而下。

這巨鵰雙翼展動，足足有兩、三丈長，雙翼帶起了陣陣巨大的狂風。

藍天義雖然是走遍了大江南北，深入過高山大澤，見過了無數的猛禽巨獸，也沒有見過這等的巨大鵰鳥，看得不禁一呆。

江曉峰口中啊了一聲，心中想道：「這隻巨鳥定然就是義父說過的那隻巨鳥，他終於找了來，讓我開開眼界了。」

忖思之間，那巨鵰已由高空疾撲而下，雙爪伸展開去，足足有四、五尺方圓大小，利刃一般的爪尖，日光下烏光閃閃。

藍天義長劍在頭頂掄起一片光幕，護住了身子。

那巨鳥似已達通靈之境，並未強行撲擊，卻鼓動雙翼，搧出了兩股強風。

剎那間飛沙走石，雙目難睜。

藍天義感覺到風力強大，幾乎要把自己吹起來，不禁心中大驚，急使千斤墜的身法，把身子穩住。

那巨鳥卻借勢下飛，左爪一探，直抓向藍天義的頭頂。

藍天義雙目無法睜開，感覺中，一股壓力直逼頭頂，立時揮劍一擊。

但聞啪一聲，利劍如同擊在鐵石上一般。

耳際間，卻響起了一聲刺耳的怒嘯，巨鳥展翅而上。

藍天義低頭看去，只見眼前，落下兩隻爪尖，粗如大指，尖利異常。

原來，他揮劍斬下那巨鳥兩個爪尖，使巨鳥負傷高飛。

這當兒，江曉峰突然大喝一聲，飛躍而起，連人舉劍地直向藍天義撲了過去。

王修只瞧得大爲震駭，但又怕分了江曉峰的心神，不敢喝止。

他心中明白，這等馭劍一擊，是立判生死的打法，就目下處境而言，似乎不必。

形勢逼人，藍天義不得不奮起餘力迎敵，急提真氣，揮劍迎擊。

兩道劍光交擊，人影隱而復現，彼此間一錯而過。

王修關心江曉峰的安危，急急運目望去，只見江曉峰腳落實地，突然向前打了兩個前栽，才把身子穩住。

但左臂上，卻已鮮血淋漓而下，顯然，左臂上中了一劍。

再看那藍天義，前胸處鮮血湧出，濕了半個身子，似乎是比江曉峰傷得更重一些，落地之後，就用長劍支地，穩住身子。

驀地裏，幾聲鷹鳴鵰嘯，兩隻大鵰，急襲而下。

藍天義大喝一聲，反身揮劍，兩隻大鵰齊齊被劈死劍下。

一聲厲嘯震耳，那特大巨鳥，突然間，急急撲了下來。

藍天義全身傷痕累累，氣力大減，一劍未中，卻被巨鳥右爪抓住了右腕，鐵嘴下去，一口咬斷了藍天義的右腕，啪的一聲長劍落地。

藍天義左掌一抬，劈了過來，卻爲那傷了兩指的巨鳥左爪一把抓住。

右爪一探，五根爪尖，深入了藍天義背後，雙翼展動，生生把藍天義抓了起來，飛向高空，片刻之間，就飛了二十餘丈，五根利爪，深入了藍天義肌肉三寸多深。

巨鳥右爪一收，左爪箕張而下，特大的利爪一張一合間，整個的抓住了藍天義的身子，前胸、兩肋之間，各有一條利爪刺入。

藍天義縱然有絕世武功，也受不住這等劇烈的創傷，疼得暈了過去。

就這一陣工夫，群鳥紛至，鐵爪鋼嘴，又抓又啄。

暈了過去的藍天義，在群鳥爭食之下，疼得又醒了過來，這時，他雙臂上的肌肉，已被巨鳥撕裂、啄食甚多。

藍天義拚盡了最後一口元氣，雙掌左右拍出，擊中了兩隻巨鵰。

他雖然半身碎裂，傷勢奇重，但他仍然有著深厚的功力，兩隻巨鳥被他擊得頭裂翼折，由空中直落實地。

忽然間，一隻血羽怪鳥，疾掠而至，長嘴一探，生生把藍天義的兩個眼珠子啄去。

藍天義大叫一聲，本能地一收雙手，掩住面目。

群鳥紛至，鋼嘴亂啄，片刻工夫，竟把藍天義生裂食去。

這大約是人間最爲悲慘的一種死法，血灑長空，骨落草原，這一代梟雄，就在鐵爪鋼嘴中，化作烏有。

草地上仰視群豪，眼看到藍天義悲慘的死法，亦不禁爲之黯然長歎，心神震動不已。

王修長長吁一口氣，道：「藍天義發動以來，不過一年多時間，魔掌到處，武林中天翻地覆，江湖上風雲變色，但他決無法想到，結局竟死得這樣悲慘，他如早知有此結局，想來也不敢組織天道教，爲害江湖了。」

君不語望著長空盤旋不去的群鳥，說道：「鳥王呼延嘯，果然是名不虛傳。」

呼延嘯哈哈一笑，道：「藍天義禽獸不如，死於群鳥鋼嘴鐵爪之下，倒是罪有應得。」

說完話，仰天怪嘯數聲，群鳥突然散去，片刻間，飛得一隻不剩。

王修目光轉到君不語的身上，抱拳一禮，道：「剿滅藍天義，實是君兄內應之功。」

君不語還了一禮，道：「好說，好說，王兄策劃有方，兄弟不過執鞭隨蹬，聊盡綿薄罷了。」

王修道：「藍天義被群鳥分身而死，雖然已夠悲慘，但可惜他死得太快了一些，兄弟心中尚有甚多話，也無法逼他說出來了。」

呼延嘯道：「此時此情，會有什麼人來？」

王修道：「除了韋剛之外，再無第二個人了。」

呼延嘯道：「他帶有好多人手？」

王修道：「最多是四個綠衣金釵。」

呼延嘯道：「咱們這麼多人手，再加上幾百隻巨鷹、大鵰，難道還不能和他們拚一下麼？」

王修道：「划不來，何況藍家鳳還帶了八個綠衣金釵，如若韋剛控制綠衣金釵的手段，超過了藍家鳳手中玉環的誘惑力量，那就可能召來另外七金釵助戰。」

君不語微微一笑，道：「王兄，可是爲身受天道教奇毒困擾的各派人物感歎麼？」

這時，突然一聲長嘯，傳了過來。

江曉峰一皺眉道：「是小叫化子的聲音。」

王修道：「不錯，江少俠的耳目很靈。」

呼延嘯道：「他似是用盡氣力在喊叫。」

王修道：「是的，他在傳警！」

呼延嘯道：「傳什麼警？」

王修道：「有人來了？」

呼延嘯道：「總不成咱們束手就縛。」

王修沉吟了一陣，道：「辦法倒有一個，成敗的機會各半，不過，還得咱們同心協力才能。」

呼延嘯道：「現在，是什麼時間，你還賣的什麼關子？」

王修道：「江少俠憑藉火鯉內丹之助，專以對付綠衣金釵，呼延嘯兄和在下同時出手，全力攻向韋剛，如果咱們能在三、五招內把他殺死，使他沒有招呼助手幫忙的機會，那就成了。」

呼延嘯道：「好！韋剛那小子武功有限，再有王兄從中相助，兄弟相信，三、五招內，就可以取他之命。」

王修道：「韋剛武功不弱，但他被折斷了一條手臂，新傷未癒，武功上大打折扣，如是咱們兩人合手全力施爲，成功機會極大……」

仰面望望天色，又道：「他快要到了，咱們也該佈置一下。」

出手一招，喚過武當三子，道：「三位請率門下弟子，把方姑娘、公孫成、李五行移入石洞之內，三位固守洞口，不許任何人進入石洞。」

巢南子應了一聲，招呼門下弟子，把方秀梅等三人移入石洞。

王修伸手入懷取出了三粒丹丸，道：「給他們一個人服用一粒。」

青萍子接過藥物，欠身而退。

王修又招呼散佈在四周的群豪，高聲說道：「諸位請各自選擇一個隱蔽之處，藏起身子，如沒有聽到在下招呼，不可輕易現身。」

四周布守的群豪，都已把王修視作天人，聞言立即散佈開去，各自選擇了一個隱密的地方，藏了起來。

王修四顧了一眼，道：「咱們也選擇個方便聯手的方位。」

呼延嘯、江曉峰，在王修安排下，各自取了適當的距離、方位。

三位也不過剛剛站好，幾條人影，已然飛奔而來。

直行近三人兩丈左右時，才放慢了腳步。

果然是韋剛帶著綠衣金釵。

王修一揮手，道：「韋兄，沒有你十二金釵之助，我們也搏殺了藍天義。」

韋剛目光轉動，四顧了一眼，答非所問地道：「你帶的人呢？」

王修淡淡一笑，道：「閣下留在此地的八個綠衣金釵，閣下何以不問呢？」

其實，韋剛心中驚異的，也就是不見自己的屬下，只是他覺著不便問出口來，所以，才故意問王修的人手。

韋剛右手連連揮動，四個綠衣金釵，陡然抽出手中之刀。

十二金釵除了殺人時間之外，一向刀不出鞘，此刻陡然拔出刀來，臉上立時泛現出一片殺氣。

王修輕輕咳了一聲，說道：「八個綠衣金釵的失蹤，對韋兄應該是一個很大的教訓，如是你已明白了綠衣金釵不在時，就憑你那一點武功，擋不過我們的合手三招。」最後一句話，頗具畫龍點睛之妙，無疑是告訴了韋剛，你要動手，我們就要聯手而下。

韋剛怔了一怔，問道：「你們殺死了八個綠衣金釵麼？」

王修道：「沒有。」

韋剛道：「那麼，她們現在何處？」

王修道：「八名綠衣金釵，都已被我們收服，你尚餘四人而已……」

韋剛厲聲接道：「她們現在哪裏？讓我看看。」

王修搖搖頭，道：「你見不到，她們不是身受禁制，就是在很遠的地方。」

韋剛道：「我不管。」

王修道：「你有招呼十二金釵之法，不妨試試看，能不能得到答覆。」

韋剛皺皺眉頭，說道：「那是藍家鳳手中的玉環之力。」

王修淡淡一笑，道：「就算我知道，也不會告訴你，韋兄這話白問了。」

江曉峰已提聚真氣，蓄勢戒備，只要四個綠衣金釵，再有任何進一步的行動，立時發掌攔阻。

韋剛沉吟了一陣，道：「十二金釵，都已超越了體能的極限，如說武功，不可能還有比她們更高的人。」

王修肅然說道：「韋兄錯了，世間沒有絕對的事，十二金釵不畏刀劍，更不畏掌力，但江少俠發出的掌力，卻能使十二金釵心生畏懼，身受重創。」

韋剛直回顧身側四個綠衣金釵一眼，接道：「如若在下和四個綠衣金釵全力一拚，不論最後勝敗如何，但有一點十分明顯。」

王修道：「哪一點？」

韋剛道：「至少可以先取你王修之命。」

江曉峰道：「只怕未必。」

雙掌一齊揚起，準備發出。

韋剛冷然一笑，道：「你要迫我一試麼？」

王修道：「江少俠並無此意，如是閣下想談條件，大家可免去這一場豪賭，不作生死之戰，彼此有益。」

韋剛對八位金釵失踪一事，心中十分震駭，當下說道：「王兄，準備如何？不妨開個條件出來。」

王修道：「韋兄，立時回頭離此，從今之後隱息山林，不再問武林中事。」

韋剛道：「可以，不過，我也有條件。」

王修道：「說說看？」

韋剛道：「我要帶走十二金釵。」

王修搖搖頭，道：「這辦不到，你還要留下身邊四位金釵，獨自離去才行。」

韋剛淡然一笑，道：「王兄，你不覺條件太過苛刻麼？」

王修正容說道：「十二金釵，已去其八，你還有甚麼討價還價的本錢？韋兄如是還不識時務，恐只有步那藍天義的後塵，血灑空谷草原。」

韋剛臉上泛現出忿怒之色，正待指使四大綠衣金釵出手，王修已搶了先機示意江曉峰先行出手。

江曉峰雙掌發出，兩股強大暗勁，直湧過去。

兩個守在韋剛身前的綠衣金釵，首當其衝，各中一掌。

兩人並未被江曉峰強大的掌力震退寸步，但卻在掌力消失之後，駭然而退。

王修一揚手中的雷火鐵筒，打出一道藍焰，直襲韋剛。

韋剛一閃身，避在一個綠衣金釵之後。

藍焰暴散，化成一團熊熊烈火，打在一個綠衣金釵身上。

立時，在那綠衣金釵身上燒起來，眨眼間，衣髮盡燃。

但那綠衣金釵，仍然站著未動，也未舉手試撲身上燃燒的火勢。

顯然，這些綠衣金釵，本身並未具有殺人的特性，在一種嚴酷，神秘的訓練方法之下，她們具有了超人的體能，也失去靈性，一切似都在聽命行事。

王修急急喝道：「江少俠，快發掌力，只有你的掌力，才是十二金釵的剋星。」

但這兩句話，也同時提醒了韋剛，下令綠衣金釵出手。

首先中掌的兩個綠衣金釵，心中似是尤有餘悸，趑趄不前，另兩個綠衣金釵，卻挺刀而上。

那滿身是火的綠衣金釵，一馬當前，直撲向王修。

江曉峰疾發一掌，正擊在那綠衣金釵的前胸之上。

但那綠衣金釵的化血刀，已同時攻出，寒芒一閃，劈下了王修一條左臂。

幸是江曉峰那及時一掌，擊中要害，那綠衣金釵，來不及再揮刀勢，已被江曉峰的掌力，破去了護身的陰罡氣。

說也奇怪，那綠衣金釵，在衣髮燃燒之下，若無其事，但護身之陰罡氣，被江曉峰一掌破去之後，頓覺烈焰炙身，極為痛苦，回身而奔。

這不過一瞬間的工夫，那滿身是火的綠衣金釵，回身正撞上了另一個向前奔衝的綠衣金釵身上，兩人一撞之下，後面綠衣金釵，一揮化血刀，竟把那滿身是火的綠衣金釵，劈成了兩半。

這連續的變化，使得江曉峰已確知自己的掌刀，專以對付十二金釵。欺身而上，又發一掌。

江曉峰大喝一聲，揮劍掃出，斬下那綠衣金釵的首級。

一擊得手，飛躍而起，掌力先發，長劍後出，又殺死了兩個綠衣金釵。

韋剛目睹四位綠衣金釵，全都死去，震駭的呆在當場。

呼延嘯飛躍而至，一掌劈下。

韋剛似是不知有人來襲，也不閃避，卻盯著江曉峰道：「你練的甚麼掌力……」

呼延嘯掌勢雄渾，正擊在韋剛的前胸之下。

韋剛被擊得血噴如泉，連退三步，卻不肯倒下，怒目圓睜，望著江曉峰，似是要聽他答覆。

江曉峰道：「要你死得明白，不妨告訴你，我服用了火鯉內丹。」

韋剛又噴出一口血，道：「想不到世間真有此物，藍夫人說過，不可能有的……」

話未說完，人已倒地而逝。

這也不過是一會兒的工夫，江曉峰返身一躍，落在王修身側，道：「老前輩。」

王修被那綠衣金釵一刀劈下左臂之後，立時閉上雙目，靜立未動。

直待聽到江曉峰呼叫之聲，才睜開雙目，望了江曉峰一眼，伸出右手，取過江曉峰的長劍。

呼延嘯吃了一聲，道：「王兄，你……」

王修接道：「我不會死，不用擔心。」

揚起手中之劍，又在傷口處削了一劍。

王修左臂原本留下五六寸長，被他一劍齊著肩頭斬下，棄去長劍，一跤跌坐在地頭上，汗落如雨。

這時，隱藏在暗處群豪，大都行了出來。

呼延嘯出手如風，點了王修兩處穴道，閉住血脈，道：「王兄，留下一點左臂有何不好？何苦要多受一劍之苦。」

王修道：「化血刀上有毒，我如不斬下這數寸斷臂，讓毒氣攻入體內，非死不可。」

呼延嘯道：「原來如此。」

王修強忍痛苦，道：「我袋內有藥，快給我拿出來敷上。」

江曉峰取出王修身上藥物，替王修包紮好傷勢，道：「老前輩，可以休息一會了。」

王修點點頭，道：「你去瞧瞧藍家鳳，她手中雖有著玉環，但她卻無能制服十二金釵。」

江曉峰接道：「老前輩安心養傷，在下明白。」

王修道：「我不知她在何處，但不會跑得太遠，你要辛苦找找了。」言罷，閉下雙目。

江曉峰四顧了一眼，舉步向北行去。

呼延嘯道：「孩子，你要幹什麼？」

江曉峰道：「去找藍姑娘。」

呼延嘯道：「我助你一臂之力。」仰面長嘯，召來十餘隻巨鵰。

呼延嘯口中啓動，發出咕咕嚕嚕的怪叫聲，群鵰點頭長鳴，展翼高飛。

場中群豪，都知他能役猛禽，能解鳥語，卻不知他還能和鳥交談。

片刻之後，一隻巨鵰飛來，直落在呼延嘯的身前，長鳴數聲。

呼延嘯點點頭，道：「孩子，騎這一頭巨鵰去，藍姑娘正把一群金釵，引入一座山洞之中。」

江曉峰應了一聲，跨上鵰背。巨鵰振翼而起，飛上一座高峰下。

江曉峰抬頭看去，果然絕峰之頂，有一座斜入山腹的石洞。

藍家鳳手執玉環，站在洞口，正設法把八個金釵引入山洞之中。

洞口處，只餘兩個綠衣金釵，想那其餘的人已被她計誘入洞。

江曉峰緩步走了過去，雙手齊出，一掌一個，拍在兩個綠衣金釵的背心之上。

兩個綠衣金釵一齊被推入山洞之中。

藍家鳳長長吁一口氣，道：「好險啊！你這兩掌，如無法把她們推入洞中，逼她們出手反擊，咱們都將沒命。」

江曉峰笑道：「如是在下沒有把握，怎麼會有這樣冒險。」

藍家鳳道：「下面情勢如何？」

江曉峰道：「藍天義和韋剛盡皆伏誅。」
藍家鳳訝道：「韋剛也死了麼？他率領的綠衣金釵呢？」
江曉峰道：「死於我的劍下。」
藍家鳳道：「十二金釵，練的玄罡氣，刀槍不入，只有一種至陽武功，乾元掌，是她們的剋星，但你卻憑仗天生奇物千年火鯉內丹，省了三十年的苦修。」
江曉峰接道：「為甚麼要三十年？」
藍家鳳道：「因為乾元掌至少要練三十年，才能用於克敵，藍天義雖然練過，可是沒有練成。」
江曉峰道：「看來，你已經把丹書、魔令熟記於心了。」
藍家鳳笑了一笑，道：「如若從此後天下能夠太平，武林中再無風波，我連現在學得的一些武功也要擱下。」
江曉峰道：「現今武林中元氣大傷，黑、白兩道，都無能在三十年內，再造紛爭。」
藍家鳳探頭向山洞中瞧了一眼，道：「這座石洞，不知有好深，但至少要在百丈以上，綠衣金釵的武功難測，說不定她們能跑上來，咱們把洞口堵死。」
兩人一齊動手，堵死了洞口。
藍家鳳拍拍手上灰土，道：「她們也要呼吸，現已堵死洞口，可以活活地把她們悶死，咱們下山去吧！」
江曉峰棄鵰未坐，卻施展輕功，和藍家鳳一齊下峰。
王修強忍傷疼，吩咐群豪，在囚禁藍天義石洞中休息了一夜。

群豪相互交談，論及往事，無不感慨萬千，想到十二金釵勇猛，心中猶有寒意，但江曉峰連連搏殺綠衣金釵，更是如烙鐵一般，在各人的心中，留下了難以磨滅的印象。

夜匆匆，第二天，太陽初上，方秀梅、李五行、公孫成，都已醒了過來。

中午時分，君不語帶了解藥而至。

王修經一夜調息，傷痛已消，把解藥分給中毒之人。

服用之後，高聲說道：「這番浩劫，實是武林中從未有過的大難，我們不死的人，都算是命大矣！諸位要記此教訓，此後，發揚門戶，收羅弟子之時，特別要以品德爲重。」

語音微微一頓，接道：「丹書、魔令，我已毀去，諸位要告誡，傳於下代，武林已無此物。」

君不語道：「王兄，有一件很重大的事，王兄，忘了麼？」

王修笑笑道：「沒有忘……」

提高聲音，道：「諸位請即刻歸去，重振門戶，三年後，諸位請趕往少室峰頂，吃杯喜酒。」

群豪望了江曉峰和藍家鳳一眼，抱拳作禮，相繼離去。

君不語目睹群豪離去大部，微微一笑，道：「兄弟要到鎮江一行，取下那塊江東第一家金匾，哪一位願隨兄弟去？」

鍾大光、周振方、祝小鳳、李五行、余三省、公孫成等齊聲應道：「不錯，該去取下那塊金匾。」

群豪相繼離去，片刻之後，只餘下王修、方秀梅、江曉峰、藍家鳳、呼延嘯等五人。

王修回顧了江曉峰一眼，道：「江少俠，還有一位綠衣金釵，再毀去丹書、魔令，不能再要此二物，留傳武林。」

一行五人均對王修的主張表示贊同。

正行間，方秀梅突然長吁一口氣，道：「諸位慢走，我想先行一步。」

王修獨臂一伸，抓住了方秀梅道：「慢著。」

方秀梅道：「王兄有什麼事？」

王修微微一笑，道：「在下對姑娘愛慕極深，如若姑娘不嫌棄我已殘廢，希望姑娘能答允和在下終身廝守，共研丹道之學。」

方秀梅羞紅滿頰，道：「我，我，我已經……」

王修道：「過去的一切，都已過去，姑娘不是平常女子，在下也不多轉彎路了……」

突然大踏一步，跪在方秀梅的面前。

江曉峰、藍家鳳，也跟著跪了下去，齊聲叫道：「姊姊，你就答應留下來吧！」

方秀梅黯然一歎，道：「你們快些起來。」

伸手扶起了王修。

目光之下，只見方秀梅雙頰紅暈更盛，豪邁頓失，若有不勝嬌羞之態……

全書完

臥龍生武俠經典珍藏版 40

翠袖玉環（四）大結局

作者：臥龍生
發行人：陳曉林
出版所：風雲時代出版股份有限公司
地址：10576台北市民生東路五段178號7樓之3
電話：(02) 2756-0949
傳真：(02) 2765-3799
執行主編：劉宇青
美術設計：許惠芳
業務總監：張瑋鳳
出版日期：臥龍生60週年珍藏版 2023年5月
版權授權：春秋出版社呂秦書
ISBN ：978-986-5589-81-3
風雲書網：http://www.eastbooks.com.tw
官方部落格：http://eastbooks.pixnet.net/blog
Facebook：http://www.facebook.com/h7560949
E-mail：h7560949@ms15.hinet.net
劃撥帳號：12043291
戶名：風雲時代出版股份有限公司

風雲發行所：33373桃園市龜山區公西村2鄰復興街304巷96號
電話：(03) 318-1378　　傳真：(03) 318-1378
法律顧問：永然法律事務所 李永然律師
　　　　　北辰著作權事務所 蕭雄淋律師

行政院新聞局局版台業字第3595號 營利事業統一編號22759935

定價：320元　

國家圖書館出版品預行編目資料

翠袖玉環／臥龍生 著. -- 臺北市：風雲時代出版股份有限公司，2021.06- 冊；公分（臥龍生武俠經典珍藏版）
ISBN：978-986-5589-78-3（第1冊：平裝）
ISBN：978-986-5589-79-0（第2冊：平裝）
ISBN：978-986-5589-80-6（第3冊：平裝）
ISBN：978-986-5589-81-3（第4冊：平裝）

863.57　　110007332